FRANCOPHONIES D'AMÉRIQUE

FRANCOPHONIES D'AMÉRIQUE

Printemps 2014 Numéro 37

Les Presses de l'Université d'Ottawa
Centre de recherche en civilisation canadienne-française

FRANCOPHONIES D'AMÉRIQUE

Printemps 2014 Numéro 37

En couverture : Dominik Robichaud, *Secrets du Bonheur* (détail), huile sur linoléum, 30 cm x 30 cm, 2014 (photographie : Mathieu Léger).

Cette revue est publiée grâce à la contribution financière des institutions suivantes :

Association des collèges et universités de la francophonie canadienne (ACUFC) • CRCCF, Université d'Ottawa • CREFO, Université de Toronto • Université de Moncton • Université de Saint-Boniface • Université Laurentienne • Université Laval • Université Sainte-Anne

ISBN : 978-2-7603-0948-7
ISSN : 1183-2487 (Imprimé)
ISSN : 1710-1158 (En ligne)
Dépôt légal – Bibliothèque et Archives nationales du Québec, 2015
Dépôt légal – Bibliothèque et Archives Canada, 2015
Les Presses de l'Université d'Ottawa / Centre de recherche en civilisation canadienne-française, 2015
Imprimé au Canada

Comment communiquer avec

FRANCOPHONIES D'AMÉRIQUE

POUR LES QUESTIONS D'ABONNEMENT, DE DISTRIBUTION OU DE PROMOTION :

Martin Roy
Centre de recherche
en civilisation canadienne-française
Université d'Ottawa
65, rue Université, bureau 040
Ottawa (Ontario) K1N 6N5
Téléphone : 613 562-5800, poste 4007
Télécopieur : 613 562-5143
Courriel : Roy.Martin@uOttawa.ca
Site Internet : http://francophoniesdamerique.uottawa.ca

POUR TOUTE QUESTION RELEVANT DU SECRÉTARIAT DE RÉDACTION :

Colette Michaud
Secrétariat de rédaction, *Francophonies d'Amérique*
Centre de recherche
en civilisation canadienne-française
Université d'Ottawa
65, rue Université, bureau 040
Ottawa (Ontario) K1N 6N5
Téléphone : 613 562-5800, poste 4001
Télécopieur : 613 562-5143
Courriel : cmichaud@uOttawa.ca

Francophonies d'Amérique est disponible sur la plateforme Érudit à l'adresse suivante :
http://www.erudit.org/revue/fa/apropos.html

Francophonies d'Amérique **est indexée dans :**

Klapp, *Bibliographie d'histoire littéraire française* (Stuttgart, Allemagne)

International Bibliography of Periodical Literature (IBZ) et *International Bibliography of Book Reviews (IBR)* (Hasbergen, Allemagne)

International Bibliography of the Social Sciences (IBSS), The London School of Economics and Political Science (Londres, Grande-Bretagne)

MLA International Bibliography (New York)

REPÈRE – Services documentaires multimédia

Table des matières

Francophonie canadienne et pouvoir

ARTICLES HORS DOSSIER

RECENSIONS

Présentation
Francophonie canadienne et pouvoir[1]

FRANCOPHONIES
D'AMÉRIQUE

François-Olivier Dorais, Université de Montréal
Serge Miville, Université York

Avec ce nouveau numéro, *Francophonies d'Amérique* propose à ses lecteurs un dossier thématique consacré à la question du pouvoir en francophonie canadienne. Terme polysémique et multiforme s'il en est un, le pouvoir a suscité maints débats sur sa définition au cours des dernières décennies. Il fait partie, pourrait-on dire, de ces « concepts essentiellement contestés » pour lesquels les avis sur sa signification se confrontent et les consensus se délitent (cité dans Rocher, 1986 : 35). Aux yeux du politologue Gérard Bergeron, le pouvoir, plutôt qu'un concept scientifique, désignerait surtout un « "mot de passe" qui, semblant ouvrir toutes les portes, n'en ouvre aucune » (1970 : 228). On reconnaît, en effet, sans peine le caractère imprécis et un peu « passe-partout » de la notion. Ainsi, le professeur l'emploiera pour caractériser l'autorité morale qu'il souhaite incarner devant sa classe, le juriste pour désigner l'une des fonctions régaliennes de l'État et le leader syndical pour décrire le rapport de force qu'il entend instituer face au patronat. Aux différents types d'action qu'il recouvre, le pouvoir s'exerce aussi en divers lieux et selon des contextes très variés : parlement, famille, Église, prison, médias, université, cour de justice, entreprise, etc. Ces lieux et contextes recèlent, par ailleurs, autant de médiations du pouvoir, de stratégies vitales et de champs sémantiques allant de la domination à l'autorité en passant par la servitude, la soumission, la crainte, l'influence, le contrôle, la puissance, la persuasion et la violence, physique ou sublimée. De la même manière,

[1] Les directeurs de ce dossier tiennent, tout particulièrement, à remercier l'apport et le précieux soutien de François Paré et du Centre de recherche en civilisation canadienne-française de l'Université d'Ottawa.

le pouvoir relève de champs disciplinaires tout aussi diversifiés, allant de l'anthropologie à la philosophie en passant par la sociologie, la psychologie, la linguistique et l'histoire.

Cet usage multivoque de la notion de pouvoir atteste sans doute son caractère de plus en plus diffus et fluide aujourd'hui. À l'heure où les sociétés intègrent des relations sociales largement complexifiées par l'accélération des mouvements migratoires, l'affaiblissement des systèmes politiques, le déplacement supranational des lieux de décision et la dissociation individualiste, le pouvoir se donne à voir dans une forme assurément plus décentralisée. Ce constat conduit à une relecture obligée de ses acceptions plus génériques que Guy Rocher, et d'autres, associe aux perspectives « volontaristes » classiques d'un Max Weber – le pouvoir comme « manière d'imposer sa volonté propre, à l'intérieur d'une relation sociale, même à l'encontre de résistance, indépendamment de là où repose cette chance » (Weber, cité dans Rocher, 1986 : 9) – ou d'un Bertrand Russel – le pouvoir comme « production d'effets recherchés ». Ces définitions, souvent restreintes à la sphère politique, reposent pour l'essentiel sur une conception causale du pouvoir, où ce dernier devient la cause d'une action voulue et désirée par l'acteur ou un groupe d'acteurs.

Rocher distingue deux autres ordres de définitions : les définitions dites « systémiques », privilégiant la perspective fonctionnaliste du système social sur celle des individus-acteurs, et les définitions « critiques », inspirées par le postulat marxiste et qui entendent poser le pouvoir, avant tout, comme une relation de domination et de sujétion reportée aux jeux d'intérêts en cause dans le contexte élargi des déséquilibres de rapports de force sociaux (Rocher, 1986). Depuis les années 1950, ces nouvelles acceptions ont connu une popularité croissante. D'une manière générale, leur diffusion a opéré un déplacement dans notre compréhension du phénomène. Ainsi, nous serions passés d'une conceptualisation du pouvoir constitué d'« attributs » possédés par des acteurs ou des groupes d'acteurs à une conceptualisation du pouvoir fait de « relations », entendu comme un *processus* inhérent aux échanges sociaux et actif sous un jour multiforme, plus trouble et dispersé dans la collectivité. Cette vision s'inscrit particulièrement dans l'héritage du paradigme structuraliste critique des années 1960 et 1970, dont Michel Foucault, Michel Crozier et Pierre Bourdieu se sont fait les principaux représentants.

Il ne nous appartient pas, dans ces quelques lignes, de dégager une définition du pouvoir qui actualiserait cet héritage et ferait consensus dans la galaxie des sciences sociales. Tout au plus, s'agit-il d'admettre, en amont, la complexité de la notion et de rappeler la pertinence d'une interrogation sur ses applications dans le contexte de la francophonie canadienne. Sur ce point, le lecteur nous permettra de ne pas céder au relativisme radical, qui consisterait à mettre derrière le mot « pouvoir » que ce qu'on veut bien y voir. C'est qu'il nous semble que la notion articule, à point nommé, des enjeux qui offrent sur le Canada français d'hier et d'aujourd'hui plusieurs points de vue pertinents sur sa condition.

Au premier chef, rappelons en quoi s'impose une considération d'ordre épistémologique, qui consiste à réévaluer les usages et les applications des théories générales sur le pouvoir dans le cadre d'une réflexion sur l'objet minoritaire. Ainsi, on peut se demander dans quelle mesure les grandes formalisations théoriques du pouvoir précédemment évoquées nous permettent de mieux comprendre la francophonie canadienne. Leur autorité scientifique et intellectuelle les habilite-t-elle à comprendre les réalités spécifiques d'ici ? Cet axe d'interrogation initial concerne les mécanismes de pouvoir présents à l'intérieur des discours scientifiques. Il n'est pas inutile, sur ce point, de rappeler en quoi l'emploi d'un cadre d'analyse éprouvé et reconnu pour étudier la question du pouvoir ne peut faire l'économie d'une réflexion primordiale sur notre propre pouvoir en tant que chercheur. Cela revient à dire que les produits de la pensée ne peuvent être considérés comme généraux, tout comme leur validité universelle ne peut être admise sans un regard critique minimal. Il en va non seulement de la spécificité et de l'originalité de la mémoire savante des cultures minoritaires, mais aussi de la lutte contre toutes les formes de dépendances culturelle et symbolique qui sont susceptibles de déréaliser leur singularité[2].

Ainsi, on peut, par exemple, réfléchir aux potentialités et aux limites de la théorie bourdieusienne du pouvoir, dont se sont récemment inspirés certains sociologues et linguistes pour rendre compte de la dynamique des minorités francophones au Canada[3]. Ce cadre invite à situer l'analyse du fait minoritaire dans une dynamique relationnelle et structurelle, c'est-à-dire en tant qu'il s'institue d'abord dans des rapports pratiques et symboliques

---

2 À ce propos, on consultera avec profit Mourad Ali-Khodja (2013).

3 On prendra pour exemple la publication de Nathalie Bélanger, Nicolas Garant, Phyllis Dalley et Tina Desabrais (dir.) (2010). Voir aussi, à ce propos, Monica Heller (2011) et Diane Gérin-Lajoie (2002).

qui relient le groupe à l'espace social et aux autres groupes constitués. Sous cet angle, les interactions linguistiques entre francophones et anglophones représentent un axe de recherche fécond pour dévoiler et localiser le réseau complexe et ramifié des rapports de force historiques et symboliques. Le cadre théorique bourdieusien permet aussi de recentrer la problématique sur la dimension subjective du fait minoritaire, c'est-à-dire l'enjeu de sa (re)production sociale et politique. Considérée sous cet angle, l'analyse porte sur la logique sociale qui préside à la « mise en situation minoritaire » et à la réponse, active ou non, des porte-parole ou des représentants du groupe minorisé (Voutat et Knuesel, 1997). Ici, le pouvoir *sur le groupe* minoritaire est en fait le pouvoir *de faire le groupe* minoritaire qui lui impose, par un travail symbolique venu de l'extérieur, des principes de vision unique de son identité et une certaine représentation de son unité. C'est ainsi que le concept de *violence symbolique*, en tant que violence qui agit en deçà de la conscience et qui échappe à la volonté des agents, permet d'apporter un éclairage sur le champ de pouvoir dans lequel évolue la francophonie canadienne (Bourdieu, 2001).

Peut-on parler de voies inconscientes de la domination dans le cas des francophonies minoritaires ? Si oui, comment cette domination est-elle incorporée dans les structures cognitives ? Quelles dispositions forge-t-elle ? Quel ordre social naturalise-t-elle ? Quels sont les possibles tant sociaux que politiques qu'elle exclut ? Quelle place doit-on accorder à la construction symbolique de l'État canadien dans cette problématique ? Voire encore, aux savoirs scientifiques en milieu minoritaire, eux aussi générateurs d'effets symboliques ? Et inversement, quelles seraient les conditions pour que les minorités francophones puissent collectivement se réapproprier un pouvoir sur les principes de construction et d'évaluation de leur propre identité ? C'est dire combien la recherche d'inspiration bourdieusienne sur le pouvoir peut être génératrice de questionnements féconds dans l'étude de la francophonie canadienne.

En écho aux remarques précédentes, on ne peut éviter toutefois de s'interroger sur le rendement herméneutique de cet apport théorique, d'autant plus qu'il sous-tend certaines difficultés épistémiques évidentes. Ainsi en est-il de la notion de *champ* qui, chez Bourdieu, prend la forme d'un espace social structuré et conflictuel relativement autonome, dans lequel les acteurs se disputent le capital légitime (que ce soit l'argent, le prestige, la reconnaissance effective, etc.) avec, pour résultat, la production de dominés et de dominants et, donc, de rapports de force qui préexistent à l'entrée des acteurs dans le champ. Cette notion est-elle transposable ? Existe-t-il, en francophonie canadienne, quelque chose comme des champs sociaux différenciés qui obéissent à des logiques différentes ? Rien n'est moins sûr, si tant est que l'on puisse admettre que la différenciation de l'espace social dans les francophonies minoritaires ne va pas de soi. À l'analyse, ce dernier représente plutôt un espace de pénétrance et de recoupement constamment tiraillé entre une sollicitation à l'autonomie, d'un côté, et la dépendance face à certaines forces qui lui sont exogènes, de l'autre. Quant au lieu de son « champ politique », principale sphère de pouvoir analysée par Bourdieu, il demeure pour le moins fuyant, dépourvu de réelles structures décisionnelles et électives et confiné à l'enceinte d'un réseau associatif, lui-même en situation de dépendance financière face aux structures étatiques de la société en général.

À cette limite s'en ajoute une seconde, que nous empruntons aux sociologues Joseph Yvon Thériault et E.-Martin Meunier. Elle concerne l'aspect « mimétique » de l'appropriation du cadre sociologique bourdieusien, dont le risque réside justement dans son incapacité à envisager la différence culturelle endogène du Canada français et la particularité de son expérience historique autrement que comme le fait d'un développement stratégique par une élite nationaliste cherchant à préserver ses intérêts. Il y aurait dans cette « axiomatique de l'intérêt » une tendance à réduire la complexité de la vie sociale et la question des intentionnalités historiques à une logique strictement utilitaire (Thériault et Meunier, 2008). On retiendra de cette critique le souci d'une théorisation qui prendrait en considération la réalité effective des groupements francophones hors Québec. Cette réalité tient aux représentations et aux pratiques qui s'articulent dans un rapport politique à la communauté et qui conduisent le groupe à légitimer son existence par-delà les stricts intérêts des individus qui le composent. Poser la question du pouvoir sous cet angle revient donc à poser la question qui structure la logique de déploiement historique des francophonies minoritaires, à savoir celle de leur mise en forme comme entité sociale autonome et distincte. Autrement dit, la question du pouvoir interroge la francophonie dans ses potentialités politiques, plus particulièrement dans sa *capacité* (et le seuil de cette capacité) à faire du Canada français le lieu organisateur de la société où vivent les francophones et le lieu planificateur de leur propre devenir.

Cette optique reprend le fil d'une interrogation qui a maintes fois surgi dans la conscience de nos devanciers. L'historien Léon Thériault, la posait déjà clairement au début des années 1980 dans *La question du pouvoir en Acadie* (1982), ouvrage dans lequel il proposait notamment la création d'une province acadienne taillée à même le Nouveau-Brunswick ou, à défaut de cela, le raccordement au Québec du Nouveau-Brunswick français. Ici, la question du pouvoir n'est pas tant celle d'une vision participative aux institutions parlementaires de la société, qui consisterait à appréhender le pouvoir comme une intégration à l'espace politique commun à la majorité anglophone. Elle désigne plutôt celle de l'autonomie et de l'agir politique, de même qu'elle exige la durée et la permanence, garantes d'une inscription stable dans le temps[4].

Pour peu que la littérature scientifique contemporaine nous pousse à engager la discussion en ces termes, elle ne saurait pourtant s'y soustraire. La chose doit être notée : la francophonie semble de moins en moins disposée à réfléchir à la thématique du pouvoir sous cet angle, constat qui doit être corrélé avec sa propre démission devant la question du politique par laquelle elle doit réfléchir aux divers leviers dont elle dispose pour organiser en son sein une capacité à se représenter comme une société à part entière. Est-il nécessaire de rappeler combien l'urgence d'un tel questionnement s'impose, non seulement du point de vue de la réflexion théorique qu'il autorise sur les principes générateurs de la francophonie canadienne, mais aussi en regard des réaménagements concrets qui transforment aujourd'hui son rapport aux États provinciaux et fédéral. Ceux-ci concernent tant la diminution du poids politique des francophones aux divers paliers gouvernementaux que le contexte global d'austérité budgétaire et de privatisation croissante des services publics.

ꕤ

Fruit d'un colloque qui a eu lieu en novembre 2013 avec la collaboration du Centre de recherche en civilisation canadienne-française (CRCCF) de l'Université d'Ottawa, ce dossier de publications espère ainsi relancer une réflexion sur la question du pouvoir dans le contexte propre à la francophonie canadienne. Il met à contribution plusieurs chercheurs aux horizons disciplinaires variés.

---

4 À ce propos, voir Joseph Yvon Thériault (1994).

Rémi Léger pose, d'abord, les balises d'une nouvelle conceptualisation de la question du pouvoir en milieu francophone minoritaire à travers la notion d'habilitation. Cette dernière désigne l'acquisition ou le renforcement d'un « pouvoir d'agir », venant ainsi pallier une dimension négligée de la philosophie de la reconnaissance au cœur des thématiques du multiculturalisme et du droit des minorités. En seconde analyse, le concept d'« habilitation » est mis à l'épreuve de la réalité de la francophonie canadienne, plus exactement au prisme des revendications du réseau associatif, de la *Loi sur les langues officielles* et de la question scolaire.

Christophe Traisnel et Darius Bossé abordent dans leur texte l'une des principales formes de médiation du pouvoir en société, à savoir celle du droit. Les deux auteurs explorent, plus particulièrement, la question des rapports entre reconnaissance politique et juridique des minorités francophones à travers le cas de l'article 16.1 de la *Charte canadienne des droits et libertés* portant sur le statut du français et de l'anglais au Nouveau-Brunswick.

Suivent deux courts textes de Stéphanie Chouinard et de Serge Dupuis qui discutent des liens entre les élites, le pouvoir et la francophonie canadienne aujourd'hui. Chacun à leur manière, ces auteurs examinent l'évolution du rôle et de la fonction sociale de l'« élite » dans le contexte de la francophonie canadienne et débattent de sa signification et de sa pertinence heuristique pour comprendre l'espace minoritaire d'hier et d'aujourd'hui.

Sophie-Hélène Legris-Dumontier s'intéresse, pour sa part, à l'histoire de la Commission de la capitale nationale (CCN) et montre comment cette dernière en est venue à s'imposer comme un vecteur promotionnel d'une nouvelle identité canadienne au sein de la région de la capitale nationale. Il est question notamment des interventions de cet organisme dans le domaine linguistique, de son influence dans l'aménagement du paysage urbain et des motivations politiques derrière ses initiatives.

Dans un tout autre registre, Valérie Mandia nous livre une étude qui porte sur le pouvoir de la langue dans le cinéma du jeune cinéaste québécois Xavier Dolan. Par un examen minutieux de la mise en forme et des usages du français dans trois de ses longs métrages, Mandia restitue l'univers hybride qui caractérise le cinéma dolanien, où les variations linguistiques, le recours à l'anglais et l'alternance des codes et des médiums portent un éclairage probant tant sur sa réception mitigée au Québec que sur son succès à l'échelle internationale.

Joël Lagrandeur revient, pour sa part, sur les tenants et aboutissants de la controverse entourant la traduction anglaise de la troisième édition de l'*Histoire du Canada* de François-Xavier Garneau, par Andrew Bell. Lagrandeur montre en quoi, aux fins de légitimation politique, cette traduction cumule une série de glissements de sens par rapport au texte original. Cet article jette un regard sur les liens complexes et multiformes qui existent entre pouvoir et pratiques de traduction au Canada français.

BIBLIOGRAPHIE

ALI-KHODJA, Mourad (2013). « Réflexions sur les figures de l'intellectuel et du savant en milieu francophone minoritaire », *Minorités linguistiques et société = Linguistic Minorities and Society*, n° 3, p. 41-55.

BÉLANGER, Nathalie, Nicolas GARANT, Phyllis DALLEY et Tina DESABRAIS (dir.) (2010). *Produire et reproduire la francophonie en la nommant*, Sudbury, Éditions Prise de parole.

BERGERON, Gérard (1970). « Pouvoir, contrôle et régulation », *Sociologie et sociétés*, vol. 2, n° 2 (novembre), p. 227-248.

BOURDIEU, Pierre (2001). *Langage et pouvoir symbolique*, Paris, Seuil, coll. « Points ».

GÉRIN-LAJOIE, Diane (2002). « Le rôle du personnel enseignant dans le processus de reproduction linguistique et culturelle en milieu scolaire francophone en Ontario », *Revue des sciences de l'éducation*, vol. 28, n° 1, p. 125-146.

HELLER, Monica (2011). « La francophonie et ses contradictions : multiples positions, multiples intérêts », *Sociolinguistic Studies*, vol. 5, n° 3, p. 399-421.

ROCHER, Guy (1986). « Droit, pouvoir et domination », *Sociologie et sociétés*, vol. 18, n° 1 (avril), p. 33-46.

THÉRIAULT, Joseph Yvon (1994). « L'Acadie politique et la politique en Acadie : essai de synthèse sur la question nationale », *Revue de l'Université de Moncton*, vol. 27, n° 2, p. 9-30.

THÉRIAULT, Joseph Yvon, et E.-Martin MEUNIER (2008). « Que reste-t-il de l'intention vitale du Canada français? », dans Joseph Yvon Thériault, Anne Gilbert et Linda Cardinal (dir.), *L'espace francophone en milieu minoritaire au Canada : nouveaux enjeux, nouvelles mobilisations*, Montréal, Éditions Fides, p. 205-240.

THÉRIAULT, Léon (1982). *La question du pouvoir en Acadie*, Moncton, Éditions d'Acadie.

VOUTAT, Bernard, et René KNUESEL (1997). « La question des minorités : une perspective de sociologie politique », *Politix : revue des sciences sociales du politique*, vol. 10, n° 38, p. 136-149.

De la reconnaissance à l'habilitation de la francophonie canadienne[1]

Rémi Léger
Université Simon Fraser

DEPUIS LA FIN DES ANNÉES 1980, la thématique du multiculturalisme et du droit des minorités s'est peu à peu imposée dans la pensée politique, en proposant d'actualiser les théories de la justice et les raisons qui les justifient à la lumière des revendications politiques formulées par les groupes en situation minoritaire. Il en résulte l'émergence de nouvelles théories qui tiennent davantage compte du caractère multiculturel et plurilingue des sociétés modernes. Au nombre de ceux qui ont contribué à en définir les contours, on compte notamment les travaux de Will Kymlicka (2001), de même que ceux plus récents de Philippe Van Parijs (2011), de Joseph Carens (2013) et d'Alan Patten (2014).

Dans le cadre de ces travaux de recherche, la question de la justice et de ses modalités est, la plupart du temps, appréhendée à travers la notion de reconnaissance. Les sciences sociales et humaines mettent des mots sur des phénomènes et des enjeux, elles traduisent la réalité par des concepts. Dans le cas de la thématique du multiculturalisme et du droit des minorités, les commentateurs ont traduit les réalités du terrain par la notion de reconnaissance. D'une part, les groupes en situation minoritaire auraient exigé ou exigeraient toujours une reconnaissance de la part de l'État et de la société. Par exemple, serait logé au cœur des nationalismes québécois, écossais et catalan un désir d'être reconnu par Ottawa, Londres et Madrid[2]. D'autre part, en réponse à ces luttes et aux revendications

[1] L'auteur tient à remercier François-Olivier Dorais et Martin Normand pour leur soutien et leurs conseils. Il remercie aussi de leurs commentaires le directeur et les évaluateurs anonymes de la revue.

[2] Charles Taylor écrira au sujet du nationalisme québécois que « très peu d'indépendantistes québécois, par exemple, admettent que ce qui leur fait gagner leur combat est un manque de reconnaissance de la part des Canadiens anglais » (1994 : 88).

qu'elles comportent, les démocraties libérales ont été amenées à adopter des « politiques de la reconnaissance ». Ces politiques ont pris diverses formes – langues officielles et multiculturalisme au Canada ; *Charte de la langue française* et interculturalisme au Québec –, mais elles ont en partage la reconnaissance de l'identité et de l'appartenance des personnes ou des collectivités.

Pourtant, la notion de reconnaissance ne peut traduire à elle seule les réalités du terrain. À notre sens, elle déforme ou dissimule la question du pouvoir qui réside au cœur des revendications des groupes en situation minoritaire. La reconnaissance vise à admettre la légitimité de l'identité ou de l'appartenance des personnes ou des collectivités. En règle générale, elle renvoie à l'attribution d'un statut. Par exemple, la *Loi canadienne sur l'immigration et la protection des réfugiés* fait une distinction entre le citoyen, le résident permanent et le réfugié. Ces trois statuts sont importants parce qu'ils confèrent des droits, des obligations et des privilèges. Le statut de citoyenneté accorde des droits – le droit de voter ou de se présenter à une élection – que n'accordent pas les statuts de résident permanent et de réfugié.

L'habilitation, quant à elle, désigne l'acquisition ou le renforcement d'un « pouvoir d'agir » (Le Bossé, 2003). Le pouvoir nouvellement acquis ou renforcé permet aux personnes ou aux collectivités d'intervenir dans les domaines de leur existence qu'elles estiment importants. Ainsi, l'habilitation permet de récupérer une facette de la réalité qui est évacuée par la reconnaissance. D'une part, nombre des luttes que portent les groupes minoritaires visent l'habilitation. Ces groupes réclament autant un statut que du pouvoir. D'autre part, les mesures étatiques adoptées en réponse aux revendications des minorités peuvent aussi trouver fondement dans l'habilitation. Une politique linguistique peut chercher à reconnaître le statut d'une langue, mais elle peut aussi viser à habiliter les personnes ou les collectivités parlant cette langue. En somme, cette notion d'habilitation permet de mieux traduire les revendications des minorités ainsi que de prescrire des réponses politiques qui soient adaptées à la situation et susceptibles de satisfaire à ces revendications.

Le présent article aborde la question de l'habilitation à travers le cas de la francophonie canadienne en situation minoritaire. On le verra, un pont a récemment été édifié entre la thématique du multiculturalisme et du droit des minorités et le domaine d'études consacré à la francophonie canadienne. Les études qui en résultent approfondissent notre compréhension du statut à accorder à ces collectivités vivant en situation minoritaire et aux individus qui les composent. La notion d'habilitation permet, quant à elle, d'approfondir davantage notre compréhension en abordant la facette de leurs revendications qui porte expressément sur l'acquisition ou le renforcement du pouvoir. En d'autres mots, elle permet de faire la lumière sur la question du pouvoir à laquelle renvoient nombre de revendications soumises par les groupes et les associations voués à la promotion des intérêts de la francophonie canadienne.

Notre étude se divise en quatre parties. Nous traiterons rapidement de l'émergence de la question de la reconnaissance au sein de la thématique du multiculturalisme et du droit des minorités. Nous tâcherons, par la suite, de situer la question de la reconnaissance spécifiquement dans le champ des études consacrées à la francophonie canadienne en situation minoritaire. Enfin, nous présenterons de manière plus détaillée la notion d'habilitation avant d'examiner, en dernière instance, trois exemples tirés de la francophonie canadienne qui, à leur manière, permettent d'illustrer l'importance de recourir à la notion d'habilitation.

La thématique minoritaire et l'émergence de la question de la reconnaissance

Depuis la fin des années 1980, l'étude des minorités et de leurs spécificités est devenue un aspect incontournable de la pensée politique normative. C'est que l'appartenance à un groupe minoritaire entraînerait des injustices ou des inégalités que le reste de la population n'aurait pas à subir. L'État emploierait la langue dominante, par exemple, alors que les langues en situation minoritaire seraient écartées de la sphère publique et reléguées dans la sphère privée. À la lumière des revendications formulées par les groupes minoritaires visant à réparer ces injustices et ces inégalités, plusieurs chercheurs se sont proposé d'actualiser les théories de la justice et les raisons qui les justifient – l'objectif consistant, pour l'essentiel, à revisiter les théories développées par John Rawls (1971) et Ronald Dworkin (1983) afin d'y intégrer le caractère multiculturel et plurilingue des sociétés contemporaines. Les nouvelles théories qui en émergent postulent que la réalisation de la justice dans les sociétés plurielles exige la mise en place d'un certain nombre d'aménagements institutionnels ou de droits différenciés[3].

[3] Pour un survol complet de ce débat, voir l'excellent ouvrage de Michael Murphy, *Multiculturalism: A Critical Introduction* (2012).

La question de la reconnaissance des groupes minoritaires a fait l'objet de discussions importantes dans le cadre de ces nouvelles perspectives. Parmi les contributions les plus importantes à ce chapitre, il faut se reporter à une conférence bien connue du philosophe canadien Charles Taylor, prononcée en 1990 à l'occasion de l'inauguration du University Center for Human Values à l'Université Princeton. Dans cette conférence, Taylor (1994) avançait que la reconnaissance correspond à deux grandes interprétations des exigences de la démocratie libérale et de son principe fondamental d'égale dignité. La première interprétation prescrit un ensemble identique de droits et de responsabilités pour tous les citoyens et toutes les citoyennes. Le principe d'égale dignité exigerait donc un rapport à l'État qui est universellement le même pour chacun et chacune d'entre nous. La langue de l'un ou la religion de l'autre n'aurait aucune incidence sur l'octroi du statut de citoyenneté et les droits et les responsabilités qui l'accompagnent. On dira ainsi de la démocratie libérale qu'elle ne voit pas les spécificités ethnoculturelles des citoyens et des citoyennes.

La deuxième interprétation de la reconnaissance concerne la reconnaissance de l'identité particulière de l'individu ou du groupe[4]. Elle s'inspire de ce que Taylor nomme l'idéal d'authenticité – « être fidèle à moi-même et à ma propre manière d'être » (1994 : 44). Notre responsabilité morale envers nous-mêmes consisterait à découvrir et à énoncer cette manière originale d'être qui réside en nous. Afin de respecter le principe d'égale dignité, l'État doit donc voir à ce que cette manière originale d'être au monde soit reconnue et validée. En d'autres termes, il doit viser la reconnaissance de l'identité et de l'appartenance des individus et des groupes, ce qui les distingue fondamentalement de tous les autres.

Enfin, toujours selon Taylor, une absence de reconnaissance ou une reconnaissance inadéquate de l'identité causerait des torts aux individus et aux groupes. « Une personne ou un groupe de personnes peuvent subir un dommage ou une déformation réelle si les gens ou la société qui les entourent renvoient une image limitée, avilissante ou méprisable d'eux-mêmes » (1994 : 41), en conclut-il. À cet effet, la reconnaissance de ce qui

---

[4] La formule « de l'individu ou du groupe » masque un grand débat au sein de la thématique minoritaire. Pour une genèse de ce débat, on peut se référer à l'ouvrage de Stephen Mulhall et Adam Swift, *Liberals and Communitarians* (1992).

est identique chez tous et toutes doit faire place à la reconnaissance des différences par l'entremise d'un droit linguistique, d'une mesure d'exemption ou, encore, de l'autonomie culturelle. Pour le dire simplement, la reconnaissance des groupes en situation minoritaire serait une exigence de la justice dans nos sociétés marquées par le pluralisme et l'immigration.

La reconnaissance de la francophonie canadienne

Depuis maintenant plus d'une trentaine d'années se développe un domaine d'études consacré à la francophonie canadienne en situation minoritaire (Thériault, 1999; Thériault, Gilbert et Cardinal, 2008). Jusqu'à tout récemment, ces travaux de recherche avaient évolué en parallèle à ceux traitant la thématique du multiculturalisme et du droit des minorités. Tenue en marge des nouvelles théories de la justice précédemment évoquées, la question des francophones en situation minoritaire avait surtout été étudiée à travers le prisme de la vitalité (Landry et Allard, 1996; Johnson et Doucet, 2006; Langlois et Gilbert, 2006), de la complétude institutionnelle (Breton, 1985; Denis, 1993; Aunger, 2010), de l'autonomie (Magord, 2008; Landry, Forgues et Traisnel, 2010; Poirier, 2008), de la gouvernance (Cardinal et Hudon, 2001; Forgues, 2007; Léger, 2013) et, plus récemment, de la mondialisation et de l'inclusion de la diversité (Garneau, 2010; Belkhodja, 2011; Heller, 2011). Ces travaux ont indéniablement contribué à l'approfondissement de notre compréhension de la francophonie canadienne. Les écrits sur la gouvernance ont, par exemple, permis de thématiser la nouvelle relation qui se met en place depuis le début des années 1990 entre les organismes communautaires francophones et les institutions fédérales. De leur côté, les études en sociolinguistique critique ont permis de saisir comment la nouvelle économie mondialisée déstabilise la francophonie canadienne et fait de la langue française une habileté technique et un bien d'échange.

Ces dernières années, un pont a été jeté entre la thématique du multiculturalisme et du droit des minorités et l'étude de la francophonie canadienne. Des chercheurs ont entamé une réflexion sur les exigences de la justice dans le cas de la francophonie canadienne ainsi que sur la justification morale des interventions visant à favoriser son développement. Linda Cardinal et Eloísa González Hidalgo (2012) ont fait de la complétude institutionnelle un principe de justice pouvant guider l'action étatique envers la francophonie minoritaire. Johanne Poirier (2012) a, pour sa part, revu la distinction incontournable entre minorités nationales et ethniques dans le but d'y inscrire les francophones en situation minoritaire. Rodrigue Landry (2012) a puisé dans les écrits de Will Kymlicka afin de justifier son modèle d'autonomie culturelle. Enfin, Stéphanie Chouinard (2014; voir aussi Léger, 2014) cherche à cerner la place et l'importance des principes du modèle de l'autonomie non territoriale dans la jurisprudence canadienne en matière de langues officielles.

Cette interaction nouvelle entre l'étude de la francophonie canadienne et la thématique minoritaire en pensée politique a aussi donné lieu à des travaux sur le thème de la reconnaissance. François Charbonneau (2012) et Christophe Traisnel (2014) ont respectivement mobilisé la notion de reconnaissance dans le but de présenter et d'évaluer les droits et les accommodements accordés aux francophones en situation minoritaire. D'après Charbonneau, les francophones en situation minoritaire seraient aujourd'hui entrés dans une ère de « postreconnaissance », signifiant par là que les membres de leurs communautés, après s'être engagés pendant plusieurs décennies dans une lutte pour la reconnaissance, se satisferaient désormais de leur condition. La *Loi sur les langues officielles* et les programmes de soutien qui lui sont associés auraient répondu au désir de reconnaissance exprimé par les associations et les groupes francophones. Plus particulièrement, la pièce maîtresse de cette reconnaissance serait contenue dans la Partie VII de cette loi, disposition par laquelle le gouvernement fédéral s'engage à « favoriser l'épanouissement » ainsi qu'à « assurer le développement » de la francophonie canadienne[5]. Au dire de Charbonneau, « dans une perspective de "reconnaissance" pour des groupes minoritaires, on pourrait difficilement faire mieux que de se donner comme mission d'assurer "l'épanouissement" d'une collectivité » (2012 : 169). De plus, la *Charte canadienne des droits et libertés* et la jurisprudence pousseraient plus avant la reconnaissance de la francophonie et de la langue française. La Cour suprême du Canada a reconnu la gestion scolaire (*Mahé*

[5] Il faut savoir que la *Loi sur les langues officielles* met en équivalence la situation de la francophonie canadienne en situation minoritaire et celle de la minorité anglophone au Québec. C'est pourquoi la Partie VII de ladite loi énonce que le gouvernement fédéral « s'engage à favoriser l'épanouissement des minorités francophones et anglophones du Canada et à appuyer leur développement ».

c. Alberta, [1990] 1 RCS 342), le caractère collectif des droits linguistiques (*Beaulac c. Reine*, [1999] 1 RCS 768), l'importance des écoles pour le développement des communautés (*Arsenault-Cameron c. Île-du-Prince-Édouard*, [2000] CSC 1) et la participation des francophones dans la formulation et la mise en œuvre des programmes gouvernementaux les concernant (*DesRochers c. Canada*, [2009] 1 RCS 194). En somme, la lutte pour la reconnaissance des francophones en situation minoritaire serait « en voie avancée d'essoufflement, autre manière de dire qu'elle est essentiellement terminée » (Charbonneau, 2012 : 163).

La situation serait tout autre, selon Christophe Traisnel, qui estime que les francophones en situation minoritaire ne sont pas véritablement reconnus. Sa thèse s'appuie, pour l'essentiel, sur une distinction entre *la politique de la reconnaissance* et *la reconnaissance politique*, distinction qu'il établit en comparant les modèles canadien et belge d'aménagement des langues et des conflits ethnolinguistiques. Le modèle canadien relèverait, selon lui, de la politique de la reconnaissance parce qu'il vise l'égalité de statut des langues et non pas des collectivités ou des groupes parlant ces langues. La stratégie consiste essentiellement à rendre bilingue l'appareil fédéral de sorte que les citoyens et les citoyennes puissent s'y adresser dans la langue officielle de leur choix. Cette politique a pour résultat que « l'usage du français ne devient plus le trait culturel d'une composante de la collectivité canadienne mais un droit individuel accessible à tous » (Traisnel, 2014 : 21)[6]. La Belgique aurait, quant à elle, choisi la voie de la reconnaissance politique en dotant ses Communautés et ses Régions de pouvoirs législatifs et administratifs leur permettant d'agir dans les domaines névralgiques.

En somme, force est de reconnaître que Charbonneau et Traisnel ne se représentent pas la situation politique de la francophonie canadienne de la même manière. Alors que le premier affirme qu'on pourrait « difficilement faire mieux » (Charbonneau, 2012 : 169) que les engagements contenus

[6] Dans un autre texte fort intéressant, Traisnel (2012) postule que le modèle canadien se fonde sur une logique *sociale* et non pas sur une logique proprement *politique* préoccupée par la question du pouvoir. Il vise à montrer que le gouvernement fédéral serait intervenu à l'endroit des francophones en situation minoritaire par l'entremise de l'État-providence et de ses politiques de protection sociale. La motivation du fédéral serait de les protéger contre les risques de l'assimilation, de la même manière qu'il vise à protéger les travailleurs saisonniers contre la pauvreté.

dans la *Loi sur les langues officielles*, le second estime qu'il faut « sortir du modèle canadien » (Traisnel, 2012 : 86) puisque ce dernier refuse à la francophonie canadienne la possibilité de se donner les moyens de ses ambitions. Selon nous, ce « débat » marque l'amorce d'une réflexion plus large sur les conditions de la justice dans le cas de la francophonie canadienne en situation minoritaire. Les analyses de Charbonneau et de Traisnel alimentent une réflexion plus fondamentale sur la notion de reconnaissance et les réalités qu'elle se propose de traduire. Nous tenterons de poursuivre cette réflexion, en montrant comment la notion de reconnaissance déforme ou dissimule une facette de la réalité du terrain qu'un recours à la notion d'habilitation permet de révéler. On le verra à travers le cas de la francophonie canadienne, le recours à la notion d'habilitation permet, selon nous, de mieux traduire les revendications des minorités ainsi que de prescrire des réponses politiques plus susceptibles de satisfaire à ces revendications.

La notion d'habilitation

La notion d'habilitation est abondamment utilisée dans les domaines du travail social, de la psychologie communautaire, du développement des communautés et du développement international. Elle a été mise à contribution dans des études abordant des thèmes variés comme la refonte de l'intervention auprès des Noirs américains (Solomon, 1976), le renforcement du pouvoir des femmes (Moser, 1989), la transformation des relations Nord-Sud (Friedmann, 1992), la réduction de la pauvreté (Narayan, 2004), la promotion de la santé (Laverack, 2004) et le renouvellement du développement communautaire (Pigg, 2002). En science politique, Alain-G. Gagnon (2011, 2012; Gagnon et May, 2010) a amorcé un travail de réflexion sur la notion d'habilitation dans les sociétés plurielles[7]. Cependant, bien que ses travaux aient le mérite

[7] On peut nommer quelques autres travaux précurseurs où la question de l'habilitation des groupes minoritaires a été rapidement discutée. Ephraim Nimni (2012) emploie la notion pour faire ressortir les limites du modèle de l'État-nation dans la gouvernance de sociétés diverses. Colin Williams (2013) estime, pour sa part, que les politiques linguistiques dans de nombreux pays européens et au Canada sont potentiellement habilitantes, mais peinent à être pleinement mises en œuvre. Linda Cardinal (2007; et Denault, 2007) s'en inspire aussi dans certaines études portant sur les politiques linguistiques canadienne et galloise. Martin Normand (2012) l'aborde dans sa genèse

d'aborder l'habilitation dans la perspective de la justice au sein de sociétés plurielles, de même que d'interroger la relation entre la reconnaissance et l'habilitation, ils ne présentent pas de clarification conceptuelle ou de justification normative sur la notion.

Plus globalement, la notion d'habilitation est à l'heure des bilans ces dernières années. Des études récentes ont cherché à faire la genèse de ce concept au sein de débats ou de champs d'études particuliers. William Ninacs (2008) offre un tour d'horizon des fondements et des pratiques de l'habilitation au sein du travail social et, particulièrement, en ce qui concerne la réduction de la pauvreté. Anne-Emmanuèle Calvès (2009) entreprend, quant à elle, ce travail de synthèse et de réflexion dans le champ du développement international. Enfin, Fabrizio Cantelli (2013) fait le point sur l'utilisation de la notion d'habilitation dans le champ de la participation politique.

Cette abondance d'études ne doit cependant pas dissimuler ce qui constitue le noyau dur de la notion d'habilitation. Le premier élément de ce noyau dur correspond à l'acquisition ou au renforcement du pouvoir. La plupart des travaux de recherche emploient la notion pour marquer le passage d'une situation perçue ou concrète d'impuissance à une situation où une personne ou une collectivité exerce un plus grand pouvoir. Ainsi, la notion d'habilitation renvoie tout d'abord à un gain de pouvoir. Un second élément concerne les aspirations des personnes ou des collectivités concernées. La notion d'habilitation cherche aussi à offrir à ces dernières la possibilité d'agir sur leur réalité quotidienne ou sur certains aspects de leur réalité. C'est ainsi que Julian Rappaport, pionnier de l'habilitation au sein de la psychologie communautaire, définit l'habilitation comme « le fait d'exercer un plus grand contrôle sur les choses importantes pour soi » (1984 : 1 ; nous traduisons). Ce n'est donc pas un gain de pouvoir tout court qui est important dans la perspective de l'habilitation, mais bien un gain de pouvoir relativement aux aspirations des personnes ou des collectivités concernées. En somme, on peut dire de la notion

du débat concernant le développement de la francophonie canadienne en situation minoritaire. Enfin, alors que j'achevais la rédaction de cet article, la philosophe danoise Tove Malloy (2014) publiait un article sur le thème de l'habilitation des nations minoritaires. Si nos objectifs généraux se rejoignent, son approche s'inspire de la théorie des capacités développée par Martha Nussbaum (2000) et Amartyra Sen (2010) et non pas des réalités du terrain.

d'habilitation qu'elle conjugue *pouvoir* et *aspirations*. L'acquisition ou le renforcement du pouvoir des personnes ou des collectivités a pour objectif la capacité d'agir sur les choses que ces dernières considèrent importantes ; le gain de pouvoir cherche ici à rendre compatibles leur réalité et leurs aspirations.

Selon le psychosociologue Yann Le Bossé (1996, 2003, 2008), qui mène une réflexion sur le sujet depuis environ deux décennies, l'habilitation peut se traduire par le « pouvoir d'agir ». Il soutient que cette expression recentre la recherche et la réflexion sur les propriétés centrales du phénomène. Cette expression permet, en effet, de focaliser notre attention sur ce que nous associons précédemment au noyau dur de la notion. Ainsi, l'utilisation du terme *pouvoir* met l'accent sur l'acquisition des ressources ou le renforcement des moyens des personnes ou des collectivités. Le pouvoir décrit l'exercice d'une certaine maîtrise. Quant au verbe *agir*, il renvoie à l'action concrète ou encore à l'implication directe des personnes ou des collectivités. Celles-ci ont un rôle à jouer dans la transformation de leur réalité. Ces deux termes réunis invitent, dès lors, à penser que les personnes ou les collectivités utiliseront les ressources ou les moyens nouvellement acquis pour entreprendre des actions ou des activités qui répondent à leurs aspirations. En substance, l'habilitation signifie donc avoir les ressources ou les moyens – *le pouvoir* – de se mettre en action – *d'agir* (Le Bossé, 2003 : 45).

Enfin, à la suite des travaux de Per-Anders Tengland (2007, 2008), il est utile de remarquer que la notion d'habilitation désigne à la fois une *démarche* et une *finalité*. La démarche s'entend ici comme une façon particulière d'intervenir auprès des personnes ou des collectivités. L'habilitation fonde une véritable philosophie de l'intervention sociale et communautaire qui se décline autant dans la formulation des politiques et des initiatives que dans les pratiques des professionnels sur le terrain. Les démarches fondées sur l'habilitation souhaitent renforcer le « pouvoir d'agir » des personnes ou des collectivités. Ce qui relève des finalités implique une traduction du contenu des aspirations des personnes ou des collectivités. Une personne ou une collectivité peut avoir pour objectif d'exercer un plus grand pouvoir dans un domaine considéré comme névralgique ; elle peut être animée d'un désir d'habilitation. En somme, l'essentiel consiste à dire que la notion d'habilitation renvoie à un gain de pouvoir de la part des personnes ou des communautés afin qu'elles puissent agir sur les dimensions de leur existence qu'elles considèrent comme névralgiques[8].

Trois illustrations

Essentiellement, l'habilitation permet de thématiser la question du pouvoir des groupes en situation minoritaire. Dans le but d'illustrer cette thèse, cette dernière section entend mettre cette notion à l'épreuve de trois exemples tirés de la francophonie canadienne.

En premier lieu, la notion d'habilitation permet de traduire un grand nombre des revendications formulées par le vaste réseau d'organismes communautaires voués à la promotion des intérêts des francophones en situation minoritaire. Pendant plus d'un siècle, ces groupes et ces associations ont saisi les occasions offertes pour revendiquer des écoles, le droit de s'exprimer en français devant les tribunaux ainsi qu'une représentation politique ou la maîtrise de certains leviers étatiques. En d'autres mots, ils ont réclamé un statut pour la langue française, mais ils ont aussi exigé un gain de pouvoir dans des domaines considérés comme névralgiques. Nombre de leurs luttes ont trouvé et trouvent toujours fondement à la fois dans la reconnaissance et l'habilitation. Il suffit pour s'en convaincre d'aller consulter les manifestes et les études réalisés par la Fédération des francophones hors Québec (FFHQ), désormais devenue la Fédération des communautés francophones et acadienne du Canada (FCFA). Si ces documents ne reflètent évidemment pas toutes les revendications qu'ont pu formuler tous les francophones en milieu minoritaire, ils recouvrent,

---

[8] D'aucuns pourraient penser que l'habilitation est une nouvelle façon de parler de la notion d'autonomie normalement privilégiée dans les études sur les groupes en situation minoritaire. En d'autres mots, l'habilitation serait une façon déguisée de se porter à la défense de l'autonomie des minorités. Cependant, ces deux notions ne revêtent pas le même sens. L'habilitation est un principe de justice. En ce sens, il faut la concevoir comme faisant partie d'une moralité politique visant à orienter les actions étatiques envers les groupes minoritaires. L'autonomie, quant à elle, est un moyen de l'habilitation (et de la justice). Elle est un moyen de l'habilitation au même titre que la représentation par l'entremise de sièges réservés ou les quotas ou, encore, de la gouvernance partagée ou paritaire qui garantit un certain pouvoir au groupe minoritaire. Il y aurait lieu d'approfondir, dans un autre texte, ce qu'on pourrait nommer les modes de l'habilitation ainsi que de réfléchir davantage aux promesses et aux pièges de chacun de ces modes.

à tout le moins, les demandes exprimées par un organisme regroupant des associations provinciales de chacune des provinces ainsi que de nombreuses associations nationales.

Dans son premier rapport intitulé *Les héritiers de lord Durham*, la FFHQ exigeait l'adoption par le gouvernement fédéral et les provinces d'une politique de développement de la francophonie canadienne en situation minoritaire. Une telle politique trouvait fondement dans la reconnaissance en cela qu'elle invitait les gouvernements à *reconnaître* le statut officiel de la langue française dans l'administration publique ou dans des domaines spécifiques. Cependant, les revendications précises rattachées à cette politique attestent que les dirigeants de la FFHQ exigeaient autant la reconnaissance que l'habilitation de la francophonie canadienne. Dans la perspective de l'habilitation, le rapport réclame « la maîtrise des moyens d'éducation » de même que la nécessité pour les communautés francophones d'avoir leurs « propres moyens de promotion économique, sociale et culturelle » et les « moyens dont elles ont besoin pour orienter un développement qui leur est propre » (1977 : 118).

En 1979, la FFHQ publie *Pour ne plus être sans pays*, un document qui établit les grandes lignes de sa position constitutionnelle dans le contexte des grands débats nationaux entourant le rapatriement de la Constitution canadienne. Dans les principes fondamentaux qu'il expose, ce rapport vise à la fois la reconnaissance et l'habilitation de la francophonie canadienne. Il traite de la reconnaissance en proposant que soit officialisé le statut du français et de l'anglais au titre de langues des deux peuples fondateurs de la Confédération canadienne. Une telle reconnaissance implique notamment le droit pour la minorité de communiquer dans la langue officielle de son choix avec le gouvernement fédéral et les provinces. D'autres revendications contenues dans le rapport relèvent de l'habilitation, comme l'atteste la question des écoles françaises et de leur gestion ou, encore, celle du « pouvoir d'initiative » réclamé par la FFHQ pour les francophones en situation minoritaire qui souhaiteraient assurer eux-mêmes l'exercice du pouvoir dans des domaines les touchant. La Fédération déclare qu'une « communauté minoritaire qui a suffisamment de ressources et de vitalité pour planifier et contrôler certains services qui sont près d'elle doit avoir la possibilité d'en réclamer la responsabilité » (1979 : 24).

Enfin, le plus récent *Plan stratégique communautaire*, paru en 2008, abonde dans le même sens. Le plan évoque la nécessité pour les francophones d'exercer un « leadership personnel et collectif au sein de leurs communautés, leurs organismes et leurs institutions » (FCFA, 2008 : 5). De même, il exprime le souhait que les francophones puissent étendre la gestion qu'ils exercent dans le domaine scolaire à « d'autres institutions et secteurs clés » (FCFA, 2008 : 7). En somme, ces quelques exemples tirés des rapports de la FFHQ/FCFA permettent de montrer que les revendications de la francophonie canadienne en situation minoritaire sont fondées à la fois sur un désir de reconnaissance et d'habilitation. La FFHQ/FCFA a réclamé un statut officiel pour la langue française, mais elle a aussi exigé le pouvoir d'agir pour les francophones en situation minoritaire dans des domaines jugés essentiels à leur plein développement.

En deuxième lieu, la notion d'habilitation permet aussi de faire la lumière sur le potentiel inexploité des engagements envers la francophonie canadienne contenus dans la *Loi sur les langues officielles* (LLO). La LLO oblige les institutions fédérales à prendre des « mesures positives » en vue de « favoriser l'épanouissement » des francophones en situation minoritaire et d'« appuyer leur développement ». Depuis le milieu des années 1990, ces engagements ont été mis en œuvre par l'entremise des instruments politiques du nouveau management public comme la gestion horizontale et la gestion axée sur les résultats (Forgues, 2007)[9]. En d'autres mots, la mise en œuvre de la LLO s'est fondée sur un nouveau mode de gouvernance. Dans la perspective de la francophonie canadienne, il en a résulté une nouvelle relation entre la fonction publique et les organismes communautaires francophones. Cette nouvelle relation s'exerce tout d'abord dans le cadre de plus de soixante-dix mécanismes de collaboration et de partenariat où les fonctionnaires et les membres des associations et des groupes francophones œuvrent à la mise sur pied de programmes en matière de langues officielles ainsi qu'à la livraison des services publics (Cardinal, Lang et Sauvé, 2008). Cette nouvelle relation comporte aussi la signature d'ententes de collaboration visant à permettre aux organismes communautaires francophones de réaliser une programmation d'activités et de projets communautaires. Cette

[9] Le nouveau management public est un mode de gestion et de coordination des actions entreprises par l'administration publique. Il vise un rapprochement entre les fonctionnaires et les acteurs de la société civile autant dans la formulation des politiques et des programmes que dans la livraison des services publics. Il met aussi l'accent sur l'efficience et la rationalisation budgétaire.

« gouvernance communautaire francophone » (Léger, 2015) est balisée par nombre de contraintes administratives et d'exigences bureaucratiques.

Le gouvernement fédéral a donc *fait le choix* de favoriser l'épanouissement et de soutenir le développement de la francophonie canadienne à travers les instruments politiques du nouveau management public. Cependant, la participation des organismes communautaires francophones à la gouvernance des langues officielles n'était pas requise par la LLO, de même pour la gouvernance communautaire francophone. Il en découle donc que le nouveau management public représente une manière parmi d'autres de mettre en œuvre les engagements de la LLO en faveur de la francophonie canadienne. Une autre manière tout aussi légitime pourrait trouver son fondement dans l'habilitation. L'acquisition ou le renforcement du pouvoir d'agir serait certes une autre façon de favoriser l'épanouissement des francophones en situation minoritaire et d'appuyer leur développement. De plus, une réponse politique centrée sur l'habilitation de la part du gouvernement fédéral serait au diapason de nombre des revendications de la francophonie canadienne évoquées plus haut.

Plus concrètement, le gouvernement fédéral pourrait mieux habiliter les francophones en situation minoritaire en favorisant une véritable gouvernance communautaire dans le cadre de laquelle des représentants et des représentantes dûment élus géreraient une enveloppe budgétaire leur permettant d'établir une programmation d'activités et de projets selon des objectifs définis par les francophones eux-mêmes et non par le gouvernement (Forgues, 2013). S'inspirant du modèle des conseils et des commissions scolaires francophones, le gouvernement fédéral et les provinces pourraient aussi procéder à la dévolution des pouvoirs législatifs ou administratifs vers des organisations chargées d'intervenir dans des domaines que les francophones eux-mêmes considèrent importants à leur développement et leur épanouissement. Enfin, le gouvernement fédéral pourrait réserver des sièges ou même viser la parité au sein d'agences ou d'institutions exerçant une influence déterminante sur la francophonie en milieu minoritaire. En substance, les décisions et les initiatives visant l'habilitation de la francophonie canadienne sont possibles dans le cadre de la *Loi sur les langues officielles*.

En dernier lieu, il faut considérer la question scolaire, l'une des plus anciennes revendications des francophones en situation minoritaire.

En règle générale, les écoles françaises ont émergé au rythme de la colonisation de l'Amérique par les francophones et pendant une longue période, ces derniers ont dirigé leurs propres écoles (Martel, 1991). En 1867, l'adoption de la Constitution canadienne change la donne. En accordant aux provinces le pouvoir de légiférer en matière d'éducation, la Constitution aura une influence déterminante sur l'évolution de l'école française et, plus globalement, sur la survie des francophones en situation minoritaire. Dans l'ensemble des provinces canadiennes à l'exception du Québec, ce pouvoir se traduira par l'adoption de lois et de règlements scolaires visant à faire de l'anglais la seule langue d'instruction autorisée. En d'autres mots, les provinces chercheront à mettre fin à l'instruction en français dispensée dans les écoles françaises établies dans de nombreuses régions du pays. En réponse, les francophones en situation minoritaire qui, jusque-là, géraient leurs propres écoles, ont fondé des associations et des groupes voués à la défense du droit à l'instruction en français. Nombre des plus anciens organismes communautaires francophones sont nés dans la foulée des restrictions provinciales en matière d'éducation en français. Les résultats des luttes menées par les francophones et leurs organismes seront mitigés – par exemple, le temps alloué à l'instruction en français sera très limité, et seuls les enfants du niveau primaire y auront accès, les cours seront offerts dans des établissements de la majorité, etc. – jusqu'au rapatriement de la Constitution canadienne et l'adoption de la *Charte canadienne des droits et libertés* en 1982 (Behiels, 2005). L'article 23 de la *Charte* confère aux « parents francophones »[10] le droit de faire instruire leurs enfants dans « des établissements d'enseignement de la minorité linguistique ». Dans la décision Mahé (*Mahé c Alberta*, [1990] 1 RCS 342 : 4), la Cour suprême du Canada confirme que l'article 23

[10] Au Canada, tous et toutes n'ont pas le droit de faire instruire leurs enfants dans la langue de la minorité. Les critères d'admissibilité sont établis par l'article 23. En vertu de cet article, le citoyen ou la citoyenne dont la première langue apprise et toujours comprise est celle de la minorité dans la province où il ou elle réside et qui a reçu son instruction dans cette langue au Canada a le droit de faire instruire ses enfants aux niveaux primaire et secondaire dans cette langue. Ensuite, le citoyen ou la citoyenne dont un enfant a reçu son instruction dans la langue de la minorité a le droit de faire instruire ses autres enfants dans cette langue. Finalement, le droit d'instruction dans la langue de la minorité s'exerce partout où le nombre d'enfants est suffisant pour justifier l'instruction dans la langue de la minorité et dans des établissements d'enseignement de la minorité linguistique financés par des fonds publics.

« confère aux parents appartenant à la minorité linguistique un droit de gestion et de contrôle à l'égard des établissements d'enseignement où leurs enfants se font instruire ». Depuis, les provinces canadiennes ainsi que les territoires ont établi des écoles de langue française et ont mis sur pied des conseils scolaires francophones pour gérer ces écoles. Il existe aujourd'hui vingt-huit conseils scolaires francophones à l'échelle du pays assurant la gestion de plus de six cents établissements scolaires.

La notion de reconnaissance ne peut rendre compte à elle seule des revendications scolaires de même que des réponses apportées à ces revendications. À notre sens, la question scolaire constitue un exemple concret d'habilitation de la francophonie canadienne en situation minoritaire. D'une part, le réseau d'organismes qui a porté le dossier de l'école française pendant presque un siècle a toujours réclamé un statut et du pouvoir. L'établissement d'un tel réseau visait le droit à l'instruction en français ainsi que la gestion des écoles et des programmes d'instruction en français. Les francophones en situation minoritaire demandaient que leurs enfants soient éduqués en français, mais ils réclamaient aussi l'exercice d'un certain contrôle sur cette éducation. Leurs revendications relevaient donc à la fois d'une logique de reconnaissance et d'habilitation. D'autre part, le gouvernement fédéral et les provinces, par le truchement des tribunaux, ont accordé aux francophones en situation minoritaire un pouvoir d'agir dans le domaine scolaire (Normand, 2015). La francophonie canadienne dirige désormais ses propres conseils scolaires à l'échelle du pays et ceux-ci gèrent, au nom des parents francophones, ses propres établissements scolaires. Ainsi, il ne fait aucun doute qu'il y a eu un gain pour les francophones et ce gain leur a permis d'exercer un plus grand pouvoir dans un domaine déterminant pour leur épanouissement. En somme, la question scolaire est importante dans une perspective d'habilitation parce qu'elle confirme que l'acquisition ou le renforcement du pouvoir d'agir des francophones en situation minoritaire demeure une possibilité envisageable dans le contexte législatif et constitutionnel canadien.

Conclusion

Cet article a voulu susciter une réflexion sur la notion de reconnaissance et les réalités du terrain qu'elle se propose de traduire. Il s'agissait de voir en quoi la reconnaissance est insuffisante pour rendre compte pleinement de la question du pouvoir qui traverse nombre de luttes portées par les groupes en situation minoritaire. Les groupes minoritaires réclament un statut et des droits que traduit la reconnaissance, mais plus souvent qu'autrement, ils exigent aussi une certaine maîtrise des leviers étatiques régissant leur réalité quotidienne. L'habilitation témoigne justement de ce désir d'acquisition ou de renforcement d'un pouvoir d'agir. En outre, la notion d'habilitation prescrit aussi des réponses politiques plus susceptibles de satisfaire aux revendications des minorités. En résumé, faire la lumière sur les liens entre revendications et pouvoir permet d'entrevoir des réponses politiques centrées sur l'acquisition ou le renforcement du pouvoir d'agir des personnes et des collectivités et non seulement sur l'attribution d'un statut.

BIBLIOGRAPHIE

Livres et articles

AUNGER, Edmund (2010). « Profil des institutions francophones », dans Anne Gilbert (dir.), *Territoires francophones : études géographiques sur la vitalité des communautés francophones du Canada*, Québec, Éditions du Septentrion, p. 56-75.

BEHIELS, Michael (2005). *La francophonie canadienne : renouveau constitutionnel et gouvernance scolaire*, Ottawa, Les Presses de l'Université d'Ottawa.

BELKHODJA, Chedly (2011). *D'ici et d'ailleurs : regards croisés sur l'immigration*, Moncton, Éditions Perce-Neige.

BRETON, Raymond (1985). « L'intégration des francophones hors Québec dans des communautés de langue française », *Revue de l'Université d'Ottawa*, vol. 55, n° 2, p. 77-98.

CALVÈS, Anne-Emmanuèle (2009). « "*Empowerment*" : généalogie d'un concept clé du discours contemporain sur le développement », *Revue Tiers Monde*, n° 200, p. 735-749.

CANTELLI, Fabrizio (2013). « Deux conceptions de l'*empowerment* », *Politique et sociétés*, vol. 32, n° 1, p. 63-87.

CARDINAL, Linda (2007). « New Approaches for the Empowerment of Linguistic Minorities: A Study of Language Policy Innovations in Canada since the 1980s », dans Colin H. Williams (dir.), *Language and Governance*, Cardiff, University of Wales Press, p. 434-459.

CARDINAL, Linda, et Anne-Andrée DENAULT (2007). « Empowering Linguistic Minorities: Neo-liberal Governance and Language Policies in Canada and Wales », *Regional and Federal Studies*, vol. 17, n° 4, p. 437-456.

CARDINAL, Linda, et Eloísa GONZÁLEZ HIDALGO (2012). « L'autonomie des minorités francophones hors Québec au regard du débat sur les minorités nationales et les minorités ethniques », *Minorités linguistiques et société = Linguistic Minorities and Society*, n° 1, p. 51-65.

CARDINAL, Linda, et Marie-Ève HUDON (2001). *La gouvernance des minorités de langue officielle au Canada : une étude préliminaire*, Ottawa, Commissariat aux langues officielles, [En ligne], [http://www.ocol-clo.gc.ca/fr/contenu/la-gouvernance-des-minorites-de-langue-officielle-au-canada-une-etude-preliminaire].

CARDINAL, Linda, Stéphane LANG et Anik SAUVÉ (2008). « Les minorités francophones hors Québec et la gouvernance des langues officielles : portrait et enjeux », *Francophonies d'Amérique*, n° 26 (automne), p. 209-233.

CARENS, Joseph (2013). *The Ethics of Immigration*, Oxford, Oxford University Press.

CHARBONNEAU, François (2012). « L'avenir des minorités francophones du Canada après la reconnaissance », *Revue internationale d'études canadiennes = International Journal of Canadian Studies*, n° 45-46, p. 163-186.

CHOUINARD, Stéphanie (2014). « The Rise of Non-Territorial Autonomy in Canada: Towards a Doctrine of Institutional Completeness in the Domain of Minority Language Rights », *Ethnopolitics*, vol. 13, n° 2 (mars), p. 141-158.

DENIS, Wilfrid (1993). « La complétude institutionnelle et la vitalité des communautés fransaskoises en 1992 », *Cahiers franco-canadiens de l'Ouest*, vol. 5, n° 2 (automne), p. 253-284.

DWORKIN, Ronald (1983). « Comment on Narveson: In Defense of Equality », *Social Philosophy and Policy*, vol. 1, n° 1 (septembre), p. 24-40.

FÉDÉRATION DES COMMUNAUTÉS FRANCOPHONES ET ACADIENNE (2008). *Plan stratégique communautaire issu du Sommet des communautés francophones et acadiennes*, Ottawa, Fédération des communautés francophones et acadienne du Canada.

FÉDÉRATION DES FRANCOPHONES HORS QUÉBEC (1977). *Les héritiers de lord Durham*, Ottawa, Fédération des francophones hors Québec.

FÉDÉRATION DES FRANCOPHONES HORS QUÉBEC (1979). *Pour ne plus être sans pays : une nouvelle association pour les deux peuples fondateurs*, Ottawa, Fédération des francophones hors Québec, 2 t.

FORGUES, Éric (2007). *Du conflit au compromis linguistique : l'État et le développement des communautés francophones en situation minoritaire*, Moncton, Institut canadien de recherche sur les minorités linguistiques.

FORGUES, Éric (2013). « La feuille de route pour les langues officielles 2013-2018 : éducation, immigration, communauté », *Les savoirs de la gouvernance communautaire*, vol. 5, n° 1 (été), p. 8-9.

FRIEDMANN, John (1992). *Empowerment: The Politics of Alternative Development*, Oxford, Blackwell.

GAGNON, Alain-G. (2011). *L'âge des incertitudes : essais sur le fédéralisme et la diversité nationale*, Québec, Les Presses de l'Université Laval.

GAGNON, Alain-G. (2012). « Trois voies pour l'habilitation : le régionalisme, le nationalisme et le fédéralisme », *Les cahiers de la Fondation Trudeau*, vol. 4, n° 1 (mars), p. 67-95.

GAGNON, Alain-G., et Paul MAY (2010). « *Empowerment* et diversité culturelle : quelques prolégomènes », *Métropoles*, n° 7, p. 47-75, [En ligne], [http://metropoles.revues.org/4172].

GARNEAU, Stéphanie (2010). « Penser le pluralisme des francophonies minoritaires canadiennes : de la logique identitaire à la question sociale », *Reflets : revue d'intervention sociale et communautaire*, vol. 16, n° 2 (automne), p. 22-56.

HELLER, Monica (2011). « Du français comme "droit" au français comme "valeur ajoutée" : de la politique à l'économique au Canada », *Langage et société*, n° 136 (juin), p. 13-30, [En ligne], [http://www.cairn.info/revue-langage-et-societe-2011-2-page-13.htm].

JOHNSON, Marc, et Paule DOUCET (2006). *Une vue plus claire : évaluer la vitalité des communautés de langue officielle en situation minoritaire*, Ottawa, Commissariat aux langues officielles.

KYMLICKA, Will (2001). *La citoyenneté multiculturelle : une théorie libérale du droit des minorités*, traduit de l'anglais par Patrick Savidan, Montréal, Éditions du Boréal; Paris, Éditions La Découverte.

LANDRY, Rodrigue (2012). « Autonomie culturelle, cultures sociétales et vitalité des communautés de langue officielle en situation minoritaire au Canada », *Minorités linguistiques et sociétés*, n° 1, p. 159-179.

LANDRY, Rodrigue, et Réal ALLARD (1996). « Vitalité ethnolinguistique : une perspective dans l'étude de la francophonie canadienne », dans Jürgen Erfurt (dir.), *De la polyphonie à la symphonie : méthodes, théories et faits de la recherche pluridisciplinaire sur le fait français au Canada*, Leipzig, Leipziger Universitätsverlag, p. 61-87.

LANDRY, Rodrigue, Éric FORGUES et Christophe TRAISNEL (2010). « Autonomie culturelle, gouvernance et communautés francophones en situation minoritaire au Canada », *Politique et sociétés*, vol. 29, n° 1, p. 91-114.

LANGLOIS, André, et Anne GILBERT (2006). « Typologie et vitalité des communautés francophones minoritaires au Canada », *Le géographe canadien = The Canadian Geographer*, vol. 50, n° 4 (hiver), p. 432-449, [En ligne], [http://onlinelibrary.wiley.com/doi/10.1111/j.1541-0064.2006.00156.x/epdf].

LAVERACK, Glenn (2004). *Health Promotion Practice: Power and Empowerment*, Londres, Sage.

LE BOSSÉ, Yann (1996). « *Empowerment* et pratiques sociales : illustration du potentiel d'une utopie prise au sérieux », *Nouvelles pratiques sociales*, vol. 9, n° 1 (printemps), p. 127-145.

LE BOSSÉ, Yann (2003). « De l'"habilitation" au "pouvoir d'agir" : vers une appréhension plus circonscrite de la notion d'*empowerment* », *Nouvelles pratiques sociales*, vol. 16, n° 2, p. 30-51.

Le Bossé, Yann (2008). « L'*empowerment* : de quel pouvoir s'agit-il ? Changer le monde (le petit et le grand) au quotidien », *Nouvelles pratiques sociales*, vol. 21, n° 1 (automne), p. 137-149.

Léger, Rémi (2013). « La nouvelle gouvernance des langues officielles : entre exigences et circonstances », *Administration publique du Canada = Canadian Public Administration*, vol. 56, n° 3 (septembre), p. 414-432.

Léger, Rémi (2014). « Non-territorial Autonomy in Canada: Reply to Chouinard », *Ethnopolitics*, vol. 13, n° 4, p. 418-427.

Léger, Rémi (2015). « Qu'est-ce que la gouvernance communautaire francophone? », dans Linda Cardinal et Éric Forgues (dir.), *Gouvernance communautaire et innovations au sein de la francophonie néobrunswickoise et ontarienne*, Québec, Les Presses de l'Université Laval, p. 25-44.

Magord, André (2008). *The Quest for Autonomy in Acadia*, Bruxelles, Peter Lang.

Malloy, Tove (2014). « National Minorities Between Protection and Empowerment: Towards a Theory of Empowerment », *Journal on Ethnopolitics and Minority Issues in Europe*, vol. 13, n° 2, p. 11-29.

Martel, Angéline (1991). *Les droits scolaires des minorités de langue officielle au Canada : de l'instruction à la gestion*, Ottawa, Commissariat aux langues officielles.

Moser, Caroline O.N. (1989). « Gender Planning in the Third World: Meeting Practical and Strategic Gender Needs », *World Development*, vol. 17, n° 11 (novembre), p. 1799-1825, [En ligne], [http://www.sciencedirect.com/science/article/pii/0305750X89902015#].

Mulhall, Stephen, et Adam Swift (1992). *Liberals and Communitarians*, Oxford, Blackwell.

Murphy, Michael (2012). *Multiculturalism: A Critical Introduction*, New York, Routledge.

Narayan, Deepa (dir.) (2004). *Autonomisation et réduction de la pauvreté : outils et solutions pratiques,* traduction de Sylvie Pesme, publié en collaboration avec la Banque mondiale et Nouveaux horizons, Montréal, Éditions Saint-Martin, [En ligne], [http://www-wds.worldbank.org/external/default/WDSContentServer/WDSP/IB/2006/11/10/000310607_20061110152906/Rendered/PDF/248000FRENCH0Empowerment01PUBLIC1.pdf].

Nimni, Ephraim (2012). « Empowering Minority Communities While not Dismembering States: Multiculturalism and the Model of Non-Territorial Autonomy », dans *Multiculturalism: Workshop Proceedings*, Londres, Dialogue Society, p. 41-55.

Ninacs, William (2008). *Empowerment et intervention : développement de la capacité d'agir et de la solidarité*, Québec, Les Presses de l'Université Laval.

Normand, Martin (2012). *Le développement en contexte : quatre temps d'un débat au sein des communautés francophones minoritaires (1969-2009)*, Sudbury, Éditions Prise de parole.

Normand, Martin (2015). *Gestion scolaire et habilitation des communautés minoritaires de langue officielle au Canada*, Étude d'impact préparée pour le Programme d'appui aux droits linguistiques, [En ligne], [https://padl-lrsp.uottawa.ca/sites/default/files/17EI2013%20Gestion%20scolaire%20et%20habilitation.pdf].

NUSSBAUM, Martha C. (2000). *Women and Human Development: The Capabilities Approach*, Cambridge, Cambridge University Press, [En ligne], [https://genderbudgeting.files.wordpress.com/2012/12/nussbaum_women_capabilityapproach2000.pdf].

PATTEN, Alan (2014). *Equal Recognition: The Moral Foundations of Minority Rights*, Princeton, Princeton University Press.

PIGG, Kenneth (2002). « Three Faces of Empowerment: Expanding the Theory of Empowerment in Community Development », *Journal of the Community Development Society*, vol. 33, n° 1, p. 107-123.

POIRIER, Johanne (2008). « Au-delà des droits linguistiques et du fédéralisme classique : favoriser l'autonomie institutionnelle minoritaire du Canada », dans Joseph Yvon Thériault, Anne Gilbert et Linda Cardinal (dir.), *L'espace francophone en milieu minoritaire : nouveaux enjeux, nouvelles mobilisations*, Montréal, Éditions Fides, p. 513-562.

POIRIER, Johanne (2012). « Autonomie politique et minorités francophones du Canada : réflexions sur un angle mort de la typologie classique de Will Kymlicka », *Minorités linguistiques et société = Linguistic Minorities and Society*, n° 1, p. 66-89.

RAPPAPORT, Julian (1984). « Studies in Empowerment: Introduction to the Issue », *Prevention in Human Services*, vol. 3, n° 2-3, p. 1-7.

RAWLS, John (1971). *A Theory of Justice*, Cambridge, Harvard University Press.

SEN, Amartyra (2010). *L'idée de justice*, traduit de l'anglais par Paul Chemla, avec la collaboration d'Éloi Laurent, Paris, Flammarion.

SOLOMON, Barbara (1976). *Black Empowerment: Social Work in Oppressed Communities*, New York, Columbia University Press.

TAYLOR, Charles (1994). *Multiculturalisme : différence et démocratie*, Paris, Aubier.

TENGLAND, Per-Anders (2007). « Empowerment: A Goal Or A Means For Health Promotion ? », *Medicine, Health Care and Philosophy*, vol. 10, n° 2 (juin), p. 197-207.

TENGLAND, Per-Anders (2008). « Empowerment: A Conceptual Discussion », *Health Care Anal*, vol. 16, n° 2 (juin), p. 77-96.

THÉRIAULT, Joseph Yvon (dir.) (1999). *Les francophonies minoritaires au Canada : l'état des lieux*, avec la collaboration du Regroupement des universités de la francophonie hors Québec, Moncton, Éditions d'Acadie.

THÉRIAULT, Joseph Yvon, Anne GILBERT et Linda CARDINAL (2008). *L'espace francophone en milieu minoritaire : nouveaux enjeux, nouvelles mobilisations*, Montréal, Éditions Fides.

TRAISNEL, Christophe (2012). « Protéger et pacifier : la politique officielle de bilinguisme canadien face aux risques de transferts linguistiques et de contestation communautaire », *Revue internationale d'études canadiennes = International Journal of Canadian Studies*, n° 45-46, p. 69-89.

TRAISNEL, Christophe (2014). « Francophonies minoritaires au Canada et Deutschprachige Gemeinschaft Belgiens : les voies contrastées de la participation des communautés à la gouvernance linguistique », *Cahiers du MIMMOC*, n° 11, [En ligne], [http://mimmoc.revues.org/1408] (24 juin 2014).

Van Parijs, Philippe (2011). *Linguistic Justice for Europe and for the World*, Oxford, Oxford University Press.

Williams, Colin H. (2013). *Minority Language Promotion, Protection and Regulation: The Mask of Piety*, Basingstock, Palgrave Macmillan.

Décisions judiciaires

Arsenault-Cameron c Île-du-Prince-Édouard, [2000] CSC 1, [2000] 1 RCS 3.

Beaulac c. Reine, [1999] 1 RCS 768.

DesRochers c. Canada, [2009] 1 RCS 194.

Mahé c Alberta, [1990] 1 RCS 342.

La « communauté linguistique française » du Nouveau-Brunswick dans l'article 16.1 de la *Charte canadienne des droits et libertés* : entre politiques de reconnaissance et reconnaissance politique d'une communauté linguistique au Canada

Christophe Traisnel, Université de Moncton
Darius Bossé, Membre du Barreau de l'Ontario

Depuis l'adoption de la première *Loi sur les langues officielles* en 1969 (LLO), le Canada a tracé sa propre voie en matière de reconnaissance de sa principale minorité linguistique, à savoir la francophonie canadienne. En 45 ans, en effet, à travers l'adoption du bilinguisme officiel et sa traduction en politiques publiques, le Canada a défini une approche singulière de la protection et de la promotion de ses minorités linguistiques : une approche fondée, d'une part, sur le droit, accordé à tout Canadien, de s'exprimer notamment à l'égard de l'État dans la langue officielle de son choix (français et/ou anglais) et, d'autre part, sur l'aptitude de trouver, dans les situations réputées « vitales » quant à l'avenir de ces minorités linguistiques (éducation, santé, culture, médias, immigration), les services qui leur sont indispensables là aussi dans la langue de leur choix. Ce faisant, le modèle canadien de reconnaissance des minorités linguistiques ne s'est pas inscrit dans une approche classique, à travers une reconnaissance politique de communautés institutionnellement définies grâce à une forme plus ou moins forte d'autonomie autour d'un territoire donné, à même de décider de la meilleure manière de garantir leur pérennité linguistique ou identitaire (Traisnel, 2012). Le Canada a plutôt choisi, depuis la période de « refondation » que le pays a connue depuis les années 1960-1970 et l'adoption en 1969 de la *Loi sur les langues officielles*, une approche différente, où ce ne sont pas des communautés dotées d'un pouvoir politique autonome qui se trouvent les premiers acteurs des politiques linguistiques, mais l'État canadien lui-même, à travers l'instauration d'institutions spécialisées dans la mise en œuvre effective du bilinguisme officiel partout au Canada (Commissariat aux langues officielles, Comité permanent des langues officielles, etc.) et à travers la définition d'une obligation plus récente, à l'égard, cette fois, des communautés de langue officielle en situation minoritaire : celle de « favoriser l'épanouissement des minorités francophones et anglophones du Canada et [d']appuyer leur développement, ainsi [que de] promouvoir la pleine reconnaissance et l'usage du français et de l'anglais dans la société canadienne », prévue par la Partie VII de la *Loi sur les langues officielles*. En 40 ans, une telle approche a moins conduit à une réforme en profondeur du pouvoir politique au Canada qu'à un simple réaménagement, aux marges, des politiques publiques en réponse à un enjeu linguistique prégnant. S'inscrivant dans les cadres et les limites stricts du fédéralisme canadien, c'est l'État fédéral qui s'est trouvé, de fait, à l'avant-garde de ces politiques de reconnaissance, non sans prendre en compte les marges de manœuvre des provinces en la matière, comme l'illustre le « cas » néo-brunswickois dont il s'agira ici.

Cette approche pancanadienne reposant non sur une reconnaissance politique des communautés, mais sur des politiques de reconnaissance linguistique à travers le bilinguisme comporte ainsi quelques exceptions, dont la plus notable est sans conteste la reconnaissance d'une « communauté linguistique française du Nouveau-Brunswick », consacrée par l'article 16.1 de la *Charte canadienne des droits et libertés*[1]. Par sa désignation officielle (et solennelle) au sein même de la *Charte*, l'article 16.1 semble constituer une importante exception au modèle canadien de reconnaissance des minorités linguistiques. On pourrait croire avec cet article qu'une voie vers la reconnaissance politique des communautés est possible, surtout lorsqu'on s'intéresse aux débats entourant son adoption (Le Bouthillier, 1981).

Il s'agit dans le présent article d'interroger la portée et les limites d'une telle reconnaissance, en resituant l'article 16.1 dans le contexte politique canadien. Nous tenterons de montrer qu'en définitive cette « exception » s'inscrit dans la définition du modèle canadien de reconnaissance des langues officielles plus qu'elle ne s'en dissocie. En ce sens, ce qui, *a priori*, peut être présenté comme une « exception » semble plutôt confirmer la

[1] Celui-ci reconnaît que la communauté linguistique française et la communauté linguistique anglaise du Nouveau-Brunswick ont un statut et des droits et privilèges égaux, notamment le droit à des institutions d'enseignement distinctes et aux institutions culturelles distinctes nécessaires à leur protection et à leur promotion. Il confirme également le rôle de la législature et du Gouvernement du Nouveau-Brunswick de protéger et de promouvoir ce statut, ces droits et ces privilèges.

« règle ». Nous chercherons, en particulier, à montrer que les politiques de bilinguisme au Canada tendent à contraindre plus qu'à permettre la reconnaissance des identités collectives et des communautés qui s'en réclament. Par ce cas de figure, il s'agira aussi de mieux éclairer le caractère « particulier » du Nouveau-Brunswick et, par ricochet, de cette « communauté linguistique française » telle qu'elle a été reconnue dans la *Charte canadienne des droits et libertés.*

Pour ce faire, dans un premier temps, et en vue de mieux saisir la portée et les limites de l'insertion dans la *Charte* de l'article 16.1, nous effectuerons une rapide mise au point sur la singularité du modèle canadien de reconnaissance des minorités linguistiques par rapport à d'autres modèles existants. Cela posé, nous pourrons, dans un deuxième temps, mieux resituer l'article 16.1 dans son contexte juridique et politique, en faisant le point à la fois sur les raisons fortes qui ont conduit à son insertion dans la *Charte canadienne des droits et libertés* en 1993, sur sa mise en œuvre et, *in fine*, sur ses effets dans le contexte canadien de reconnaissance des minorités. Cela nous permettra, dans un troisième temps, d'interpréter cet article à la lumière du modèle canadien de reconnaissance des minorités linguistiques, pour mieux en comprendre non seulement la portée, mais également les limites au regard de ce modèle : peut-on parler de rupture ou, au contraire, de continuité dans l'établissement d'une « voie » canadienne s'agissant de la reconnaissance des minorités ? Au-delà des considérations strictement théoriques soulevées par cet article, nous souhaitons également apporter une contribution aux débats sur la place de « la francophonie » au Canada, en général, et de « l'Acadie » du Nouveau-Brunswick, en particulier.

Reconnaissance par le pouvoir politique des minorités : la singularité de la voie canadienne

Le développement du modèle canadien de reconnaissance des minorités linguistiques est contemporain des crises qui traversent nombre de pays d'Europe confrontés, eux aussi, à des revendications identitaires ou autonomistes d'ampleur, parfois accompagnées de violences mettant directement en cause la stabilité des États concernés. Assez classiquement, face à ces menaces, les États ont choisi soit de refuser toute forme d'aménagement politique, privilégiant un modèle d'intégration parfois très contraignant et d'ailleurs plus ou moins efficace (le cas de la France, du Royaume-Uni et même, en tout cas dans un premier temps, de la Belgique unitaire), soit au contraire de proposer une forme de reconnaissance politique permettant en leur sein l'expression de distinctions culturelles, identitaires ou linguistiques, à travers un appareil institutionnel consacrant ces communautés comme des acteurs politiques à part entière (le cas de l'Espagne, du Royaume-Uni depuis la dévolution, ou de la Belgique fédérale).

C'est une autre voie alternative à ce « tout ou rien » qui sera choisie par le pouvoir politique canadien, confronté lui aussi à une « lutte pour la reconnaissance » de sa principale minorité linguistique (Charbonneau, 2012). Pourtant, comme nous le verrons en détail un peu plus loin lorsqu'il s'agira de revenir sur les jalons caractérisant les réflexions entourant 16.1, les débats ayant entouré la question linguistique dans les années 1950 et 1960 (États généraux du Canada français, mise en place de la Commission royale d'enquête sur le bilinguisme et le biculturalisme) avaient pu laisser croire que le Canada pourrait s'orienter vers une ambitieuse réforme constitutionnelle adaptée à une crise identitaire, elle aussi, de grande ampleur. La Commission royale d'enquête sur le bilinguisme et le biculturalisme proposait ainsi, en plus de la reconnaissance du Québec comme « patrie » du Canada français, l'aménagement de droits linguistiques consacrant une forme certes modeste de reconnaissance, sinon territorialisée, du moins localisée du Canada français (districts bilingues, provinces officiellement bilingues, régimes linguistiques adaptés aux provinces dont la minorité linguistique atteint ou dépasse les 10 %). Elle répondait ainsi à quelques revendications exprimées par les grands leaders du Canada français à travers les travaux des États généraux du Canada français, contemporains de la Commission (Traisnel et Denault, à paraître).

L'arrivée au pouvoir de Pierre Elliott Trudeau à la fin des années 1960, alors même que la Commission rend ses conclusions, se traduira finalement par une réponse de la part de l'État canadien beaucoup plus modeste à la crise identitaire diagnostiquée. Avec la LLO, le Canada décidait de se construire progressivement un modèle fondé non pas sur une territorialisation des droits linguistiques ou la reconnaissance constitutionnelle d'une communauté à travers un aménagement institutionnel adapté, mais sur des politiques visant à reconnaître deux langues officielles au Canada et à aménager, à travers l'action de l'État, l'exercice effectif des droits linguistiques accompagnant cette reconnaissance du bilinguisme. D'une certaine manière, la dualité canadienne autour de laquelle les commissaires avaient patiemment réfléchi cède la place à une interprétation plus universaliste de l'identité nationale canadienne, à même de faire face à la crise politique que traverse alors le Canada confronté à l'indépendantisme québécois. Bien que non avouée, c'est dans une approche proprement nationalitaire de refondation du Canada que s'inscrit le projet trudeauiste, approche dans laquelle l'État centralisateur se trouve le principal porte-parole d'une solidarité nationale dont les minorités linguistiques font à la fois les frais (dans leur projet à prétention sociétale) en même temps qu'elles en sont bénéficiaires (à travers les politiques linguistiques qui leur sont proposées). Depuis 1969, le Canada s'est ainsi progressivement construit un modèle de reconnaissance à même de protéger sa minorité linguistique tout en pacifiant ce conflit linguistiques et identitaire récurrent (Traisnel, 2012).

Cinq grands principes semblent caractériser l'architecture générale de ces politiques de reconnaissance linguistique : une individualisation des droits linguistiques ; la liberté reconnue à chaque Canadien d'utiliser la langue officielle de son choix ; le bilinguisme officiel du Canada, de l'État fédéral et des administrations centrales ; la symétrie des politiques de soutien aux « Communautés de langues officielles en situation minoritaire » (CLOSM) francophones ou anglophone[2] et, enfin, la création

[2] Il faut toutefois noter que le pouvoir judiciaire a infusé, quoique modestement, la *Loi sur les langues officielles* d'une composante asymétrique. Unanime sous la plume de la juge Charron, dans l'affaire *DesRochers c Canada (Industrie)*, 2009 CSC 8, [2009] 1 RCS 194, la Cour suprême a refusé l'argument du Gouvernement du Canada voulant que l'égalité linguistique doive se réaliser « en garantissant au public un accès linguistique égal aux services offerts et non un accès à des services distincts » (paragraphe 49). Plutôt, la Cour suprême a jugé que dans certaines circonstances, les communautés linguistiques auront un droit de participation, « tant pour ce qui a trait à l'élaboration des programmes qu'à leur mise en œuvre », et auront droit à des programmes ayant « un contenu distinct qui varierait "largement d'une collectivité à l'autre selon les priorités établies" par les collectivités elles-mêmes » (paragraphe 53). La Cour suprême du Canada a aussi appliqué asymétriquement le droit à l'éducation dans la langue de la minorité au Québec (*Solski (Tuteur de) c Québec (PG)*, 2005 CSC 14, [2005] 1 RCS 201 ; *Nguyen c Québec (Éducation, Loisir et Sport)*, 2009 CSC 47, [2009] 3 RCS 208) et ailleurs au Canada (*Mahé c Alberta*, [1990] 1 RCS 342 ; *Arsenault-Cameron c Île-du-Prince Édouard*, 2000 CSC 1, [2000] 1 RCS 3 ; *Doucet-Boudreau c Nouvelle-Écosse (Ministre de l'Éducation)*, 2003 CSC 62, [2003] 3 RCS 3).

de programmes de soutien à même de garantir ces droits et cette liberté linguistiques partout au Canada.

La mise en place de ce modèle ne se fait, bien sûr, pas du jour au lendemain. Comme nous le verrons dans la prochaine section, plusieurs étapes jalonnent, en effet, la multiplication des politiques de reconnaissance linguistique, allant dans le sens de leur renforcement, notamment depuis les grandes réformes ayant touché la législation sur les langues officielles depuis la seconde moitié des années 1980 et qui ont conduit à la reconnaissance de l'obligation, pour le gouvernement fédéral, de prendre des mesures positives visant à renforcer la vitalité des communautés de langues officielles au Canada.

La singularité de la voie canadienne apparaît sur plusieurs points : d'abord, à travers l'idée que les droits linguistiques doivent être d'abord individuellement définis et non collectivement[3] ; ensuite, que ces droits doivent être reconnus non en un lieu ou sur un territoire donné, mais au profit de l'ensemble de la communauté des citoyens ; enfin, et peut-être même surtout, que ces droits linguistiques sont d'abord définis à travers les choix politiques de la communauté canadienne dans son ensemble, et non à travers une représentation politique communautaire particulière. De fait, cette voie tranche singulièrement avec les autres formes de reconnaissance des minorités que l'on rencontre en Europe : Belgique, Royaume-Uni, Espagne, Italie, Suisse, Allemagne et la France même (les cas de la Nouvelle-Calédonie, de la Polynésie française et des îles Wallis et Futuna, notamment) se sont plutôt tournés vers des aménagements de reconnaissance politique consacrant des communautés clairement désignées et institutionnellement définies, souvent de manière très asy-

---

[3] Cela ne veut pas dire qu'une dimension collective ne peut exister. Le pouvoir judiciaire a, en effet, à plusieurs reprises reconnu une dimension collectiviste aux droits linguistiques depuis l'arrêt de la Cour suprême du Canada dans l'affaire *R c Beaulac*, [1999] 1 RCS 768. Cette dimension est le plus apparent dans le contexte de l'article 23 de la *Charte canadienne des droits et libertés*, qui confère le droit de contrôle et de gestion à la minorité linguistique en matière d'éducation. De plus, bien que les détenteurs des droits sous l'article 23 soient des individus (les « ayants droit »), on reconnaît aux Conseils scolaires francophones le droit d'ester en justice, soit l'intérêt direct pour agir ainsi que l'intérêt public pour agir parce qu'ils sont les représentants des intérêts collectifs des ayants droit (*Conseil scolaire francophone de la Colombie-Britannique v British Columbia*, 2011 BCSC 1219, confirmé par *Conseil scolaire francophone de la Colombie-Britannique v British Columbia*, 2012 BCCA 422).

métrique. Plus qu'une simple territorialisation des droits linguistiques, ces pays ont fait le choix d'une localisation des politiques linguistiques, avec une autonomie politique dont la conséquence est l'apparition d'un nouveau pouvoir institutionnel apte à décider politiquement (la région en Italie, la Communauté autonome en Espagne, Communautés et Régions en Belgique), et d'une représentation politique institutionnalisée de la minorité rendant démocratiquement légitimes ces décisions politiques (Traisnel, 2012).

Ces diverses collectivités sont ainsi bien souvent constitutionnellement reconnues en tant que telles : Écosse, Pays de Galles, Communauté germanophone de Belgique, Val d'Aoste, Saint-Pierre-et-Miquelon et bien d'autres sont clairement désignées au sein des espaces politiques nationaux dans lesquels ils disposent d'une existence légale. À l'inverse, les « francophonies canadiennes » ne sont pas désignées par la loi ni les textes constitutionnels au Canada, et aucune définition ne vient dresser les contours de ces communautés. Ce n'est que par l'entremise du vocable très flou et administratif de « CLOSM » (communautés de langue officielle en situation minoritaire) ou de « CFSM » (communautés francophones en situation minoritaire) que sont désignées les francophonies canadiennes, donnant lieu à une multiplicité de définitions de ces communautés, qui se distinguent ainsi en fonction des espaces provinciaux ou territoriaux (on parlera de Franco-Ténois, de Fransaskois, de Québécois), en fonction des quêtes identitaires spécifiques (peuple acadien en Atlantique, nation québécoise) ou en fonction de spécificités socioculturelles ou géographiques locales (francophonie de la région de Toronto ou de Vancouver). Cette absence de désignation nourrit une forme d'indicibilité de la francophonie canadienne, tiraillée entre plusieurs modes de désignation confiée soit aux services ministériels fédéraux, soit aux acteurs communautaires ou, encore, aux chercheurs, contribuant à la construction de « portraits des communautés » tous plus différents les uns que les autres. Une indicibilité par ailleurs renforcée par l'intégration, par les communautés elles-mêmes dans leurs rapports au pouvoir politique ainsi que par le monde de la recherche, de cet univers symbolique à l'origine propre à l'État (Johnson et Doucet, 2006).

Au Canada, après le « temps de la lutte » (Charbonneau, 2012), les politiques de reconnaissance linguistique n'ont ainsi pas conduit au réaménagement des pouvoirs politiques existants par la création d'un nouvel acteur institutionnel doté d'une représentation politique propre (la ou les communautés francophones), mais plutôt à l'investissement, par les pouvoirs politiques existants, d'un domaine d'intervention nouveau, les langues officielles, sans qu'une quelconque communauté ne soit explicitement nommée.

Pourtant, il semble que ce modèle canadien souffre d'une exception, à travers la reconnaissance explicite pour le coup de deux « communautés linguistiques » nommément désignées : celles apparaissant dans l'article 16.1 de la *Charte canadienne des droits et libertés*. Celui-ci prévoit, en effet, ce qui suit :

> *Communautés linguistiques française et anglaise du Nouveau-Brunswick*
>
> 16.1 (1) La communauté linguistique française et la communauté linguistique anglaise du Nouveau-Brunswick ont un statut et des droits et privilèges égaux, notamment le droit à des institutions d'enseignement distinctes et aux institutions culturelles distinctes nécessaires à leur protection et à leur promotion.
>
> *Rôle de la législature et du gouvernement du Nouveau-Brunswick*
>
> (2) Le rôle de la législature et du gouvernement du Nouveau-Brunswick de protéger et de promouvoir le statut, les droits et les privilèges visés au paragraphe (1) est confirmé.

Cet article, en désignant et en nommant explicitement deux communautés linguistiques (communauté linguistique française et communauté linguistique anglaise) et non plus simplement en mentionnant des communautés linguistiques en « situation minoritaire » consacre-t-il une exception à cette voie canadienne, qui se limite à la reconnaissance de langues et non de communautés, en ne désignant pas ces dernières ?

Fabrication et singularités de l'article 16.1 : vers la reconnaissance de deux communautés ?

Un retour aux débats des années 1960 ?

L'adoption de 16.1 semble renouer avec les réflexions qui avaient entouré 30 ans plus tôt la Commission royale d'enquête sur le bilinguisme et le biculturalisme et la place à accorder aux minorités francophones à l'extérieur du Québec, à travers un aménagement institutionnel et législatif répondant à leurs enjeux spécifiques. Aux fins de rappel, le mandat de la Commission était de

> faire enquête et rapport sur l'état présent du bilinguisme et du biculturalisme au Canada et recommander les mesures à prendre pour que la Confédération canadienne se développe d'après le principe de l'égalité entre les deux peuples qui l'ont fondée, compte tenu de l'apport des autres groupes ethniques à l'enrichissement culturel du Canada, ainsi que les mesures à prendre pour sauvegarder cet apport (Laurendeau et Dunton, 1967 : 179).

La Commission avait donc un triple mandat : celui d'enquêter, de rapporter et de recommander. Comme en témoigne le préambule de son rapport préliminaire, la démarche visait à offrir des voies de solution à ce qui était alors perçu comme la « crise majeure » de l'histoire du Canada :

> [L]e Canada traverse actuellement, sans toujours en être conscient, la crise majeure de son histoire. Cette crise a sa source dans le Québec [...]. Elle a des foyers secondaires : les minorités françaises des autres provinces et les minorités ethniques – ce qui ne signifie aucunement qu'à nos yeux ces problèmes soient en eux-mêmes secondaires [...]. Si elle persiste et s'accentue, elle peut conduire à la destruction du Canada (Laurendeau et Dunton, 1965 : 5).

Face à cette situation, la Commission, après avoir sillonné le pays pendant près de six ans et rencontré politiciens, hommes d'affaires, universitaires, intellectuels, représentants d'associations et simples citoyens, recommandait l'adoption d'un modèle égalitaire hybride assurant la promotion de l'égalité individuelle ainsi que de l'égalité entre communautés :

> Il ne suffit donc pas que les membres d'un groupe minoritaire aient accès aux mêmes activités, aux mêmes institutions et aux mêmes avantages que ceux du groupe majoritaire, ce qui exige simplement que l'on n'exerce pas de discrimination contre les personnes. L'égalité dont nous parlons ici exige plutôt que celui qui s'engage dans telle activité ou s'associe à telle institution, n'ait pas à renoncer à sa culture propre, mais puisse se présenter, agir, se manifester, se développer et être accepté avec tous ses traits culturels (Laurendeau et Dunton, 1967 : xxxi).
> [...]
> L'égalité individuelle ne saurait exister tout à fait que si chaque communauté a partout les moyens de progresser dans sa culture et d'exprimer celle-ci. Pour ce, elle disposera, dans certains domaines, d'institutions qui lui seront propres alors que, dans les autres, il lui sera loisible de participer, dans des conditions satisfaisantes, à des institutions et à des organismes communs (Laurendeau et Dunton, 1967 : xxxiv).
> [...]
> [La dimension politique de l'égalité consiste en] la faculté laissée à chacune [des communautés] de choisir ses propres institutions, ou du moins de participer

> pleinement aux décisions politiques prises dans des cadres partagés avec l'autre communauté (Laurendeau et Dunton, 1967 : xxxv).
> [...]
> Il ne s'agit plus du développement culturel et de l'épanouissement des individus, mais du degré d'*autodétermination* dont dispose une société par rapport à l'autre (Laurendeau et Dunton, 1967 : xxxv; en italique dans le texte).

Forte de ces principes, la Commission préconisait la mise en place d'un régime de bilinguisme au sein de toutes les institutions politiques, judiciaires et administratives fédérales, l'officialisation du bilinguisme dans plusieurs provinces (l'Ontario, le Québec, le Nouveau-Brunswick et toute province dont la minorité atteindrait 10 % de la population) et la désignation de districts bilingues (majoritairement au Québec, en Ontario et au Nouveau-Brunswick, mais quelques-uns aussi en Nouvelle-Écosse, à l'Île-du-Prince-Édouard, au Manitoba, en Saskatchewan et en Alberta). Fondés sur le principe de la territorialité plutôt que sur le principe de la personnalité et inspirés du modèle finlandais, les districts bilingues auraient constitué, selon Gérard Snow, le volet collectif le plus important du régime linguistique proposé par la Commission. La suggestion de district bilingue fut toutefois rejetée par le commissaire aux langues officielles du Canada de l'époque, par le Québec et par le Nouveau-Brunswick (Snow, 1980). Dans un geste surprenant, le commissaire aux langues officielles du Canada publiait son deuxième rapport le 31 janvier 1973, dans lequel il présentait huit arguments en faveur des districts bilingues et huit arguments contre ceux-ci, citant notamment le fait que les infrastructures francophones hors Québec étaient en processus de fortification substantielle et le fait que la *Loi sur les langues officielles* avait bien protégé les communautés minoritaires en l'absence de districts bilingues depuis son adoption. Dans son cinquième rapport, publié le 31 mars 1976, le commissaire aux langues officielles était d'avis que les arguments politiques et psychologiques (contre les districts bilingues) l'emportaient probablement contre les arguments symboliques et administratifs (en faveur des districts bilingues). Du côté du Québec, les districts bilingues étaient incompatibles avec l'interprétation asymétrique du bilinguisme et du biculturalisme prônée par le gouvernement péquiste élu le 26 novembre 1976, notamment par l'entremise de la loi 101 (adoptée le 27 août 1977). La Fédération des francophones hors Québec, quant à elle, qui deviendra la Fédération des communautés francophones et acadienne du Canada (FCFA), manifesta son indifférence à l'égard des districts bilingues, considérant ceux-ci sans rapport avec leurs préoccupations immédiates. Les associations canadiennes-françaises de la Colombie-Britannique et de l'Ontario se sont aussi opposées aux districts bilingues, argumentant que ceux-ci allaient limiter la disponibilité des services offerts en français (Bourgeois, 2006).

Dans l'esprit des commissaires, le Québec, le Nouveau-Brunswick et l'Ontario constituaient des cas particuliers dans la mesure où « [d]ans chacune de ces trois provinces, la minorité de langue officielle forme [...] une communauté humaine importante » (Laurendeau et Dunton, 1967 : 98). Les commissaires soulignaient aussi que « c'est dans cet ensemble que la vitalité linguistique et culturelle des francophones se manifeste avec le plus de force et de constance » (Laurendeau et Dunton, 1967 : 99). La singularité du Nouveau-Brunswick était, elle aussi, mentionnée par les commissaires, qui notaient que « la minorité française du Nouveau-Brunswick est la moins nombreuse des trois. Mais proportionnellement, elle est la plus importante » (Laurendeau et Dunton, 1967 : 98). Toutefois, comme en témoigne la *Loi sur les langues officielles*, adoptée en 1969, les droits linguistiques collectifs sont passés sous silence, notamment en ce qui a trait à cette « minorité française du Nouveau-Brunswick », à la singularité démolinguistique pourtant relevée par la Commission.

Prémices : les débats autour de la révision constitutionnelle en 1980

Avec l'arrivée au pouvoir du Parti québécois en 1976, la question de l'unité nationale s'installe au cœur des grands débats constitutionnels, à travers une cristallisation de postures nationalitaires non seulement divergentes mais antagonistes, opposant un nationalisme québécois de plus en plus contestataire et indépendantiste à un nationalisme canadien quant à lui conservateur et de plus en plus sonore, notamment dans le contexte très particulier de la campagne référendaire du début des années 1980 (Traisnel, 2004). Il est alors question pour le Canada non seulement de se doter d'une formule d'amendement de la Constitution, de reconnaître les droits des Autochtones, mais aussi de se doter d'une charte des droits et libertés qui comprendrait, entre autres, des garanties linguistiques pour les minorités de langue officielle. Ce faisant, il s'agissait d'affirmer la suprématie de la Constitution canadienne et l'indépendance du Canada. La *Charte* avait également pour objectif de susciter un sentiment d'appartenance à la communauté canadienne dans son ensemble chez les membres de diverses communautés (linguistiques et autres) et ainsi de servir les desseins de la centralisation de l'État canadien (Laforest, 1992).

Pour l'Acadie, la question au cœur des réflexions entourant le processus de révision constitutionnelle en 1980 était celle de l'équilibre entre droits individuels et droits collectifs dans la configuration du régime de reconnaissance des langues officielles. En effet, le gouvernement fédéral de l'époque préférait les droits individuels aux droits collectifs. L'idée des deux peuples fondateurs, qui entraînerait la reconnaissance de droits collectifs, était incompatible avec l'idée d'une société canadienne fondée sur les principes du multiculturalisme que privilégiait le gouvernement de Pierre Elliott Trudeau.

Selon certains commentateurs, l'Acadie manquait toutefois d'un « interlocuteur » lors du processus de révision constitutionnelle de 1980, c'est-à-dire d'un représentant capable de participer aux débats constitutionnels au nom des Acadiens (Finn, 1980 : 94-98). L'Acadie n'avait pas encore réussi, à cette époque, à articuler une vision bien à elle du Canada (Bastarache, 1981b : 79).

Dès février 1980, invité à prononcer une communication au sujet des Acadiens et de la réforme constitutionnelle, le professeur Jean-Guy Finn notait les conséquences possiblement limitées du modèle libéral des droits linguistiques :

> La formule Trudeau, de droits individuels et d'enchâssement dans la constitution, [...] risque d'affecter fort peu les structures politiques et administratives des provinces et de ne conduire à aucune reconnaissance d'entités collectives francophones (Finn, 1980 : 100).

Ainsi, en 1982, la *Charte canadienne des droits et libertés* faisait du Nouveau-Brunswick une province officiellement bilingue, en confirmant que « [l]e français et l'anglais sont les langues officielles du Nouveau-Brunswick; ils ont un statut et des droits et privilèges égaux quant à leur usage dans les institutions de la Législature et du gouvernement du Nouveau-Brunswick » (paragraphe 16(2)). Il n'en demeure pas moins, suivant l'analyse de Pierre Foucher, que « [l]es silences de [la *Charte*] sont aussi éloquents que son contenu : aucune mention des deux peuples fondateurs, aucune mention d'une restructuration des institutions, aucune mention de droits collectifs » (Foucher, 1981 : 115). Étrangement, la communauté acadienne du Nouveau-Brunswick « est demeurée relativement silencieuse pendant le débat » sur la réforme constitutionnelle (Doucet, 2003 : 62).

Afin d'assurer la conformité de la *Loi sur les langues officielles* du Nouveau-Brunswick de 1969 avec les nouvelles dispositions constitutionnelles prévues par les articles 16 à 20 de la *Charte canadienne des droits et libertés*, le gouvernement provincial avait commandé une analyse complète de la loi de 1969. Dans son rapport déposé en 1982 (le rapport Poirier-Bastarache), le groupe d'étude mandaté à cet effet suggérait une forme de régionalisation et de dualité institutionnelle au sein de la fonction publique, notamment par la création d'unités francophones et d'unités anglophones au sein d'organismes gouvernementaux. Le groupe d'étude recommandait également la reconnaissance de l'identité régionale des communautés linguistiques (Direction des langues officielles, 1982). En 1984, le gouvernement provincial demandait à un Comité consultatif de tenir des audiences publiques sur la question. Le rapport du Comité consultatif, déposé en 1986 (le rapport Guérette-Smith), parlait également de « communautés linguistiques » et proposait la création de régions administratives sur une base linguistique (Direction des langues officielles, 1986). Ces rapports ont, pour l'essentiel, été ignorés par le gouvernement provincial (Doucet, 2003 : 78-84).

Premiers pas : la loi 88

À la même époque, le 16 juillet 1980, le ministre néo-brunswickois Jean-Maurice Simard déposait le projet de loi reconnaissant l'égalité des deux communautés linguistiques officielles du Nouveau-Brunswick. Critiquée pour son opportunisme (Doucet, 1995 : 93), cette loi visait à freiner la montée d'un nationalisme acadien très autonomiste « en présentant un visage mi-autonomiste, mi-collaborateur » (Poirier, 1980 : 119). Rappelons que le Parti acadien préconisait, à l'époque, la création d'une province acadienne. La *Loi reconnaissant l'égalité des deux communautés linguistiques officielles du Nouveau-Brunswick* sera adoptée à l'unanimité par l'Assemblée législative du Nouveau-Brunswick le 17 juillet 1981 (la loi 88). Quoique jugé clairement insatisfaisant pour les besoins des Acadiens, tant sur le plan politique que sur le plan juridique (Bastarache, 1981c : 469), ce projet de loi se distinguait de la *Loi sur les langues officielles* (et plus tard de la *Charte* pour les mêmes raisons) « en ce qu'il reconnaît à chaque communauté linguistique des droits collectifs » (Poirier, 1980 : 125).

Pourtant, la société acadienne semble s'être montrée assez discrète, sinon apathique dans ce dossier. Plusieurs observateurs soulignent ainsi avec sévérité « une absence totale de mobilisation des représentants acadiens [...], une singulière absence de prises de position par les élus à tous les niveaux de gouvernement » (Bastarache, 1981a : 11-12) de même qu'un mutisme de la part des médias des Maritimes par rapport à la loi 88 qui dura près de cinq mois (Bastarache, 1981c : 457). La communauté acadienne, « indécise, perdue, épuisée et désorganisée », sera « la grande perdante » dans cette affaire, « celle qui par sa propre faute ratera une chance exceptionnelle d'amorcer un débat sur son avenir » (Doucet, 1995 : 93).

Les accords du lac Meech et de Charlottetown

L'opposition du Québec à la nouvelle constitution de 1982 et le recentrement du débat constitutionnel sur le Québec, notamment à travers le prisme des cinq conditions du Québec présentées par Gil Rémillard, deviendront la base de l'accord constitutionnel de 1987 (soit l'accord du lac Meech). Contrairement au débat sur la révision constitutionnelle de 1982 et au débat entourant la loi 88, les Acadiens furent au premier rang du débat autour de l'accord du lac Meech en 1987, qui « a mobilisé presque toute la classe intellectuelle, nationaliste et politique de la communauté acadienne du Nouveau-Brunswick » (Foucher, 1991 : 73).

En effet, l'accord du lac Meech soulevait certaines inquiétudes chez les communautés francophones du Canada :

> Dans la version finale de l'accord, elles se retrouveront décrites comme des « Canadiens d'expression française, concentrés au Québec mais présents aussi dans le reste du pays », alors que dans la version initiale du Lac Meech on parlait plutôt d'un « Canada francophone, concentré mais non limité au Québec ». Le texte retenu, en ne faisant mention que de « Canadiens d'expression française », se rapporte explicitement aux personnes qui parlent français. Ce que l'on décrit, ce n'est plus la communauté linguistique, ce sont les individus qui ont en commun l'usage du français (Doucet, 2003 : 64-65).

Le débat entourant l'accord du lac Meech était pourtant particulièrement important pour l'Acadie, dont les dirigeants avaient, à de multiples reprises, souligné l'« oubli », d'abord lors des négociations entourant la création de la confédération en 1867, ensuite en 1982 et, encore une fois, dans le cadre des discussions autour de l'accord du lac Meech (Bastarache, 1987-1988 : 45). L'accord, jugé « insatisfaisant » (Bastarache, 1987-1988 : 49), avait pour effet de reléguer la communauté acadienne à la « simple présence » (Doucet, 2003 : 65) et d'enfermer celle-ci « dans un carcan constitutionnel en [lui] consacrant officiellement un statut de minorité » (Foucher, 1987-1988 : 25), ce qui faisait violence à la conception égalitariste des deux communautés linguistiques du Nouveau-Brunswick, telle que reconnue par la loi 88.

Le 18 mai 1988, le gouvernement de Frank McKenna créait un comité spécial ayant pour mandat de recueillir l'opinion du public au sujet de l'accord du lac Meech. Cette fois, « la communauté acadienne sera présente de façon constante pendant toute la durée de l'exercice » (Doucet, 1995 : 177). À titre d'exemple, 29 des 107 présentations reçues par le comité provenaient d'organismes acadiens.

Insatisfaite, la Fédération des francophones hors Québec demandait, en 1991, qu'on donne un fondement juridique véritable à l'égalité des groupes linguistiques de manière à affirmer le caractère collectif des droits linguistiques dans la Constitution du Canada. Or l'insistance des chefs de gouvernement sur le caractère symétrique de la situation des minorités linguistiques provinciales constituait « l'une des difficultés fondamentales rencontrée dans l'élaboration du texte de l'entente du Lac Meech » (Bastarache, 1989 : 218).

L'Association des juristes d'expression française du Nouveau-Brunswick demandait, pour sa part, la reconnaissance du caractère collectif des droits de la francophonie canadienne et, au minimum, l'enchâssement de la loi 88 dans l'accord constitutionnel (Association des juristes d'expression française du Nouveau-Brunswick, 1989). La Société des Acadiens et Acadiennes du Nouveau-Brunswick (SANB) recommandait, elle aussi, l'inscription de la loi 88 dans la Constitution canadienne (Doucet, 1995 : 144).

Le 21 mars 1990, après un long débat au sujet de l'accord du lac Meech, le gouvernement de Frank McKenna, qui s'était initialement opposé à celui-ci, déposait deux résolutions : l'une proposant l'adoption de l'accord du lac Meech et l'autre proposant l'adoption d'une série de mesures additionnelles, dont l'enchâssement de la loi 88 dans la Constitution canadienne (Doucet, 2003 : 67-68). Toutefois, cet enchâssement était conditionnel à l'adoption de l'accord du lac Meech. L'échec de ce dernier a donc exigé que le gouvernement provincial adopte une nouvelle résolution à cet effet. Après l'échec de l'accord, le gouvernement fédéral et plusieurs provinces, dont le Nouveau-Brunswick, ont créé des commissions constitutionnelles. Les différents rapports de ces commissions ont servi de base à l'accord de Charlottetown qui s'ensuivit peu de temps après. Ainsi, la Commission du Nouveau-Brunswick sur le fédéralisme canadien remettait son rapport le 14 janvier 1992 (Doucet, 2003 : 71-73). Celui-ci recommandait l'inscription, dans la Constitution, d'une « clause reconnaissant l'égalité de statut, des droits et des privilèges des communautés linguistiques francophone et anglophone du Nouveau-Brunswick et que cette égalité comprenne notamment le droit à des institutions culturelles nécessaires à la protection et à la promotion de ces communautés » (Commission du Nouveau-Brunswick sur le fédéralisme canadien, 1992 : 31). La Commission avait consulté des personnes, accordé des entrevues personnelles et reçu des mémoires d'organismes et d'individus, notamment de la part de la Fédération des travailleurs et travailleuses du Nouveau-Brunswick et de la SANB (Commission du Nouveau-Brunswick sur le fédéralisme canadien, 1992 : 50-53).

Par voie référendaire, l'accord de Charlottetown fut rejeté par le Canada, mais non pas par le Nouveau-Brunswick, où le « oui » l'emporta avec 62 % des voix. Comme le note Michel Doucet, le « oui » a obtenu un très fort soutien dans les régions majoritairement francophones : Acadie-Bathurst, 87 % ; Madawaska-Victoria, 82 % ; Beauséjour, 75 % ; Moncton, 61 % ; Restigouche-Chaleur, 75 %. À l'inverse, la plupart des régions anglophones ont rejeté l'accord, mais par de faibles majorités : Carleton-Charlotte, 51 % ; Fundy-Royal, 54 % ; Saint-Jean, 53 %. Seule la Miramichi a appuyé majoritairement le « oui » à 56 % (Doucet, 2003 : 71-74).

C'est ainsi que le 12 mars 1993, l'article 16.1 fut ajouté à la *Charte canadienne des droits et libertés* en vertu d'une modification constitutionnelle bilatérale, suite à des résolutions adoptées respectivement par la Chambre des communes et le Sénat du Canada, et par l'Assemblée législative du Nouveau-Brunswick. Assez ironiquement, « la seule résolution qui ait survécu aux échecs de l'accord du Lac Meech, de l'entente de 1990 et de l'accord de Charlottetown sera celle reconnaissant l'égalité des communautés de langue officielle que nous retrouvons à l'article 16.1 de la *Charte canadienne des droits et libertés* » (Doucet, 2003 : 75).

L'article 16.1 constitue donc, en quelque sorte, le « point d'ancrage » communautaire de l'Acadie dans l'histoire juridico-institutionnelle canadienne et, ultimement (mais de manière très relative puisqu'il n'est nullement mention de communauté *acadienne*), sa seule reconnaissance « politique ». La *Loi sur les langues officielles* de 1969, en effet, ne constituait pas un « point d'ancrage » significatif, puisque celle-ci « accord[ait] des droits aux individus et non à la collectivité acadienne », et l'accord constitutionnel de 1982, bien qu'il offrait des droits linguistiques constitutionnels, n'accordait « toujours aucune reconnaissance collective » à l'Acadie (Doucet, 1995 : 162).

Constat : l'exception qui ne fait que confirmer la règle... ou simple lettre morte ?

Si les débats entourant la reconnaissance de droits linguistiques collectifs sont bel et bien présents en Acadie, si, par ailleurs, le Nouveau-Brunswick défend puis obtient la mention des deux communautés linguistiques dans la *Charte*, et si, enfin, cette mention est acceptée par la population néo-brunswickoise par l'intermédiaire du résultat référendaire, il apparaît toutefois que la portée et les effets d'une telle reconnaissance semblent bien minces.

Portée et limites juridiques de 16.1

La portée et les effets juridiques de 16.1 semblent encore, à bien des égards, inconnus. Cet article est très peu évoqué devant les tribunaux. On ne perçoit pas très bien encore, en effet, dans quelle mesure l'article 16.1 a apporté une distinction notable entre la situation linguistique au Nouveau-Brunswick et ailleurs au Canada, en favorisant la dualité linguistique dans cette province. Comme l'a très bien exposé Michel Doucet en 1995, la portée juridique de cet article faisait déjà l'objet d'un double discours avant même son enchâssement dans la Constitution :

> Au lendemain du dépôt du rapport du comité de l'Assemblée législative, le premier ministre McKenna déclare dans une entrevue au quotidien anglophone de Saint-Jean, le *Telegraph Journal*, que reconnaître l'égalité des deux communautés linguistiques dans la Constitution ne conduira pas à une plus grande dualité. Il confirme que le libellé de la proposition adoptée le 7 avril a été « volontairement rédigé » de façon à éviter qu'elle n'impose un fardeau financier supplémentaire à la province. « *We're determined to entrench the equality of the two official language communities, but we're concerned that it [will] not become a matter which would be subject to constant legal interpretation* » [...]
>
> Il poursuit en résumant quelle était l'intention du gouvernement au moment de présenter cette résolution : maintenir et protéger le *statu quo*. Il n'est aucunement question d'utiliser les nouvelles dispositions pour permettre une évolution judiciaire des droits des communautés linguistiques. [...]
>
> « *That's why we had to carefully circumscribe the way in which we entrench this equality – not out of interest, but out of the feeling that it's more important that these questions are decided in the political arena* ». [...]

> Mis en parallèle avec ceux de McKenna, les propos du ministre de la Justice et des Affaires intergouvernementales, Edmond Blanchard, donnent un autre son de cloche. Devant les organismes de Concertation réunis à Frédéricton au début du mois de juin 1992, le ministre Blanchard affirme : « L'énumération des institutions homogènes que l'égalité garantit, n'est pas limitative. Bien au contraire, en faisant précéder l'énumération par le mot "notamment", le droit ouvre la porte à la possibilité que d'autres institutions pourraient être incluses [...]. Ce document pourra évoluer avec le temps. Qui sait ce dont les Acadiens et les Acadiennes auront besoin dans 50 ans ? Si le texte était tellement restrictif qu'il ne permettait pas aux tribunaux d'élargir l'interprétation, *nous n'aurions pas fait notre travail* » (Doucet, 1995 : 205-207).

En 2008, Égalité santé en français au Nouveau-Brunswick inc.[4] citait l'article 16.1 afin de contester les modifications aux régies de santé. En 2013, dans le *Renvoi sur la réforme du Sénat*, la SANB argumentait qu'une réforme du Sénat devait prendre en compte l'égalité entre les communautés anglaise et française au Nouveau-Brunswick. Cela dit, plus de vingt années ont passé depuis l'adoption de l'article 16.1 et, pourtant, malgré son importance et sa signification et quelques rares utilisations, celui-ci ne semble pas avoir eu l'effet que certains auraient souhaité. Sa substance et sa portée demeurent pour le moins incertaines puisque la Cour suprême du Canada ne s'est jamais prononcée à son sujet. Jusqu'à ce jour, une seule décision de la Cour d'appel du Nouveau-Brunswick, *Charlebois c Mowatt et Moncton (Ville)*, s'est penchée sur l'article 16.1[5]. L'Association

---

4 Égalité Santé en français inc. est une corporation à but non lucratif dûment incorporée au Nouveau-Brunswick, qui a pour mission d'entreprendre les démarches nécessaires pour faire respecter et concrétiser le droit de la communauté francophone du Nouveau-Brunswick de gérer ses propres institutions en santé.

5 Notons que les tribunaux citent parfois l'article 16.1 sans commenter plus longuement sa portée. Dans *Lalonde c Ontario (Commission de restructuration des services de santé)*, 56 RJO (3e) 505 au para 87, c'est la Cour d'appel de l'Ontario qui cite l'article 16.1 en décrivant l'expansion récente, depuis 1982, des droits linguistiques : « [87] Les droits linguistiques ont connu un développement important avec la promulgation de la *Charte canadienne des droits et libertés* en 1982. Le paragraphe 16(1) de la *Charte* proclame que le français et l'anglais sont les langues officielles du Canada ; ils ont un statut et des droits égaux quant à leur usage "dans les institutions du Parlement et du Gouvernement du Canada". Le français et l'anglais ont aussi les mêmes statuts et droits au Nouveau-Brunswick. L'article 16.1, ajouté en 1993, garantit l'égalité du statut et des droits et privilèges des communautés linguistiques française et anglaise du Nouveau-Brunswick. Le droit d'employer le français ou l'anglais au Parlement et à la Législature du Nouveau-Brunswick est conféré par l'art. 17, et la publication des lois, archives, comptes rendus et procès-verbaux de ces organes est prévu par l'art. 18.

des juristes d'expression française, la SANB et le commissaire aux langues officielles étaient intervenus dans cette affaire, contestant avec succès la validité d'un arrêté municipal que la Ville de Moncton avait adopté en anglais seulement. Bien que l'application concrète de l'article 16.1 et sa substance soient encore très peu connues, la Cour d'appel du Nouveau-Brunswick, dans cette affaire, pose les bases d'une interprétation de cette disposition, qu'elle décrit comme « la clef de voûte sur laquelle repose le régime de garanties linguistiques au Nouveau-Brunswick » (paragraphe 62).

Cette décision de la Cour d'appel contient plusieurs allusions aux travaux de la Commission royale d'enquête sur le bilinguisme et le biculturalisme. D'abord, celle-ci est consciente de la singularité juridique de l'article 16.1 lorsqu'elle note que cet article confère « des droits collectifs dont les titulaires sont les communautés linguistiques elles-mêmes » (paragraphe 63). Ensuite, la Cour d'appel souligne que l'application de l'article 16.1 contient une certaine asymétrie :

> Le principe de l'égalité des deux communautés linguistiques est une notion dynamique. Elle implique une intervention du gouvernement provincial qui exige comme mesure minimale l'égalité de traitement des deux communautés mais, dans certaines circonstances où cela s'avérait nécessaire pour atteindre l'égalité, un traitement différent en faveur d'une minorité linguistique afin de réaliser la dimension collective autant qu'individuelle d'une réelle égalité de statut. Cette dernière exigence s'inspire du fondement même du principe de l'égalité (paragraphe 80).

L'allusion la plus explicite est certainement celle du « bilinguisme et du biculturalisme » par la Cour d'appel du Nouveau-Brunswick :

> On ne peut comprendre la portée des garanties linguistiques prévues dans la Charte sans tenir compte du principe fondamental qui concrétise à la fois la politique linguistique mise en œuvre au Nouveau-Brunswick, et l'engagement du gouvernement envers *le bilinguisme et le biculturalisme*. Le principe constitutionnel de l'égalité des langues officielles et de l'égalité des deux communautés de langue officielle et de leur droit à des institutions distinctes constitue la clef de voûte sur laquelle repose le régime de garanties linguistiques au Nouveau-Brunswick. (Nous soulignons.)

Le droit d'employer le français ou l'anglais devant un tribunal établi par le Parlement et devant les tribunaux du Nouveau-Brunswick est garanti par l'art. 19. Le droit de communiquer avec les gouvernements du Canada et du Nouveau-Brunswick et d'en recevoir les services dans l'une ou l'autre langue officielle est énoncé en détail à l'article 20. »

Portée et limites politiques

Les acteurs de la communauté acadienne semblent s'être, quant à eux, encore moins prévalus de cet article que les juristes eux-mêmes. Comme le constate le juriste Michel Doucet lors de la Journée de réflexion « Égalité et autonomie : le passé, le présent et l'avenir de l'article 16.1 » organisée par l'Observatoire international des droits linguistiques, présentée à la Faculté de droit de l'Université de Moncton, le 16 mars 2013 (OLIB, 2013), l'article 16.1, tout comme son ancêtre, la loi 88, tombe dans l'oubli suite à son adoption. La société civile acadienne elle-même témoigne d'une certaine incompréhension à l'égard des garanties de l'article 16.1 et manque à plusieurs reprises l'occasion de se saisir de cet outil. Elle semble préférer le discours intégrationniste offert par le bilinguisme officiel au discours autonomiste qu'offre l'article 16.1.

Pourtant, c'est un outil politique de premier plan que constitue une telle reconnaissance. Comme le rappelait le commissaire aux langues officielles du Canada, Graham Fraser, à l'occasion du Congrès mondial acadien de 2014 :

> Bien que la communauté acadienne soit peu évoquée dans les débats de la Confédération, la dualité linguistique du Nouveau-Brunswick s'est vue enchâssée non seulement dans la *Loi sur les langues officielles*, mais également dans la *Loi constitutionnelle de 1982*. Plus précisément, le paragraphe 16.1(1) de la *Charte*, *qui est une confirmation de l'asymétrie du fédéralisme canadien*, indique que « la communauté linguistique française et la communauté linguistique anglaise du Nouveau-Brunswick ont un statut et des droits et privilèges égaux, notamment le droit à des institutions d'enseignement distinctes et aux institutions culturelles distinctes nécessaires à leur protection et à leur promotion ». *On ne retrouve pas d'énoncé aussi clair et sans équivoque concernant les communautés francophones et anglophones du Québec, de l'Ontario, du Manitoba – ou de partout ailleurs au Canada* (Commissariat aux langues officielles, 2014). (Nous soulignons.)

Conclusion

L'une des (rares) tentatives de reconnaissance politique d'une communauté linguistique minoritaire au Canada a un destin paradoxal. Consacrant comme jamais auparavant la dimension collective de droits reconnus à deux communautés nommément désignées, l'article 16.1 ne semble pas avoir été suivi d'effets significatifs s'agissant de la minorité linguistique que constitue la « communauté française » du Nouveau-

Brunswick. Plus qu'un outil permettant de justifier d'éventuelles revendications au plan de l'autonomie politique (ou plus modestement culturelle) ou l'institutionnalisation d'un pouvoir politique distinct à travers sa reconnaissance, l'article 16.1 semble plutôt faire office de bouclier politique permettant de garantir constitutionnellement les droits précédemment acquis. En ce sens, il semble que cette reconnaissance n'ait pas permis à cette « communauté française » du Nouveau-Brunswick de sortir du modèle canadien de reconnaissance pour construire, dans cette province bilingue, un régime de reconnaissance distinct et à proprement parler « exceptionnel », consacrant une communauté particulière.

En dépit de la solennité de sa consécration, l'insertion dans la *Charte* de la reconnaissance de deux communautés linguistiques distinctes au Nouveau-Brunswick ne résiste pas aux grands principes qui fondent le modèle de reconnaissance au Canada, et ne remet pas en cause, loin s'en faut, les grands équilibres du pouvoir politique au Canada au profit d'un échelon nouveau que constitueraient les « communautés linguistiques anglaise et française » du Nouveau-Brunswick. Individualisation des droits, liberté quant à l'usage de la langue officielle de son choix, bilinguisme officiel, mise en place de services et de politiques linguistiques adaptés, symétrie des communautés ainsi reconnues continuent de structurer l'approche de la question linguistique, au Canada comme au Nouveau-Brunswick, un peu comme si le régime de bilinguisme canadien avait simplement été transposé à l'échelle du Nouveau-Brunswick.

C'est là peut-être l'explication de la faible portée de cet article, qui propose davantage de confirmer qu'à l'instar du Gouvernement du Canada, le Gouvernement du Nouveau-Brunswick se trouve lui aussi avec des obligations en matière de politiques linguistiques, plutôt que d'une reconnaissance politique d'une communauté particulière. C'est la raison pour laquelle il est possible d'affirmer que « l'exception » néo-brunswickoise ne fait que confirmer la « règle », ou le modèle suivi par le Gouvernement du Canada. On constate également que les acteurs ne s'y sont pas trompés : ils ont assez rarement évoqué 16.1 dans leurs diverses revendications politiques et causes. La porte, pourtant timidement ouverte dans les années 1990 vers la reconnaissance politique, semble ainsi doucement se refermer.

La conséquence de ce modèle est, au Nouveau-Brunswick comme au Canada, la non-reconnaissance des communautés ou, dit autrement, l'indicibilité de communautés qui ne sont ni nommées ni nommables, si ce n'est à travers la désignation très technique de « communautés de langues officielles en situation minoritaire », ou à travers la curieuse dénomination de « communauté française » et de « communauté anglaise » contenue dans l'article 16.1. En ce sens, les divers plans d'action et feuilles de route adoptés par les gouvernements fédéraux successifs illustrent bien l'absence de toute reconnaissance de communautés au profit de la mise en valeur d'une langue française présentée d'abord, à l'instar de la langue majoritaire, comme l'un des éléments patrimoniaux majeurs du Canada ou, encore, comme un instrument, parmi d'autres, de promotion économique, comme tend à le présenter la dernière feuille de route. Si ces plans et feuilles de route concernent « les langues officielles » (2003), « la dualité linguistique » (2008) ou « les langues officielles du Canada » (2008), il n'est nullement question de communautés, et le Gouvernement du Canada reste, et de très loin, le grand maître d'œuvre dans le développement comme dans l'application effective de ces politiques.

Quant aux acteurs communautaires, auraient-ils peu à peu délaissé le projet de « faire société » pour celui, peut-être plus pragmatique (d'aucuns parleront de manque d'ambition collective ou d'absence de projet politique d'envergure) d'un simple « marché de services linguistiques » (Forgues et Doucet, 2014) ? Face à des francophones en situation minoritaire de plus en plus représentés par les pouvoirs publics fédéraux, provinciaux ou municipaux comme des usagers ou des consommateurs à besoins spéciaux, que comme des citoyens membres à part entière de communautés distinctes et reconnues comme telles, cette question, centrale quant à l'avenir communautaire de la francophonie canadienne, mérite très certainement d'être posée.

BIBLIOGRAPHIE

Livres et articles

ASSOCIATION DES JURISTES D'EXPRESSION FRANÇAISE DU NOUVEAU-BRUNSWICK (1989). « L'Accord constitutionnel de 1987 », *Revue de droit de l'Université du Nouveau-Brunswick*, n° 38, p. 289-293.

BASTARACHE, Michel (1981a). « L'Acadie est-elle prête à prendre position sur son avenir ? », *Égalité, revue acadienne d'analyse politique*, n° 2, p. 11-14.

BASTARACHE, Michel (1981b). « Réflexions sur la conférence constitutionnelle de septembre 1980 », *Égalité, revue acadienne d'analyse politique*, n° 2, p. 63-79.

BASTARACHE, Michel (1981c). « La valeur juridique du projet de loi reconnaissant l'égalité des deux communautés linguistiques officielles au Nouveau-Brunswick », *Les Cahiers de Droit*, vol. 22, n° 2, p. 455-471.

BASTARACHE, Michel (1987-1988). « Dualité canadienne, spécificité du Québec : contradiction ou complémentarité ? », *Égalité, revue acadienne d'analyse politique*, n° 22, p. 39-49.

BASTARACHE, Michel (1989). « L'impact de l'entente du lac Meech sur les minorités linguistiques provinciales », *Revue de droit de l'Université du Nouveau-Brunswick*, n° 38, p. 217-226.

BOURGEOIS, Daniel (2006). *The Canadian Bilingual Districts: From Cornerstone to Tombstone*, Montréal, McGill-Queen's University Press.

CHARBONNEAU, François (2012). « L'avenir des minorités francophones du Canada après la reconnaissance », *Revue internationale d'études canadiennes = International Journal of Canadian Studies*, n° 45-46, p. 163-186, [En ligne], [http://id.erudit.org/iderudit/1009900ar].

DOUCET, Michel (1995). *Le discours confisqué*, préface de Réal Gervais, Moncton, Éditions d'Acadie.

DOUCET, Michel (2003). « La Faculté de droit et la quête de l'égalité linguistique : du lac Meech à la nouvelle loi sur les langues officielles du Nouveau-Brunswick », *Revue de la common law en français*, vol. 5, n° 1, p. 55-96.

FINN, Jean-Guy (1980). « Le dossier acadien en matière constitutionnelle », *Égalité, revue acadienne d'analyse politique*, n° 1, p. 93-102.

FORGUES, Éric, et Michel DOUCET (2014). *Financer la francophonie canadienne : faire société ou créer un marché de services ?*, Moncton, Institut canadien de recherche sur les minorités linguistiques (ICRML).

Foucher, Pierre (1981). « Réflexions sur les thèmes centraux et l'évolution de la pensée constitutionnelle en Acadie du Nouveau-Brunswick », *Égalité, revue acadienne d'analyse politique*, n° 4, p. 99-116.

Foucher, Pierre (1987-1988). « Faut-il signer l'Accord du lac Meech ? », *Égalité, revue acadienne d'analyse politique*, n° 22, p. 17-38.

Foucher, Pierre (1991). « Droits linguistiques en Acadie : de la dynamique des droits à celle des autonomies », dans Catherine Philipponneau (dir.), *Vers un aménagement linguistique de l'Acadie du Nouveau-Brunswick : actes du symposium de Moncton, 3, 4 et 5 mai 1990*, Moncton, Université de Moncton, Centre de recherche en linguistique appliquée, p. 67-82.

Johnson, Marc L., et Paule Doucet (2006). *Une vue plus claire : évaluer la vitalité des communautés de langue officielle en milieu minoritaire*, Ottawa, Commissariat aux langues officielles.

Laforest, Guy (1992). *Trudeau et la fin d'un rêve canadien*, Québec, Éditions du Septentrion.

Le Bouthillier, Yves (1981). « Les parlementaires aux prises avec le projet de loi 84 », *Égalité, revue acadienne d'analyse politique*, n° 3, p. 133-142.

Poirier, Donald (1980). « Projet de loi sur l'égalité des deux communautés linguistiques officielles du Nouveau-Brunswick », *Égalité, revue acadienne d'analyse politique*, n° 1, p. 119-127.

Snow, Gérard (1980). « Du bilinguisme officiel à l'égalité linguistique : réflexion sur le rapport Laurendeau-Dunton », *Égalité, revue acadienne d'analyse politique*, n° 1, p. 63-77.

Traisnel, Christophe (2004). *Le nationalisme de contestation : le rôle des mouvements nationalistes dans la construction politique des identités wallonne et québécoise en Belgique et au Canada*, thèse de doctorat, Montréal, Université de Montréal ; Paris, Université Paris II Panthéon-Assas.

Traisnel, Christophe (2012). « Protéger et pacifier : la politique officielle de bilinguisme canadien face aux risques de transferts linguistiques et de contestation communautaire », *Revue internationale d'études canadiennes = International Journal of Canadian Studies*, n° 45-46, p. 69-89.

Traisnel, Christophe, et Anne-Andrée Denault (À paraître). « Quarante ans de pacification tranquille : du projet de reconnaissance politique de la commission Laurendeau-Dunton aux politiques de protection des francophones en situation minoritaire », *Mens : revue d'histoire intellectuelle et culturelle*, vol. XIV, n° 2-vol. XV, n° 1.

Rapports gouvernementaux

Commissariat aux langues officielles (2014). *Déclaration du commissaire aux langues officielles sur le Congrès mondial acadien 2014*, [En ligne], [http://www.languesofficielles.gc.ca/fr/nouvelles/communiques/2014/2014-08-11].

Commission du Nouveau-Brunswick sur le fédéralisme canadien (1992). *Rapport de la Commission du Nouveau-Brunswick sur le fédéralisme canadien*, Fredericton, La Commission.

DIRECTION DES LANGUES OFFICIELLES (1982). *Vers l'égalité des langues officielles au Nouveau-Brunswick : rapport du groupe d'étude sur les langues officielles*, Fredericton, Gouvernement du Nouveau-Brunswick.

DIRECTION DES LANGUES OFFICIELLES (1986). *Rapport du Comité consultatif sur les langues officielles du Nouveau-Brunswick*, Fredericton, Le Comité.

LAURENDEAU, André, et A. DAVIDSON DUNTON (1965). *Rapport préliminaire de la Commission royale d'enquête sur le bilinguisme et le biculturalisme*, Ottawa, Imprimeur de la Reine.

LAURENDEAU, André, et A. DAVIDSON DUNTON (1967). *Rapport de la Commission royale d'enquête sur le bilinguisme et le biculturalisme*, Ottawa, Imprimeur de la Reine.

Législation

Charte canadienne des droits et libertés, Partie I de la *Loi constitutionnelle de 1982*, constituant l'annexe B de la *Loi de 1982 sur le Canada* (R-U), 1982, c 11.

Loi reconnaissant l'égalité des deux communautés linguistiques officielles au Nouveau-Brunswick, LN-B 1981, c O-1.1.

Loi sur les langues officielles, SC 1968-69, c 54.

Loi sur les langues officielles, LRC 1985, c 31 (4e suppl.).

Décisions judiciaires

Arsenault-Cameron c Île-du-Prince-Édouard, 2000 CSC 1, [2000] 1 RCS 3.

Charlebois c Moncton (Ville), 2001 NBCA 117, 242 RN-B (2d) 259.

Conseil scolaire francophone de la Colombie-Britannique v British Columbia, 2011 BCSC 1219.

Conseil scolaire francophone de la Colombie-Britannique v British Columbia, 2012 BCCA 422.

DesRochers c Canada (Industrie), 2009 CSC 8, [2009] 1 RCS 194.

Doucet-Boudreau c Nouvelle-Écosse (Ministre de l'Éducation), 2003 CSC 62, [2003] 3 RCS 3.

Lalonde c Ontario (Commission de restructuration des services de santé), 56 RJO (3e) 505.

Mahé c Alberta, [1990] 1 RCS 342.

Nguyen c Québec (Éducation, Loisir et Sport), 2009 CSC 47, [2009] 3 RCS 208.

R c Beaulac, [1999] 1 RCS 768.

Solski (Tuteur de) c Québec (PG), 2005 CSC 14, [2005] 1 RCS 201.

Conférence

OBSERVATOIRE INTERNATIONAL DES DROITS LINGUISTIQUES (2013). *Journée de réflexion « Égalité et autonomie : le passé, le présent et l'avenir de l'article 16.1 »*, organisée par l'Observatoire international des droits linguistiques, présentée à la Faculté de droit de l'Université de Moncton, 16 mars 2013, [En ligne], [http://www.droitslinguistiques.ca/index.php?option=com_content&view=article&id=307&Itemid=18&lang=fr].

L'élite en francophonie canadienne comme catégorie sociale persistante : la gouvernance communautaire en perspective

Stéphanie Chouinard
Université d'Ottawa

La question des lieux du pouvoir au sein des petites sociétés ou des nations sans État reste toujours élusive. Au contraire des « grandes nations » ou des États-nations, les structures formelles du pouvoir n'y sont pas toujours évidentes – mise à part, cela va de soi, la structure dans laquelle la minorité se retrouve en situation d'inégalité face à la majorité. L'élite, figure détentrice de pouvoir au sein de ces structures, est elle aussi équivoque. La francophonie canadienne n'a pas échappé à cette tendance. Il est devenu par ailleurs d'autant plus difficile, dans les recherches de nature intellectuelle portant sur cette petite société, de retrouver cette élite. Cette notion a perdu en popularité dans les sciences sociales occidentales, et ce, depuis l'abandon graduel du marxisme comme idéologie totale. Or nous chercherons à montrer que l'élite a bel et bien persisté dans les recherches sur le politique en milieu minoritaire franco-canadien, et qu'on la retrouve notamment aujourd'hui dans les écrits sur la gouvernance communautaire. Ces écrits, au lieu d'utiliser la lentille soit des *agents* ou des *structures* de pouvoir, comme l'invite la typologie classique en science politique, cherchent plutôt à étudier le pouvoir dans ses *processus*.

Nous débuterons en effectuant une brève recension de la notion d'élite telle qu'elle est présentée dans la littérature théorique, pour ensuite montrer ses débouchés contemporains, notamment dans le concept de configuration chez le sociologue Norbert Elias. Puis, nous présenterons un rapide historique de la place octroyée à l'élite dans les recherches historiographiques en francophonie canadienne. Enfin, nous en arriverons aux recherches sur la gouvernance et sur ce qu'elles peuvent nous apprendre sur les configurations (encore une fois, entendues au sens que donne Elias à ce concept) du pouvoir de cette petite société. Nous soulèverons

Francophonies d'Amérique, n° 37 (printemps 2014), p. 65-76

aussi certains écueils théoriques intrinsèques à la notion de gouvernance et nous verrons l'effet qui peut en découler sur la compréhension du pouvoir. Nous conclurons brièvement avec quelques remarques sur ce que les études sur la gouvernance nous ont appris sur les configurations pernicieuses du pouvoir persistant en francophonie canadienne.

La notion d'élite, sa portée normative et ses contradictions

La discipline sociologique a montré depuis longtemps le caractère polymorphe de la notion d'élite chez les chercheurs qui s'y intéressent, remettant en question sa valeur épistémologique. En effet, l'élite, comme objet d'étude, est marquée par deux dichotomies : d'un côté, il y a la justification / critique normative de l'existence de l'élite et, de l'autre, le monisme / pluralisme de l'organisation de l'élite. Chez le philosophe français Raymond Aron, « la pluralité et la diversité des élites dans les sociétés démocratiques constituent une garantie contre la domination de la société par une élite unique » (cité dans Heinich, 2004 : 314). Chez le sociologue américain C. Wright Mills, c'est la thèse contraire qui est exposée. Pour sa part, « Mannheim, après avoir critiqué les théories de l'élite, en arrive à admettre que les élites sont nécessaires, mais il prétend que cela n'est pas incompatible avec la démocratie » (cité dans Heinich, 2004 : 314).

La recherche savante sur l'élite a, en effet, toujours été empreinte d'un certain jugement pris entre justification et critique de cette catégorie sociale. Alors que le premier camp, dit « justificatif », présentait l'élite comme une catégorie « naturelle » ou authentique, voire nécessaire, de la configuration d'une société, le second camp, plus « critique », y voyait plutôt une construction sociale arbitraire (Heinich, 2004 : 315). Les débats entre politologues et sociologues ont, quant à eux, mis au jour un deuxième débat épistémologique au sujet de la nature de l'élite, qui appelle divers questionnements : l'élite, dans son organisation, est-elle une ou plurielle? Quelle forme prend le rapport entre les différents groupes (des milieux politiques, financiers, culturels, militaires, par exemple) dont on suppose qu'ils participent à l'élite? Certains de ces groupes sont-ils plus importants, plus influents que d'autres? Parmi les tenants de la conception dite « moniste » (Heinich, 2004 : 316) de l'élite, nous retrouvons donc des penseurs tels que Marx, Pareto et Wright Mills. On pourrait même y inclure Pierre Bourdieu, pour qui la question de l'élite est plutôt articulée en des termes plus généraux de « domination » allant jusqu'à imprégner le domaine culturel (Heinich, 2004 : 316). Selon ce point de vue sur la nature de l'élite, cette dernière forme une catégorie dominante de la société ayant les mêmes intérêts et les mêmes affinités. Dans la conception pluraliste de l'élite, de son côté, « l'élite perd de son caractère substantiel pour devenir, si l'on peut dire, une "saillance" à l'intérieur de différentes catégories sociales. Dans cette perspective, il existe une pluralité d'élites, chacune étant relative au milieu ou à la catégorie considérée » (Heinich, 2004 : 317). Parmi les tenants de cette posture, on retrouverait notamment Wilfredo Pareto[1], Talcott Parsons et Raymond Aron. Comment alors dépasser cette tension théorique ?

L'élite définie par les « configurations » du pouvoir

Afin d'obtenir une notion d'élite qui soit opérationnelle et utile à une meilleure compréhension de notre société, nous devons tenter de penser l'élite en dépassant ces oppositions intrinsèques que nous venons d'exposer. À la suite de Nathalie Heinich, nous proposons plutôt d'utiliser le concept d'élite afin de comprendre le pouvoir dans ses « configurations », c'est-à-dire en tant qu'il s'exerce dans « un espace de pertinence des relations d'interdépendance » (Heinich, 2004 : 320), selon la définition qu'a donnée à ce terme le sociologue allemand Norbert Elias. Cet espace désigne les rapports établis et ceux qui évoluent entre les différents acteurs ayant une position d'autorité, d'éminence ou de prestige, dans leur milieu propre au sein de la société. On arriverait donc ainsi à dépasser les dichotomies retrouvées dans la notion d'élite en s'intéressant plutôt aux aspects *relationnels* entre les différentes personnes provenant de milieux hétérogènes, mais permettant une fréquentation potentielle ou effective. Le postulat à la base de la théorie d'Elias est que la société n'est pas formée d'individus, mais plutôt d'interdépendances entre les individus. Cette « dépendance réciproque » entre les acteurs serait le matériel constitutif de toute société. « Pour Elias, la configuration individu-société et ses évolutions est ce que le sociologue doit décrire et analyser car ces relations sont aussi réelles que les parties qu'elles relient » (Duvoux, 2011 : paragr. 2). Selon Jean-Hugues Déchaux, cette configuration pourrait être comparée à une série de tensions entre un

[1] Pareto reste ambigu dans ses positions, définissant l'élite comme étant plurielle, tout en lui octroyant un pouvoir unique (voir Heinich, 2004 : 317-318).

certain nombre d'acteurs, en équilibre et en renégociation perpétuelle, voire à un « jeu » (Déchaux, 1995 : 296-299). La tâche du sociologue serait d'observer et d'expliquer les fluctuations des relations dans ce jeu. Pour récapituler, citons Elias lui-même :

> Ce qu'il faut entendre par configuration, c'est la figure globale toujours changeante que forment les joueurs ; elle inclut non seulement leur intellect, mais toute leur personne, les actions et les relations réciproques. [...] Cette configuration forme un ensemble de tensions (Elias cité dans Déchaux, 1995 : 300).

Or, dans le cadre des recherches effectuées sur la francophonie canadienne, le type de recherche prescrit par Elias aurait déjà sa place par l'entremise des études sur la gouvernance. Nous y reviendrons, mais auparavant, une brève revue de la littérature sur la notion d'élite au Canada français s'impose.

L'élite canadienne-française, de son apogée à sa déchéance

Selon l'historiographie consultée, il fut un temps au Canada français où, quitte à ne pas avoir de lieu effectif de pouvoir propre à elle, l'élite était facilement identifiable. Elle portait souvent le col romain, la soutane ou, alors, la toge, la cravate. Elle portait toutefois rarement la jupe. Et elle avait un projet de société, un discours sur la société canadienne-française qui se voulait total, axé sur les deux piliers qu'étaient la langue française et la religion catholique. Joel Belliveau et Frédéric Boily expliquent que la prégnance de l'Église catholique était telle à l'époque qu'elle « s'érige[ait] en régulateur principal de la société civile francophone » (Belliveau et Boily, 2005 : 14), son influence s'étendant dans toutes les sphères institutionnelles de cette société (bien sûr, les couvents, mais aussi les écoles, les hôpitaux, les caisses populaires et autres mouvements coopératifs). Le sociologue Joseph Yvon Thériault va encore plus loin, en parlant d'une élite clérico-professionnelle qui, par l'entremise d'une « structure quasi-étatique [*sic*] de gestion de la société civile », pouvait assurer la « reproduction des rapports sociaux », et ce, malgré son manque d'emprise sur l'économie (Thériault cité dans Belliveau et Boily, 2005 : 15).

Toutefois, de façon concomitante à ce qu'on a vu dans le reste du Canada où on tentait une modernisation et une centralisation accélérées après la Seconde Guerre mondiale (Guest, 1995), mais surtout au Canada français à partir des années 1960, un vent de changement s'est manifesté, remettant en question la « volonté totalisante » (Belliveau et Boily, 2005 : 15) de cette élite. Jacques Dofny et Marcel Rioux, dans un texte quasi prémonitoire maintenant devenu un classique des classes sociales, écrivaient, au sujet du Canada français, que celui-ci représentait une « classe sociale » et ethnique (inférieure) au sein de la société globale qu'était le Canada (1962 : 292). Selon ces deux auteurs, en 1962, « [l]e Canadien français apparaît comme profondément marqué par la tradition [catholique], mais à l'orée d'une nouvelle situation dont les traits restent imprécis et indécis » (1962 : 299). Comme l'a montré la postérité, cette « nouvelle situation » a rapidement pris des traits beaucoup plus précis. Pour ne prendre que cet exemple, quelques années plus tard seulement, en Acadie, un groupe d'étudiants qui fréquentaient le Collège de Bathurst et la nouvelle Université de Moncton critiquaient vertement les positions bonententistes de l'élite. Nous voyons là l'articulation première d'une critique globale du nationalisme acadien traditionnel. Cette jeunesse néonationaliste était animée d'une colère assez virulente que le philosophe Gilles Labelle aurait qualifiée d'« anti-théologique », marquée par une revendication politique d'autonomie vis-à-vis de l'Église-nation catholique. Elle a tenté à tout prix de disqualifier l'élite portant cravate ou (surtout) soutane, remettant en question ses symboles, son projet de société et ses méthodes, son bonententisme envers l'élite anglophone ainsi que son idéologie de la survivance. Sur ce point, l'historien Joel Belliveau écrit :

> *[T]he approach of the Acadian elite and its associations seemed insufficient to more and more Acadian leaders. Across the western world, social and economic progress increasingly was seen as something that could only result from state planning and intervention. The state was growing; so were its resources. Shouldn't the Acadians get out there and get their fair share?*[2] (2013 : [n. p.])

Les idéologies marxiste et postcolonialiste, répandues à l'époque (Labelle, 2011), ont fini de condamner cette classe sociale. Selon Gilles Labelle,

> le marxisme et la pensée de la décolonisation [que les participants de la jeune génération intellectuelle et militante au début et au milieu des années 1960]

[2] « L'approche de l'élite acadienne et de ses associations semblait insuffisante à de plus en plus de dirigeants acadiens. Partout en Occident, le progrès social et économique était vu comme le résultat de la planification et de l'intervention étatique. L'État ainsi que ses ressources allaient grandissant. Les Acadiens ne devraient-ils pas aussi en obtenir leur part égale ? » (Nous traduisons.)

> [...] conservaient intacte au cœur de leur dispositif conceptuel la notion d'un *telos* auquel l'humanité était appelée afin de s'émanciper et de s'accomplir pleinement en rompant avec toutes les formes d'aliénation et de domination [...] (2011 : 863).

Ce fut tout particulièrement le cas dans les milieux minoritaires qui se reconnaissaient dans la vision du monde véhiculée par ces idéologies et y voyaient un moyen tangible d'exprimer leurs doléances et de mettre au jour le rapport de domination qu'exerçait sur eux la majorité. Au Québec, on retrouve notamment ce type de discours dans le fameux essai de Pierre Vallières, *Nègres blancs d'Amérique*, paru à la fin des années 1960. En ce qui a trait à l'Acadie, ce genre de discours s'est manifesté dans le milieu intellectuel à partir des années 1970, dans des ouvrages comme *L'Acadie perdue* de Michel Roy (1978) et, plus tard, dans *La question du pouvoir en Acadie* de Léon Thériault (1982). Toutefois, sur le terrain, la situation avait commencé à évoluer de façon concomitante et parallèle avec le Québec :

> *As of February of 1968, much of Moncton's student movement – influenced by decolonisation discourse – held that the Anglophones' political, economic, cultural and social "dominance" had to be considered at least partly responsible for the Acadians' "disastrous" economic situation. They thus put into question the popular idea that the Acadians' economic woes were due to their own* cultural *particularities (indigenous causes) and put emphasis on* structural *problems that prevented the occurrence of substantial economic and social development (extraneous causes). As one student put it: "One thing is important here [...] there is a dominant element and a dominated element here [...] It's important that people realize this"*[3] (Belliveau, 2013 : [n. p.]).

Les Canadiens français auraient donc, à partir des années 1960, largement commencé à s'affranchir de cette tradition, comme l'avaient prédit

[3] « À partir de février 1968, une grande partie du mouvement étudiant de Moncton – influencé par le discours de la décolonisation – croyait que la "domination" politique, économique, culturelle et sociale des anglophones devait être considérée en partie responsable de la situation économique "désastreuse" des Acadiens. Les étudiants remettaient donc en question l'idée populaire selon laquelle les problèmes économiques des Acadiens étaient causés par leurs propres particularités *culturelles* (causes endogènes) et mettaient plutôt l'accent sur les problèmes *structuraux* prévenant un développement économique et social substantiel (causes exogènes). Comme le mentionnait un étudiant : "Une chose est importante ici [...] il y a un élément dominant et un élément dominé ici [...] C'est important que les gens le réalisent". » (Nous traduisons. Souligné dans le texte.)

Dofny et Rioux. C'est ainsi qu'au cours des dernières décennies, l'élite a progressivement disparu du vocabulaire de nos intellectuels comme on a tenté de la faire disparaître de nos sociétés civiles. Essayer de trouver cette notion dans les recherches récentes en sciences sociales sur la francophonie canadienne se révèle aujourd'hui une tâche ardue. On se doute bien, toutefois, que l'élite, ou qu'une « certaine » élite, existe toujours et continue d'influencer le devenir de nos sociétés. Pour notre part, nous postulons que la notion d'élite est toujours présente dans la pensée de nos intellectuels. Toutefois, celle-ci a pris une nouvelle forme, et elle contribue à une lecture différente de notre présent et de notre avenir. Alors que les chercheurs s'étant penchés sur l'élite franco-canadienne traditionnelle ont surtout décrit cette dernière dans les paramètres d'une élite unique, tissée serrée, que la vague néonationaliste des années 1960 et 1970 aurait cherché à mettre au rancart au même titre que l'élite de la société dominante[4], nous proposons aujourd'hui d'approcher l'élite, à l'instar d'Elias, à partir des *configurations* du pouvoir. Telle est la perspective qu'offrent les études sur la gouvernance. Plutôt que de se limiter exclusivement aux *lieux* du pouvoir ou aux *acteurs* détenant ce pouvoir en francophonie canadienne, la gouvernance permet d'élargir le champ de questionnement et d'analyse aux *processus* par lesquels le pouvoir se donne à voir.

La gouvernance communautaire, terrain de « jeu » des élites ?

La gouvernance est un terme dont la popularité scientifique n'est plus à faire et dont la montée est allée de concert avec le virage des gouvernements d'États occidentaux vers la nouvelle gestion publique (Forgues et St-Onge, 2011). Selon William Walters,

> *[n]ew governance pertains to a novel form of society in which the traditional goals of governments [...] can no longer be accomplished by the centre acting alone. Increasingly they are sought through [...] processes in which traditional centres of authority [...] interact in networked configurations with, and through a host of private, para-state, third sector, voluntary and other groups*[5] (2004 : 29).

---

[4] Nous reprenons ici les termes de Dofny et Rioux (1962).

[5] « La nouvelle gouvernance appartient à une nouvelle forme de société dans laquelle les buts traditionnels des gouvernements [...] ne peuvent plus être accomplis par la seule action du centre. De plus en plus, [...] on cherche à les accomplir par l'entremise de [...] processus par lesquels les centres d'autorité traditionnels [...] interagissent en

Cette mutation implique pour les chercheurs et, en particulier, les politologues, un changement dans l'angle d'approche de leur sujet d'étude, qui consiste à délaisser les institutions ou les acteurs au profit des processus de gouvernance. On voit, par ailleurs, se dessiner dans la gouvernance découlant de la nouvelle gestion publique un rapport renouvelé entre l'État et la société civile, l'un et l'autre ne fonctionnant plus en vase clos (Cardinal et Hudon, 2001), mais de façon horizontale. Le lien entre la notion de configuration telle que développée chez Elias et la gouvernance nous apparaît ici évident. En effet, ce rapport horizontal établi entre les gouvernants et les gouvernés rappelle fortement l'espace de tensions, voire le « jeu » où les relations de pouvoir sont négociées, selon la théorie d'Elias. Dans cette optique, il semblerait que la notion d'élite n'ait pas vraiment disparu des études en francophonie canadienne, mais simplement qu'elle se présente aujourd'hui sous un jour différent.

Dans le cadre des recherches sur la francophonie canadienne, la gouvernance a-t-elle été apte à saisir la complexité de ces rapports de pouvoir ? Quels sont les « configurations » ou les « jeux » auxquels participe la francophonie canadienne ? Quelles sont les significations de ces configurations du pouvoir ? Quelles sont leurs retombées pour la gouvernance communautaire ? Et, surtout, la gouvernance communautaire a-t-elle permis à la francophonie canadienne de sortir de son rapport traditionnel de dominée face à la majorité anglophone ou participe-t-elle, de façon malicieuse, à le reproduire sous d'autres formes, d'autres noms ? Cette nouvelle orientation de nos recherches vers la gouvernance aurait pu masquer les relations de pouvoir entre les acteurs en cherchant plutôt à présenter ces acteurs comme des « partenaires » et en atténuant les antagonismes et les conflits entre ces derniers (Walters, 2004 : 35-36). Toutefois, une série de réflexions à cet égard ont été entamées dans la dernière décennie et méritent d'être poursuivies. L'équipe de l'Alliance de recherche universités-communautés (ARUC) *Les savoirs de la gouvernance communautaire,* dirigée par Linda Cardinal, effectue déjà de nombreuses recherches portant sur la gouvernance intracommunautaire, c'est-à-dire entre divers partenaires venant de la société civile, ainsi qu'entre ces derniers et les gouvernements. En ce qui a trait aux configurations du pouvoir entre la communauté et l'État canadien plus précisément,

---

réseaux de configurations avec des organismes privés, parapublics, du tiers secteur, bénévoles et autres. » (Nous traduisons.)

les études d'Éric Forgues[6], de l'Institut canadien de recherche sur les minorités linguistiques (ICRML), méritent d'être citées. En effet, celui-ci a montré l'effet pernicieux des nouveaux rapports de gouvernance sur l'autonomie des organismes représentant les communautés francophones, tant sur le plan financier que sur le plan politique. Comme il l'explique, « ces organismes se comportent [désormais] comme des corporations, devant d'abord rendre des comptes à leurs bailleurs de fonds et à leurs partenaires organisationnels qui siègent à leur conseil d'administration, plutôt qu'à des membres individuels » (Forgues, 2010 : 80). Les priorités de la communauté ne sont plus au centre de l'action de ces organismes, qui doivent désormais répondre aux exigences liées au financement provenant du gouvernement. D'un point de vue démocratique, la nouvelle gouvernance apporte aussi son lot de problèmes, tant du côté des gouvernements que des organismes communautaires. D'une part, comme le soulève Walters, du côté des gouvernements, ce rapprochement entre société civile et État pourrait être synonyme d'une manipulation de programme au profit des plus forts. « *Critics have expressed grave doubts about the place of democracy within the "good governance" agenda [...] [We can detect] a narrow, instrumental conception of democracy which functions as little more than an institutional support for market-oriented reforms*[7] » (2004 : 34). D'autre part, le lien entre la population et les organismes porte-parole invités à prendre part à cette configuration horizontale du pouvoir peut être remis en question. Sur ce point, Forgues avance que

> [c]e type d'organisme soulève aussi, mais de façon différente, la question de leur légitimité à représenter leurs communautés. Cette légitimité apparaît discutable du fait du faible ancrage de ces organismes dans la population. Ils sont le produit d'une demande des leaders communautaires, mais leur fonctionnement n'est pas soumis à des exigences démocratiques (2010 : 80).

Plus récemment, le Gouvernement du Canada aurait annoncé un virage vers « la finance sociale », un modèle qui cherche à « rendre l'aide de l'État conditionnelle à l'atteinte des résultats » (Forgues et Doucet, 2014 : 15).

---

[6] Il est à noter qu'Éric Forgues participe aussi à l'ARUC *Les savoirs de la gouvernance communautaire.*

[7] « Les critiques ont émis des doutes quant à la place de la démocratie au sein de la "bonne gouvernance" et de son programme [...] [Nous pouvons détecter] une conception étroite, instrumentale de la démocratie fonctionnant tout au plus comme soutien institutionnel de réformes orientées vers le marché. » (Nous traduisons.)

Cette nouvelle logique de financement pourrait être implantée par Patrimoine canadien, qui renégocie au moment de l'écriture de ce texte son entente avec la Fédération des communautés francophones et acadienne du Canada (FCFA) et ses membres derrière des portes closes. Si les organismes porte-parole sont amenés à se repositionner face à une telle logique de financement, le terrain de jeu sur lequel est négocié ce financement semble favoriser une ascendance certaine du partenaire gouvernemental sur le partenaire communautaire. La dépendance financière des organismes communautaires « les amène[rait] à privilégier d'abord leurs intérêts immédiats et à adopter une approche conciliante avec l'État. Le risque couru est de se faire les instruments de l'État » (Forgues et Doucet, 2014 : 19-20).

Si les études de Forgues sur la gouvernance en francophonie canadienne montrent une chose, c'est bien que les avertissements de Walters au sujet du rapport problématique de la gouvernance à la démocratie et de sa tendance à favoriser le marché se concrétisent aussi chez nous. La légitimité démocratique de nos organismes est aussi touchée en plein cœur par ces changements de configuration. Comme le soulignent Forgues et Doucet, ces mutations ne sont pas bénignes et pourraient avoir des conséquences significatives pour les communautés et leur pérennité, notamment en faisant reculer l'autonomie durement acquise des communautés par le retour à une gouvernance plus verticale (2014 : 20).

Conclusion : l'élite, catégorie sociale persistante en francophonie canadienne

Pour conclure brièvement, si nous devons retrouver la notion d'élite dans les recherches en francophonie canadienne aujourd'hui, ce serait notamment par l'entremise des études sur la gouvernance communautaire (tant à l'intérieur même des organismes communautaires et entre ces derniers que dans leurs rapports à l'État). En apportant un éclairage sur les configurations du pouvoir qui prennent place à la fois au sein de notre société et dans son rapport avec la société majoritaire, ces études montrent une proximité certaine avec ce concept, même si on omet de le nommer. Les résultats des recherches menées par les équipes de l'ARUC *Les savoirs de la gouvernance communautaire* et par l'ICRML illustrent l'importance de mettre au jour la persistance de certains rapports de pouvoir et des acteurs qui y prennent part. Les configurations du pouvoir mises en lumière par ces études récentes montrent effectivement la persistance d'une certaine élite, bien qu'elle se réclame de lexiques différents d'autrefois, provenant notamment de la nouvelle gestion publique et de la finance sociale. Les chercheurs devront continuer à mettre en évidence les rapports de pouvoir dissimulés derrière ces nouveaux lexiques afin de saisir les configurations du politique qui président aux prises de décision ayant une influence sur la pérennité de nos communautés.

BIBLIOGRAPHIE

BELLIVEAU, Joel (2013). « Moncton's Student Protest Wave of 1968: Local Issues, Global Currents and the Birth of Acadian Neo-Nationalism », *Fédéralisme Régionalisme*, vol. 13, [n. p.], [En ligne], [http://popups.ulg.ac.be/1374-3864/index.php?id=1201&format=print] (30 mai 2014).

BELLIVEAU, Joel, et Frédéric BOILY (2005). « Deux révolutions tranquilles ? Transformations politiques et sociales au Québec et au Nouveau-Brunswick (1960-1967) », *Recherches sociographiques*, vol. 46, n° 1 (janvier-avril), p. 11-34.

CARDINAL, Linda, et Marie-Ève HUDON (2001). « La gouvernance des minorités de langue officielle au Canada : une étude préliminaire », Ottawa, Commissariat aux langues officielles, [En ligne], [http://www.ocol-clo.gc.ca/html/stu_etu_112001_f.php] (1er juin 2014).

DÉCHAUX, Jean-Hugues (1995). « Sur le concept de configuration : quelques failles dans la sociologie de Norbert Elias », *Cahiers internationaux de sociologie*, « Nouvelle série : Norbert Elias : une lecture plurielle », vol. 99, p. 293-313.

DOFNY, Jacques, et Marcel RIOUX (1962). « Les classes sociales au Canada français », *Revue française de sociologie*, vol. 3, n° 3, p. 290-300, [En ligne], [http://www.persee.fr/web/revues/home/prescript/article/rfsoc_0035-2969_1962_num_3_3_6097].

DUVOUX, Nicolas (2011). « Configuration », *Sociologie*, « Les 100 mots de la sociologie », [En ligne], [http://sociologie.revues.org/923] (5 novembre 2013).

FORGUES, Éric (2010). « La gouvernance des communautés francophones en situation minoritaire et le partenariat avec l'État », *Politique et sociétés*, vol. 29, n° 1, p. 71-90.

FORGUES, Éric, et Michel DOUCET (2014). « Financer la francophonie canadienne : faire société ou créer un marché de services ? », rapport de l'ICRML (Institut canadien de recherche sur les minorités linguistiques), [En ligne], [http://icrml.ca/images/stories/documents/fr/financer%20la%20francophonie.pdf] (1er juin 2014).

FORGUES, Éric, et Sylvain ST-ONGE (2011). « Portrait de la gouvernance des organismes acadiens et francophones au Nouveau-Brunswick », avec la collaboration de Josée Guignard Noël, rapport de l'ARUC (Alliance de recherche universités-communautés), *Les savoirs de la gouvernance communautaire*, [En ligne], [http://sciencessociales.uottawa.ca/aruc-cura/fra/documents/Portrait_de_la_gouvernance_des_organismes_acadiens_et_francophones_au_N-B.pdf] (30 mai 2014).

GUEST, Dennis (1995). *Histoire de la sécurité sociale au Canada*, traduit de l'anglais par Hervé Juste avec la collaboration de Patricia Juste, Montréal, Éditions du Boréal, coll. « Boréal Compact ».

HEINICH, Nathalie (2004). « Retour sur la notion d'élite », *Cahiers internationaux de sociologie*, vol. 2, n° 117, p. 313-326, [En ligne], [http://www.cairn.info/revue-cahiers-internationaux-de-sociologie-2004-2-page-313.htm] (2 novembre 2013).

LABELLE, Gilles (2011). « La Révolution tranquille interprétée à la lumière du "problème théologico-politique" », *Recherches sociographiques*, vol. 52, n° 3 (septembre-décembre), p. 849-880.

ROY, Michel (1978). *L'Acadie perdue*, Montréal, Éditions Québec Amérique.

THÉRIAULT, Léon (1982). *La question du pouvoir en Acadie*, Moncton, Éditions d'Acadie.

VALLIÈRES, Pierre, ([1968] 1994). *Nègres blancs d'Amérique*, nouvelle édition revue et corrigée, Montréal, Typo.

WALTERS, William (2004). « Some Critical Notes on "Governance" », *Studies in Political Economy*, vol. 73 (printemps-été), p. 27-46.

Pour une grille d'analyse appropriée à l'élite de la francophonie canadienne

Serge Dupuis
Université Laval

Nous commencerons par reprendre les mots de Milan Kundera dans *Le rideau : essai en sept parties* :

> ce qui distingue les petites nations des grandes, ce n'est pas le critère quantitatif du nombre de leurs habitants; c'est quelque chose de plus profond : leur existence n'est pas pour elles une certitude qui va de soi, mais toujours une question, un pari, un risque; elles sont sur la défensive envers l'Histoire, cette force qui les dépasse, qui ne les prend pas en considération, qui ne les aperçoit même pas (2005 : 47).

S'inspirant de l'expérience de la société tchèque, la perspective de Kundera sur les « petites sociétés[1] » a quelque chose d'universel. Au Canada français, les structures de pouvoir ont été marquées par cette petitesse et l'élite canadienne-française, ce groupe de personnes qui se distingue par son instruction, sa culture, sa richesse ou son influence, y a joué un rôle structurant.

Certes, on peut débattre de la pertinence de l'analyse structuraliste de l'élite dans les grandes sociétés, mais nous chercherons plutôt à remettre en cause l'application de cette grille aux petites. De notre point de vue, l'élite des « petites sociétés » n'a tout simplement pas pu exercer le même pouvoir que celle des grandes. En travaillant souvent dans la marge et sous un plafond de verre qu'elle pouvait difficilement percer, elle a longtemps entretenu un rapport de force inégal avec sa contrepartie britannique au Canada. Puisque les « petites sociétés » sont intrinsèquement inachevées, le cadre théorique de la lutte des classes traduit imparfaitement leur

---

[1] Le concept de « petite société » réfère effectivement aux sociétés de la marge, dont l'existence et la pérennité sont fragiles. Voir Abulof (2009), Kundera (2005) et Thériault ([2002] 2005).

rapport historique au pouvoir. Autrement dit, on aurait tort d'attribuer une trop grande connivence entre l'élite financière et politique de la planète et le leadership communautaire de la francophonie canadienne.

Monica Heller a d'ailleurs souvent réduit le nationalisme et les identités en milieu minoritaire francophone à des intérêts de classe, comme si l'institutionnalisation des nations s'effectuait de manière hégémonique (2011 : 3-30) ; mais Joseph Yvon Thériault estime qu'on fait fausse route en procédant de cette manière ([2002] 2005 : 23-161), les « petites sociétés » ne possédant ni les frontières politiques, ni la maîtrise des institutions de l'État que l'on connaît dans les nations modernes ordinaires. Pour Gaétan Gervais, l'élite en milieu minoritaire représente un « groupe de dirigeants, ceux qui ont le plus influencé l'ensemble de la communauté », mais dont l'autorité aurait été « continuellement minée aussi bien de l'intérieur que de l'extérieur » (1983 : 67). Il suffit de regarder les différends idéologiques que cette dernière a entretenus avec le libéralisme économique pour comprendre les accointances limitées qu'elle a eues avec le grand capitalisme. Ainsi, cette élite aurait surtout cherché à incarner le souffle collectif d'un groupement antérieurement peu organisé. Nul doute que la place accordée aux grandes figures a été exagérée dans l'historiographie canadienne-française – c'était là une forme de compensation pour l'accès limité de la minorité aux structures de pouvoir (Cantin, 1997) –, mais on exagérerait tout autant en faisant l'inverse, soit en occultant le rôle des individus d'exception dans la mise en marche des grands changements sociaux.

Les structures particulières du Canada français

Les historiens débattent des effets du changement de régime depuis longtemps. Dans *Lendemains de conquête* ([1920] 1977), Lionel Groulx avançait que le retour en 1763 des officiers et des marchands français dans la métropole ainsi que leur remplacement par des agents et des commerçants anglais avaient empêché les *habitants* d'établir des institutions économiques et un commerce extérieur suffisants pour constituer une société normale (Courtois, 2013). Si le clergé et les anciens seigneurs ont maintenu une influence relative dans la vallée laurentienne, personne n'aurait davantage profité de la Conquête, selon Groulx, que les marchands, les officiers et les agents coloniaux anglais et écossais. Pour Maurice Séguin, qui réactualisait la thèse groulxiste à l'aube de la

Révolution tranquille, le Canada (français) n'était donc jamais parvenu à voler entièrement de ses propres ailes (Vaugeois, 2013 : 33-41). Chez Michel Brunet, le départ de l'élite française au lendemain du coup de force de 1760 aurait « décapité » la société canadienne. Cette thèse continue d'être contestée, plus récemment par Donald Fyson, qui constate plutôt une « décapitation partielle » du groupe canadien, une certaine élite cléricale et terrienne ayant maintenu une influence considérable après la Conquête (Fyson, 2011). Ayant déjà une culture locale marquée par la technologie et les mœurs empruntées aux peuples autochtones, les Canadiens auraient cherché à se réconcilier avec les conquérants, selon Fyson, non pas dans l'optique d'abandonner leur langue ou leur religion, mais plutôt dans celle de reconnaître les concessions faites à la culture canadienne pendant les premières années du régime anglais (2013 : 266-271).

Il serait certes difficile de parler d'une « nation canadienne » à cette époque, la vallée laurentienne n'ayant pas suffisamment d'institutions pour atteindre ce statut, même si la conscience et la culture des habitants s'étaient déjà distinguées de celles des Français (Dumont, 1993 : 59-119). Quant à la naissance d'une élite proprement canadienne-française, celle-ci remonterait au tournant du XIXe siècle avec l'émergence de collèges et de séminaires, qui ont permis aux plus talentueux d'atteindre les rangs d'une profession (Bienvenue, Hubert et Hudon, 2014 : 33-54, 113-136). D'après l'historien Fernand Ouellet, si cette montée en force des institutions a politisé la question canadienne, ces développements expliqueraient le retrait progressif des Canadiens de la traite des fourrures ainsi que leur retard à moderniser l'agriculture laurentienne. Les professionnels ont donc tourné leurs visées, déplore-t-il, vers un discours favorisant avant tout la préservation de la langue française et de la religion (Ouellet, 1966 : 539-596). L'Église devenue, dès lors, la force structurante au Canada français, elle a multiplié le nombre d'hôpitaux, d'orphelinats, d'écoles et d'institutions culturelles pour amener la collectivité canadienne-française, rappelle Roberto Perin, à se percevoir comme une nation digne de ce nom (2008).

Les projets en vue d'augmenter l'accès à l'instruction semblent avoir atteint des seuils critiques, car l'analphabétisme touchait 84 % des apprentis à Montréal en 1792, un taux qui n'avait reculé que de 12 % en 1842 (Baker et Hamilton, 2000 : 83). Si 95 % des maîtres anglophones pouvaient signer leur nom en 1842, seulement 53 % des maîtres francophones pouvaient en faire autant à pareille date. Le piètre niveau d'instruction, l'hostilité manifestée à l'endroit des Canadiens français dans les usines de même que leur sous-représentation dans les affaires semblent avoir cimenté leur marginalisation au XIXe siècle. Cette « petite société » aurait probablement intégré la majorité, tôt ou tard, si sa natalité élevée, pendant la montée en force de l'Église, n'avait contribué à faire passer le contingent canadien-français de 70 000 personnes en 1763 à 825 000 en 1861 (Frenette, 1998 : 75). L'arrivée d'un nombre encore plus important de colons de langue anglaise a tout de même fait de la collectivité canadienne-française une minorité dans le Canada-Uni à partir de 1851.

Ainsi, le défi posé par l'anglicisation a commencé à guetter les Canadiens français qui s'installaient dans les espaces urbains et, plus particulièrement, ceux qui migraient à l'extérieur du Québec pour y trouver du travail. Pour sa part, la bourgeoisie francophone au Québec s'est davantage inscrite dans des contextes locaux et régionaux, selon Marc Vallières et ses collaborateurs (2008), tandis que l'élite anglo-protestante de Montréal tendait à évoluer dans un cadre économique nord-américain et impérial. Par ailleurs, comme l'a montré Fernande Roy, les gens d'affaires francophones de Montréal étaient, la plupart du temps, confrontés à un dilemme, à savoir s'ils devaient s'intégrer à la majorité pour atteindre une nouvelle strate dans la hiérarchie sociale du Canada ou se tenir avec les clercs et les professionnels pour former avec leurs compatriotes une élite de la marge (Roy, 1988 : 111-149). L'élite canadienne-française a donc longtemps déployé des efforts pour assurer l'avancement de ses compatriotes par l'intermédiaire du développement institutionnel ou des sociétés de prévoyance. Ce dévouement, rappelle Marcel Martel, a souvent débouché sur des campagnes de souscription, qui ont permis l'ouverture d'écoles libres en dépit des règlements scolaires interdisant l'enseignement en français, de centres culturels et de médias canadiens-français (1997 : 50-56, 63-105, 120-125) à l'extérieur du Québec.

Des défis persistants

Encore au mitan du XXe siècle, suivant en cela les prétentions autonomistes et le nationalisme du clergé et des professionnels, les structures sociales du Canada français demeuraient distinctes de celles de la majorité de langue anglaise. Même dans le Québec de 1960, là où il était majoritaire, le Canadien français moyen ne gagnait que 65 % du salaire d'un anglophone minoritaire moyen (Baker et Hamilton, 2000 : 76). La Révolution tranquille a certainement favorisé la promotion sociale des francophones, mais l'histoire les amenait toujours à accuser un certain retard, leurs revenus n'atteignant toujours que 89 % du revenu moyen des Québécois anglophones en 1996.

En Ontario, là où près de 200 000 Canadiens français avaient choisi de s'établir entre 1842 et 1921, les structures sociales sont aussi demeurées marquées par un investissement plus faible dans les affaires et une présence supérieure dans les secteurs de l'éducation et des services. En 1971, par exemple, 33 % des Franco-Ontariens étaient moins portés que la moyenne à œuvrer dans le secteur de la finance, mais 36 % étaient plus disposés à investir le secteur des services publics (Ouellet, 1993 : 150, 175, 187). Même en 2006, les écarts demeuraient semblables, les Franco-Ontariens étant surreprésentés dans les secteurs de la fabrication, de l'hébergement et de la restauration. Par ailleurs, la probabilité qu'ils travaillent dans le domaine de l'enseignement était de 33 % supérieure à la moyenne, et de 250 % qu'ils se dirigent vers l'administration publique. Toutefois, la probabilité qu'ils choisissent le secteur de la finance était toujours de 33 % inférieure à la moyenne (Corbeil et Lafrenière, 2010 : 72).

Faut-il, dès lors, se surprendre qu'hormis Paul Campeau et Paul Desmarais, l'Ontario français ait produit très peu d'hommes d'affaires prolifiques et que la question du pouvoir économique soit demeurée en marge des priorités du réseau associatif franco-ontarien ? Il s'agirait donc d'une collectivité dans laquelle les « riches » sont demeurés rares et où les professionnels ont joué un rôle central. Encore de nos jours, nombre de francophones diplômés choisissent les domaines de l'éducation, de la santé ou des services sociaux, ces défis étant toujours plus grands en francophonie canadienne qu'au sein de la population majoritaire. Si les Franco-Ontariens ont aujourd'hui des revenus légèrement plus élevés que les Anglo-Ontariens (9 %), en raison des politiques de bilinguisme des quarante dernières années qui ont valorisé cette aptitude au moment de l'embauche, les personnes de 15 à 44 ans qui ont appris simultanément le français et l'anglais pendant leur enfance gagnent aujourd'hui des revenus de 21 à 31 % inférieurs à la moyenne provinciale (Corbeil et Lafrenière,

2010). Comme quoi la valorisation de l'hybridité culturelle dans les familles contemporaines pourrait aussi avoir ses revers.

Pour une critique mesurée

Ces statistiques dérangent, d'autant plus que l'avenir des minorités n'est pas assuré par une autonomie politique (à l'extérieur du régime éducatif). Par conséquent, il incombe toujours à des chefs de file de mobiliser leur entourage autour de projets qui concernent les enjeux de leur époque. L'élite peut ainsi infléchir un certain destin et favoriser le rehaussement collectif par le développement institutionnel, là où les nombres le permettent, et l'obtention de services en français (Léger, 2014). Si personne n'occupe cet espace, nous le rappelle Jean-François Laniel, le relais peut être pris par des gens qui n'ont aucunement l'intention de se préoccuper du sort de la francophonie canadienne, et encore moins de la représenter (2011 : 3).

Il est certes répréhensible que certains membres de l'élite au sein de la francophonie canadienne proposent des projets qui touchent peu de gens, abusent de leurs privilèges et limitent leur travail à la gestion des enveloppes de subventions gouvernementales. Plusieurs organismes souffrent aussi des compétences limitées de leurs dirigeants, souvent un facteur non négligeable dans les maigres retombées de certains efforts. De nos jours, on appelle la francophonie canadienne à « sortir » d'elle-même pour s'épanouir, mais si cette sortie des domaines de l'éducation, de la culture et de la santé ne suit pas une logique qui permettrait d'élargir les espaces gérés par et pour les francophones ou, encore, d'offrir une « reconnaissance » de sa différence dans les espaces de la majorité, l'investissement dans plusieurs secteurs pourrait accélérer l'intégration des francophones à la majorité. Le déplacement des francophones vers les milieux urbains depuis le milieu du XXe siècle a déjà rendu le fait français moins quotidien pour eux, les obligeant à voguer entre les espaces de la majorité et ceux de la minorité, comme le constatent Anne Gilbert et Marie Lefebvre (2008).

La sphère d'activité la plus négligée semble demeurer, hormis les exemples du coopératisme financier et agricole (Daigle, 1990 ; Bureau, 1992), la sphère économique, que la francophonie canadienne confie toujours largement à la majorité. S'il y a eu de nombreuses attestations de réussite associée au phénomène « Québec inc. » depuis les années 1960 (Fraser, 1987), si bien que les Québécois sont sur le point de dépasser proportionnellement les anglophones dans le nombre d'admissions aux études commerciales au Canada, l'histoire est malheureusement bien différente en milieu francophone minoritaire. Les Canadiens français hors Québec auraient sans doute pu bénéficier d'une Caisse de dépôt et de placement, fondée en 1965 pour favoriser l'entrepreneuriat des francophones au Québec, mais les gouvernements provinciaux et fédéral ont surtout limité leurs efforts de développement des minorités aux sphères de l'éducation et des arts.

D'après Joseph Yvon Thériault, des investissements publics plus diversifiés renforceraient sans doute les chances de pérennité des « régions souches » du Canada français. Ce sont d'ailleurs ces milieux qui rencontrent le moins de défis sur le plan de la rétention culturelle, mais qui subissent de sérieux revers en ce qui a trait à la rétention démographique. Le sud-est du Manitoba, le Nord-Est et l'Est ontarien ainsi que le Madawaska, la Péninsule acadienne, le sud-est du Nouveau-Brunswick et la baie Sainte-Marie ont beau avoir des taux d'acculturation nuls ou inférieurs à 25 %, ces régions n'arrivent pas à retenir la moitié de leurs jeunes (Thériault, 2014). Le dynamisme de la jeunesse, celui d'une élite en herbe si on veut, se dilue ainsi dans les grands centres urbains à l'extérieur de la « ceinture bilingue » (Joy, 1972), là où les taux d'acculturation dépassent 60 %. Pour Thériault, il faudrait un « plan Marshall » pour que ces huit espaces d'enracinement de la francophonie canadienne se renouvellent. Ces régions auraient peu de mal à solidifier l'espace francophone si seulement elles parvenaient à garder plus de jeunes qu'elles n'en perdent.

Certes, le poids politique de la francophonie canadienne est relativement faible dans plusieurs régions, mais elle peut assurément faire plus que se contenter de suivre le cours des événements. Le gouvernement fédéral risquerait fort peu en favorisant le développement d'un tel plan, à moins qu'une élite ne choisisse de se pencher davantage sur les questions économiques et environnementales. Si on peut prendre avec un grain de sel les accusations de mauvaise foi à l'endroit de l'élite de la francophonie canadienne, on peut toutefois lui reprocher de manquer de créativité vis-à-vis du développement régional. Sans aller jusqu'à fermer les écoles françaises de Halifax ou de Calgary qui accueillent plusieurs nouveaux arrivants, l'élite pourrait toutefois consacrer autant d'énergie à l'avenir économique et démographique de Hearst (Ontario) ou de Shippagan (Nouveau-Brunswick) qu'à l'ouverture d'écoles françaises à Fort McMurray (Alberta), par exemple. Rien dans l'histoire n'indique que la francophonie canadienne moderne doive habiter exclusivement ou même majoritairement dans les endroits où elle ne représente qu'une infime minorité. Il serait dommage d'abandonner ces régions souches, souvent riches en ressources naturelles et en patrimoine, tout simplement parce que les élites de la francophonie canadienne n'auraient pas pris la peine de réfléchir à leur avenir.

Si son but demeure le rehaussement collectif grâce au développement de structures sociales, politiques et économiques autonomes, une élite de talent pourrait ainsi continuer à infléchir le destin collectif de la francophonie canadienne.

BIBLIOGRAPHIE

ABULOF, Uriel (2009). « "Small Peoples": The Existential Uncertainty of Ethnonational Communities », *International Studies Quarterly*, vol. 53, n° 1 (mars), p. 227-248, [En ligne], [http://onlinelibrary.wiley.com/doi/10.1111/j.1468-2478.2008.01530.x/epdf].

BAKER, Michael, et Gillian HAMILTON (2000). « Écarts salariaux entre francophones et anglophones à Montréal au 19e siècle », *L'Actualité économique : revue d'analyse économique*, vol. 76, n° 1 (mars), p. 75-111.

BIENVENUE, Louise, Ollivier HUBERT et Christine HUDON (2014). *Le collège classique pour garçons : études historiques sur une institution québécoise disparue*, Montréal, Éditions Fides.

BRUNET, Michel ([1957] 2009). *La présence anglaise et les Québécois*, Montréal, Les Intouchables.

BUREAU, Brigitte (1992). *Un passeport vers la liberté : les caisses populaires de l'Ontario de 1912 à 1992*, Ottawa et North Bay, Mouvement des Caisses populaires de l'Ontario.

CANTIN, Serge (1997). *Ce pays comme un enfant : essais sur le Québec, 1988-1996*, Montréal, Éditions de L'Hexagone.

CORBEIL, Jean-Pierre, et Sylvie LAFRENIÈRE (2010). « Portrait des minorités de langue officielle au Canada : les francophones de l'Ontario », Ottawa, Statistique Canada, [En ligne], [http://www.statcan.gc.ca/pub/89-642-x/89-642-x2010001-fra.pdf] (20 juillet 2015).

Courtois, Charles-Philippe (2013). « Lendemains de conquête », dans Sophie Imbeault, Denis Vaugeois et Laurent Veyssière (dir.), *1763 : le traité de Paris bouleverse l'Amérique*, Québec, Éditions du Septentrion, 2013, p. 258-277.

Daigle, Jean (1990). *Une force qui nous appartient : la Fédération des caisses populaires acadiennes, 1936-1986*, Moncton, Éditions d'Acadie.

Dumont, Fernand (1993). *Genèse de la société québécoise*, Montréal, Éditions du Boréal.

Fraser, Matthew (1987). *Quebec Inc.*, Montréal, Éditions de l'Homme.

Frenette, Yves (1998). *Brève histoire des Canadiens français*, Montréal, Éditions du Boréal.

Fyson, Donald (2011). « The Canadiens and the Conquest of Quebec: Interpretations, Realities, Ambiguities », dans Jarrett Rudy *et al.* (dir.), *Quebec Questions: Quebec Studies for the Twenty-First Century*, Toronto, Oxford University Press, p. 18-33.

Fyson, Donald (2013). « La réconciliation des élites britanniques et canadiennes (1759-1775) : reconnaissance mutuelle ou rhétorique intéressée? », dans Sophie Imbeault, Denis Vaugeois et Laurent Veyssière (dir.), *1763 : le traité de Paris bouleverse l'Amérique*, Québec, Éditions du Septentrion, p. 278-287.

Gervais, Gaétan (1983). « La stratégie de développement institutionnel de l'élite canadienne-française de Sudbury ou le triomphe de la continuité », *Revue du Nouvel-Ontario*, n° 5, p. 67-92.

Gilbert, Anne, et Marie Lefebvre (2008). « Un espace sous tension : nouvel enjeu de la vitalité communautaire de la francophonie canadienne », dans Joseph Yvon Thériault, Anne Gilbert et Linda Cardinal (dir.), *L'espace francophone en milieu minoritaire au Canada : nouveaux enjeux, nouvelles mobilisations*, Montréal, Éditions Fides, p. 27-72.

Groulx, Lionel ([1920] 1977). *Lendemains de conquête*, Montréal, Éditions Stanké.

Heller, Monica (2011). *Paths to Postnationalism: A Critical Ethnography of Language and Identity*, Oxford, Oxford University Press.

Joy, Richard (1972). *Languages in Conflict: the Canadian Experience*, Toronto, McClelland and Stewart Publishing.

Kundera, Milan (2005). *Le rideau : essai en sept parties*, Paris, Gallimard.

Laniel, Jean-François (2011). « Pour qui nos élites parlent-elles? D'un besoin fondamental des petites sociétés », *La Relève*, vol. 2, n° 2 (hiver), [En ligne], [http://journallareleve.com/wordpress/?page_id=1456] (20 juillet 2015).

Laniel, Jean-François (2013). « Petites sociétés, élite intellectuelle et "tradition vivante" : contribution à une sociologie des petites sociétés », dans Mihaï Dinu Gheorghiu et Paul Arnault (dir.), *Les sciences sociales et leurs publics : engagements et distanciations*, Iasi (Roumanie), Editura Universitatii Alexandru Ioan Cuza din Iasi, p. 423-446.

Léger, Rémi (2014). « De la reconnaissance à l'habilitation de la francophonie canadienne », *Francophonies d'Amérique*, n° 37 (printemps), p. 17-38.

Martel, Marcel (1997). *Le deuil d'un pays imaginé : rêves, luttes et déroute du Canada français : les rapports entre le Québec et la francophonie canadienne, 1867-1975*, Ottawa, Les Presses de l'Université d'Ottawa.

MEUNIER, E.-Martin, et Joseph Yvon THÉRIAULT (2008). « Que reste-t-il de l'intention vitale du Canada français? », dans Joseph Yvon Thériault, Anne Gilbert et Linda Cardinal (dir.), *L'espace francophone en milieu minoritaire au Canada : nouveaux enjeux, nouvelles mobilisations*, Montréal, Éditions Fides, p. 205-238.

OUELLET, Fernand (1966). *Histoire économique et sociale du Québec (1760-1850)*, Montréal, Éditions Fides.

OUELLET, Fernand (1993). « L'évolution de la présence francophone en Ontario : une perspective économique et sociale », dans Cornelius Jaenen (dir.), *Les Franco-Ontariens*, Ottawa, Les Presses de l'Université d'Ottawa, p. 127-199.

PERIN, Roberto (2008). *Ignace de Montréal, artisan d'une identité nationale*, Montréal, Éditions du Boréal.

ROY, Fernande (1988). *Progrès, harmonie, liberté : le libéralisme des milieux d'affaires francophones de Montréal au tournant du siècle*, Montréal, Éditions du Boréal.

THÉRIAULT, Joseph Yvon ([2002] 2005). *Critique de l'américanité : mémoire et démocratie au Québec*, Montréal, Québec Amérique.

THÉRIAULT, Joseph Yvon (2014). « Autonomie et/ou gouvernance en Acadie du 21e siècle », Grande conférence d'ouverture, Colloque *L'Acadie dans tous ses défis : débats autour de l'Acadie en devenir*, Edmundston, Université de Moncton, campus d'Edmundston, 11 août. Inédit.

VALLIÈRES, Marc, *et al.* (2008). *Histoire de Québec et de sa région*, 3 vol., Québec, Les Presses de l'Université Laval.

VAUGEOIS, Denis (2013). « De Français à Canadiens », dans Sophie Imbeault, Denis Vaugeois et Laurent Veyssière (dir.), *1763 : le traité de Paris bouleverse l'Amérique*, Québec, Éditions du Septentrion, p. 32-46.

La francophonie dans la région de la capitale nationale : réflexion sur le pouvoir exercé par la Commission de la capitale nationale

Sophie-Hélène Legris-Dumontier
Université d'Ottawa

Au moment de sa création, en 1959, la Commission de la capitale nationale (CCN) se donne pour objectif d'aménager la ville d'Ottawa de manière à lui donner le lustre d'une capitale digne de ce nom. Pour ce faire, elle entend notamment favoriser le regroupement des villes de Hull et d'Ottawa, cette union devant symboliser, plus largement, celle des deux peuples fondateurs du Canada. Ce projet, conçu dans un contexte de redéfinition des repères identitaires au Québec et à l'échelle du Canada, a suscité d'importants débats politiques et sociaux, à Hull comme à Ottawa. Au cours des années 1960 et 1970, la CCN en vient à exercer une influence croissante dans de nombreuses sphères d'activités de la région de la capitale nationale qui vont bien au-delà du strict aménagement urbain. Son autorité s'étendra alors jusqu'à la promotion du bilinguisme dans la région. Cet article portera un regard sur cette période particulièrement féconde dans l'histoire de la CCN, eu égard à la rénovation urbaine de la capitale, depuis l'île de Hull jusqu'aux banlieues en passant par le centre-ville d'Ottawa. Son action s'inscrit alors dans le plan plus vaste d'une nouvelle mise en valeur de la ville d'Ottawa en tant que capitale d'un pays moderne[1].

Nous tenterons, plus exactement, de montrer de quelle manière un organisme comme la CCN en est venu à faire de la région de la capitale nationale le vecteur promotionnel d'une nouvelle identité canadienne et à intervenir dans le champ des rapports linguistiques qui, au début, ne faisait pas explicitement partie de son mandat. En ces décennies où les remises en question et les interrogations sur la nation canadienne, sur ses

[1] Afin d'en savoir plus sur l'histoire de la CCN, veuillez consulter les rapports annuels de la CCN qui sont très détaillés ou, encore, les documents suivants : Gyton (1999) ; Commission de la capitale nationale (1974).

Francophonies d'Amérique, n° 37 (printemps 2014), p. 87-103

cultures fondatrices et leurs rôles respectifs dans la région de la capitale nationale et le Canada sont d'actualité, où se multiplient les commissions d'enquête visant à discuter des questions d'intégrité territoriale (commission Dorion), voire encore de bilinguisme et d'identité nationale (Commission royale d'enquête sur le bilinguisme et le biculturalisme), le pouvoir de la CCN sur la communauté francophone est appelé à s'accroître significativement et, partant, à agir sur ses représentations symboliques dans l'espace urbain[2]. Le statut particulier de cette instance lui confère le pouvoir d'imposer des changements pouvant avoir des répercussions, directes ou indirectes, sur le quotidien d'un grand nombre de citoyens des deux rives. Un tel pouvoir se traduit essentiellement par l'influence déterminante d'un petit groupe de commissaires non élus, membres de l'exécutif de la CCN et répartis en divers comités relevant du ministère des Travaux publics[3]. Ces commissaires, tributaires de la *Loi sur la capitale nationale* qui leur octroie droits et moyens, prennent des décisions qui vont marquer à long terme le paysage et la culture de la région de la capitale nationale.

La CCN et la région de la capitale nationale : une perspective historique

Un bref retour sur ce que sont la CCN et la région de la capitale nationale ainsi que sur la situation des francophones dans la région de la capitale fédérale s'impose avant d'aller plus loin. À l'instar des organismes d'aménagement ayant précédé sa création, soit la Commission d'embellissement d'Ottawa de 1899 à 1926 et la Commission du district fédéral de 1927 à 1958, la CCN a été fondée sous la bannière d'un organisme d'aménagement urbain. Son mandat initial, bien que de nature plutôt

[2] La Commission d'enquête sur l'intégrité du territoire du Québec (CEITQ), aussi nommée commission Dorion, est mise sur pied à partir de novembre 1966 et prend fin en 1972 avec le dépôt des rapports des commissaires. La Commission royale d'enquête sur le bilinguisme et le biculturalisme, ou commission Laurendeau-Dunton, est instaurée en 1963 et ses rapports seront déposés en 1967.

[3] La Commission comprend vingt membres nommés par le gouverneur en conseil dont le mandat s'étend sur quatre ans. On compte un membre par province, deux d'Ottawa, un de Hull, puis deux commissaires représentant, respectivement, une municipalité ontarienne et une municipalité québécoise de la région de la capitale nationale (Commission du district fédéral, 1958 : 11).

technique, n'en comportait pas moins une finalité culturelle et identitaire clairement énoncée :

> Au terme de la loi, la Commission a pour objet « de préparer des plans d'aménagement, de conservation et d'embellissement de la Région de la Capitale Nationale et d'y aider, afin que la nature et le caractère du siège du gouvernement du Canada puissent être en harmonie avec son importance nationale » (Commission de la capitale nationale, 1965).

En 1959, la région de la capitale nationale couvrait une superficie de 4 660 km carrés et comprenait un total de 66 municipalités. La *Loi sur la capitale nationale* a été déposée au cours de l'été 1958. À cette époque, le premier ministre John Diefenbaker avait proposé un projet de résolution dont le but était de préparer « une mesure législative concernant l'aménagement et l'embellissement de la Région de la Capitale Nationale » (Canada. Chambre des communes, 1958 : 2608). La motion adoptée avait pour objectifs de :

1. Pourvoir à l'établissement d'une Commission de la capitale nationale et abroger la loi sur la Commission du district fédéral ;
2. Pourvoir aux buts, objets et pouvoirs de la Commission ;
3. Prescrire telles dispositions financières qui peuvent être nécessaires à la réalisation des fins de la loi (Canada. Chambre des communes, 1958 : 2608).

Le 11 août 1958, Diefenbaker présentait ainsi les travaux d'un comité mixte des deux chambres réunies pour discuter des « résultats obtenus par la Commission dans l'exécution du plan de la Capitale nationale et pour étudier les projets d'avenir. Le rapport du comité mixte a eu pour résultat l'adoption d'une nouvelle loi destinée à faciliter le travail de la Commission en précisant et en étendant ses pouvoirs et ses attributions » (Commission du district fédéral, 1958 : 10). Consacrant 32 séances à l'audition des différents mémoires, le comité en est venu à formuler des vœux qui ont été acceptés à l'unanimité. À en juger par le dernier rapport annuel de cette commission, l'organisation, les pouvoirs et les méthodes de financement de la CCN ont alors été considérablement modifiés. Pour sa part, le premier ministre espérait que soit réalisée « dans la ville d'Ottawa ainsi que dans l'apport fourni au plan du district national par la ville de Hull et par les régions avoisinant Hull et Ottawa, une ville qui sera un monument élevé à l'unité nationale de notre pays, à la grandeur de notre passé et à nos immenses possibilités d'avenir » (Canada. Chambre des communes, 1958 : 3508). Ces espoirs semblaient alors partagés par l'opposition officielle qui, sans remettre en question le bien-fondé de la transformation de la Commission du district fédéral en CCN, n'en demandait pas moins quelques précisions quant à l'ampleur des projets à venir. C'est ainsi que le 6 février 1959 la *Loi sur la capitale nationale* était adoptée.

Forte de cette législation révisée, la CCN pouvait poursuivre, de manière plus efficace, son mandat de développer la capitale « en harmonie » avec sa fonction symbolique. On note quatre modifications importantes découlant de la nouvelle loi : vingt commissaires peuvent désormais siéger à la direction de l'organisme pour un maximum de quatre ans ; une représentation régionale et nationale doit être assurée à la table ; un comité exécutif doit être mis en place pour continuer le travail entre les réunions ; le territoire de la région de la capitale nationale est appelé à s'agrandir, passant de 2 330 à 4 660 km carrés, soit le double.

Même si la nouvelle législation prévoyait une représentation accrue des intérêts régionaux et nationaux dans l'aménagement et l'embellissement de la capitale canadienne, il n'en demeure pas moins que les maires d'Ottawa et de Hull n'étaient pas invités à y siéger. Qui plus est, les commissaires, pourvus d'un important mandat et d'une influence considérable sur la vie des citoyens de la région de la capitale nationale, n'étaient pas élus[4]. Il faut dire que les commissaires venaient à ce moment de domaines variés. Certains d'entre eux étaient issus du milieu de l'urbanisme, alors que d'autres étaient liés au monde politique, dont Aimé Guertin, par exemple[5]. Nul doute que ces commissaires avaient

[4] Cette exclusion des maires de la direction de la CCN s'explique notamment par la présence de conflits d'intérêts. Le comportement de la mairesse d'Ottawa, Charlotte Whitton (1951-1964), relativement à la réalisation de la ceinture de verdure est un exemple de conflit expliquant ce retrait. La mairesse déplorait l'attitude de deux poids, deux mesures adoptée par la Commission du district fédéral pour certains projets de même que la lenteur des progrès dans l'établissement de la ceinture verte, comparativement à la rapidité de mise en œuvre d'autres plans relatifs au parc de la Gatineau. Les résidants expropriés de la zone verte étaient, selon Whitton, victimes d'abus de pouvoir de la part de la Commission du district fédéral (Gyton, 1999 : 43).

[5] Aimé Guertin (1898-1970) est natif d'Aylmer. Il est député provincial conservateur dans le comté de Hull de 1927 à 1933, puis indépendant jusqu'à sa défaite avec le Parti de la reconstruction en 1935. Guertin est nommé vice-président exécutif de la CCN de 1959 à 1964. Il occupe plusieurs fonctions outre son rôle de député, dont celles de président de la Commission industrielle de Hull, président fondateur de

une bonne connaissance des enjeux de la région de la capitale nationale, mais cette connaissance n'était assurément pas aussi remarquable chez les commissaires venant d'autres provinces.

La disposition concernant l'expansion du territoire de la région de la capitale nationale reprenait une idée déjà avancée dans le rapport Gréber, paru en 1949 et qui prévoyait une meilleure intégration des localités rurales environnantes de la région de la capitale nationale, un objectif alors perçu comme une composante fondamentale de la réalité canadienne. Jacques Gréber, un urbaniste français reconnu, est un acteur incontournable dans l'évolution urbaine de la région de la capitale nationale[6]. Connu du premier ministre Mackenzie King pour ses réalisations en aménagement urbain à Philadelphie, il avait d'abord été invité dans la capitale pour prendre part à la concrétisation du projet de la place de la Confédération. Ce dernier avait fait si bonne impression que King lui offrit la direction de la planification urbaine fédérale, un poste qu'il refusa de peur d'empiéter sur l'autorité des dirigeants de la Commission du district fédéral. Gréber devint plutôt consultant en matière d'aménagements urbains auprès de la corporation et prit aussitôt position contre l'idée de faire d'Ottawa un district fédéral. Il fut suspendu de ses fonctions à l'automne 1939, alors que la montée des tensions en Europe obligeait le gouvernement à concentrer ses dépenses sur l'effort de guerre imminente.

Avant le départ prématuré de Gréber, le plan de création d'un parc national était devenu l'un des objectifs principaux de la Commission du district fédéral, qui commençait à acquérir de plus en plus de terrains dans les collines de la Gatineau. L'exploitation forestière à des fins

---

l'Union des chambres de commerce de l'ouest du Québec de 1940 à 1949, président de l'Association des petits propriétaires de la ville de Hull (Assemblée nationale du Québec, 2012).

6 Jacques Gréber (1882-1962), fils du sculpteur Henri Gréber, obtient son diplôme en architecture à l'École des beaux-arts en 1908. Il travaille avec les architectes de Philadelphie Horace Trumbauer et Paul P. Cret. Il est un des concepteurs de la Benjamin Franklin Parkway (1917) et des bâtiments qui l'entourent, dont le Rodin Museum (voir aussi le Logan Square et le Logan Circle Park, le Philadelphia Museum of Art; le Pennsylvania Museum et la School of Industrial Art, pour n'en nommer que quelques-uns). Il aurait d'abord été convié à Philadelphie par Joseph E. Widener en 1913 afin de travailler sur les jardins de style français du Widener's Lynnewood Hall. Il a beaucoup travaillé aux États-Unis, entre autres, à Detroit (Detroit Institute of Arts), au Delaware (Godfrey Residence; Hillsover; Geist Residence; Academy of Notre Dame de Namur) et à New York (Mackay Residence) (Tatman, [s. d.]).

domestiques et de subsistance pressait la Commission, qui souhaitait alors sauver le patrimoine naturel de la région, reconnue pour ses lieux de villégiature. En 1938, 2 428 hectares de terres sont ainsi obtenus par achat et expropriation, à proportion équivalente, donnant ainsi à ce parc une valeur hautement symbolique dans l'organisation de la région de la capitale nationale. Les idées de Jacques Gréber permettent alors de justifier l'élargissement des pouvoirs de la Commission du district fédéral et, subséquemment, de la CCN.

Cette expansion se traduit, notamment, par l'accroissement significatif du budget de la CCN au cours des années 1960, de 4 millions de dollars qu'il était en 1959 à plus de 30 millions de dollars en 1967 (Commission d'étude sur l'intégrité du territoire du Québec, 1972 : 247). Le pouvoir d'achat et d'expropriation de la CCN à la veille de ses interventions dans la rénovation des centres-villes de Hull et d'Ottawa est donc déterminant, comme le montre le tableau suivant :

Tableau 1

Dépenses de la CCN relatives à l'aménagement et à l'amélioration de la région de la capitale nationale, 1955-1956, 1960-1961, 1965-1966, 1970-1971, 1975-1976, 1979-1980

	1955-1956	1960-1961	1965-1966	1970-1971	1975-1976*	1979-1980*
Montant	4 612 787 $	12 066 245 $	29 347 989 $	11 998 734 $	29 698 380$	30 038 235 $

* Les données pour 1975-1976 et 1979-1980 portent une appellation différente. Il s'agit du total des dépenses pour les projets d'immobilisation, qui regroupent l'aménagement et l'amélioration.

Sources : Commission de la capitale nationale, Rapports annuels des années 1955-1956, 1960-1961, 1965-1966, 1970-1971, 1975-1976 et 1979-1980.

On s'interroge : les commissions d'enquête

En 1966, les propriétés de la CCN à Hull sont constituées en majeure partie de parcs et de promenades dont le caractère symbolique semble prévaloir sur l'utilisation à des fins récréatives[7]. À titre d'exemple, le circuit touristique du parc de la Gatineau est tracé de façon à ce que « des coupes judicieusement pratiquées attirent l'attention de l'automobiliste ». Ainsi, dans l'optique de mettre en valeur la symbolique nationale de la région, la CCN s'efforce « de prévoir des éclaircies à travers lesquelles la Tour de la Paix pourrait être aperçue » (Commission de la capitale nationale, 1960 : 24). Cette promotion implicite du nationalisme canadien par l'aménagement de l'espace urbain figure au cœur du mandat de la CCN dès ses débuts. L'ajout de la promotion du bilinguisme confirmera ce mandat quelques années plus tard, comme nous le verrons.

Pour certains intervenants de l'époque, l'effet de ces initiatives à l'échelle régionale paraît négligeable. C'est ce que relève la Commission d'étude sur l'intégrité du territoire du Québec (commission Dorion), qui parcourt le Québec en 1967. Créée d'abord en réponse aux pressions du Conseil économique régional de l'ouest du Québec (CEROQ), cette commission se montre plutôt réfractaire aux mesures d'aménagement du territoire dans la région de la capitale nationale et se voit forcée d'élargir son mandat à l'étude des « structures actuelles et éventuelles encadrant l'action gouvernementale, fédérale, provinciale et municipale, dans la région de Hull » (Commission d'étude sur l'intégrité du territoire du Québec, 1972, vol. 1, t. 1 : 5).

La contestation, la revendication et le nationalisme qui teintent la majorité des témoignages à la commission Dorion ont certainement incité la CCN à intensifier ses interventions dans l'île de Hull au cours des années qui ont suivi. Les mémoires déposés à la Commission constituent des témoignages d'une grande richesse sur ce que vivent la population et les organisations politiques et économiques au début de la rénovation urbaine. Au nombre des griefs retenus à l'endroit de la CCN, on relève la prédominance de l'image anglophone donnée à la région. À titre d'exemple, Eugène Lavoie, membre de la Société historique de

[7] Le parc de la Gatineau, le parc Fontaine, le parc du lac Leamy, le parc Jacques-Cartier et le parc Brébeuf sont quelques-uns des parcs relevant de la CCN (Commission de la capitale nationale, *Rapports annuels* de 1959 à 1966).

l'ouest du Québec, reproche à la CCN son laxisme dans la promotion du bilinguisme. Après avoir effectué un inventaire de plusieurs pancartes et affiches situées le long de deux parcours touristiques du côté du Québec et de l'Ontario, Lavoie note l'absence récurrente d'information en français. Plus particulièrement, sur 74 affiches (48 au Québec, 26 en Ontario) 1,35 % d'entre elles sont unilingues françaises, 36 % unilingues anglaises, 10 % bilingues à dominance française, 53 % bilingues à dominance anglaise. L'auteur note que la proportion d'affiches bilingues à dominance française est constituée, pour l'essentiel, de panneaux de limites de vitesse. Lavoie reproche enfin à la CCN de ne pas tenir compte de la réalité québécoise et canadienne en affichant 89 % de pancartes à dominance anglophone, alors que 51 % du territoire de la région de la capitale nationale est situé au Québec (Lavoie, 1967 : 411-437). D'autres citoyens ainsi que le conseil municipal de Hull déplorent, pour leur part, l'incapacité de la Gendarmerie royale du Canada (GRC), qui œuvre sur le territoire de la CCN au Québec, à servir les citoyens en français. En somme, il paraît clair que les interventions de la CCN dans l'environnement urbain qui relève de sa responsabilité sont accueillies avec beaucoup de réserve par la population francophone.

La Commission royale d'enquête sur le bilinguisme et le biculturalisme se penchera spécifiquement sur cet enjeu dans le livre V de son rapport : *La capitale fédérale.* Les auteurs y décrivent la situation de la région de la capitale nationale au tournant des années 1960 autant sur le plan linguistique que sur le plan socioéconomique. Dès les premières pages, ils affirment que la capitale doit devenir le symbole de l'ensemble du pays et, surtout, d'un pays bilingue :

> Par ses symboles, elle [la région de la capitale nationale] peut favoriser la fidélité des citoyens et leur identification à l'ensemble du pays. En cas de différences profondes sur les plans politique, social, économique, ethnique ou religieux, la capitale a un rôle d'autant plus important comme facteur d'unité (Commission royale d'enquête sur le bilinguisme et le biculturalisme, 1967 : 5).

Les commissaires dénoncent l'injustice de la situation dans laquelle se trouve, selon eux, la ville de Hull. En outre, ils évoquent le « sentiment d'être étrangers, particulièrement vif chez les francophones qui visitent la capitale ou viennent s'y établir ». Le rapport de la Commission estime nécessaire de répondre à cette insatisfaction, étant donné les effets qu'elle est susceptible d'avoir « sur les sentiments des francophones à l'égard du Canada » (Commission royale d'enquête sur le bilinguisme et le biculturalisme, 1967 : 36).

L'appendice III portant sur la création d'un district fédéral constitue l'une des sections les plus importantes du rapport de la Commission (Commission royale d'enquête sur le bilinguisme et le biculturalisme, 1967 : 107-119). Ce district aurait été soumis à trois paliers de gouvernement excluant le niveau provincial (municipal, fédéral, territorial). Selon les termes du rapport, il s'agissait là de la meilleure solution à apporter au problème non seulement de l'égalité linguistique dans la région, mais aussi de l'égalité des conditions socioéconomiques des deux villes.

1969 et après : la CCN et le bilinguisme

C'est en 1969 que le mandat de la CCN à propos de la ville de Hull s'élargit aux sphères linguistique et culturelle. À l'examen des rapports annuels de la CCN, on peut voir qu'à partir de 1970, les concepts de bilinguisme et de biculturalisme sont désormais inclus dans son mandat. Qui plus est, les années subséquentes révèlent une réorientation des objectifs de la CCN touchant directement l'inclusion symbolique de la ville de Hull dans une conception élargie de la capitale. À cet égard, on peut lire, dans la 9e décision de la conférence constitutionnelle de février 1969 :

> Que les villes d'Ottawa et de Hull et leurs environs constituent la région de la capitale canadienne ; [...] que, conformément aux objectifs antérieurement établis il y a lieu de faire en sorte que les deux langues officielles et les valeurs culturelles communes à tous les Canadiens soient reconnues par tous les gouvernements concernés dans ces deux villes et dans la région de la capitale en général, de façon à ce que tous les Canadiens puissent y trouver un sujet de fierté, d'appartenance et de participation [...][8].

Bien qu'elle n'ait pas été formellement entérinée, cette résolution orientera néanmoins les activités de la CCN par la suite. Cette dernière fera fréquemment référence à cet énoncé dans ses rapports annuels de même que dans ses plans d'aménagement. Les notes prises par le caucus libéral lors de la conférence constitutionnelle de février 1969 traitent abondamment du « danger de séparation[9] » au Québec, et de « la création d'un sens plus

---

[8] « Conférence constitutionnelle, Deuxième réunion, Ottawa, février 1969 », Bibliothèque et Archives Canada (BAC), Fonds du Secrétariat de la Conférence constitutionnelle, R11940, vol. 3, p. 6, alinéas a) et d).

[9] Marc Lalonde, Chef de cabinet du premier ministre, « Notes sur la conférence constitutionnelle, février 1969, Ottawa, 31 janvier 1969 », BAC, Fonds du Secrétariat de la Conférence constitutionnelle R11940, vol. 3, p. 1.

aigu de l'unité canadienne[10] ». Il y est question de « renverser les positions séparatistes » par une présence accrue du fédéralisme.

Dès cet instant, Hull sera donc considérée comme faisant *officieusement* partie de la capitale fédérale et fera l'objet d'une attention plus soutenue de la part de la CCN. Curieusement, le conseil municipal de Hull ne traite pas du sujet dans ses séances ni le ministère québécois des Affaires municipales dans ses rapports annuels. Pourtant, la décision officieuse prise lors de la conférence constitutionnelle du 4 février implique une transformation tangible : la reconnaissance du bilinguisme dans les deux villes. Autrement dit, l'anglais devra faire l'objet d'une promotion à Hull qui soit équivalente à celle du français à Ottawa. Tout en impliquant la CCN, la ville de Hull semble s'adapter au nouveau cadre et le conseil municipal adopte des résolutions en conséquence :

> CONSIDÉRANT que la grande majorité des employés municipaux de la cité de Hull sont bilingues et que le public peut être servi verbalement dans les deux langues officielles du pays sans difficulté; [...] CONSIDÉRANT qu'il existe une demande de plus en plus grande de la part du public d'expression anglaise pour l'obtention de documentation préparée en langue anglaise; [...] CONSIDÉRANT que le gouvernement fédéral par sa politique concernant les deux langues officielles, met à la disposition d'organismes publics, des fonds pour encourager le bilinguisme parlé et écrit, [...] ce conseil accepte de prévoir lors du prochain budget de dépenses, les fonds nécessaires comme participation financière de la cité à un programme pour la traduction de documents en autant que le gouvernement fédéral (via son agence autorisée - la Commission de la Capitale Nationale) y participe à 50 % également[11].

La CCN détient-elle l'autorité nécessaire pour faire de Hull une ville bilingue? Si sa légitimité politique est discutable, elle dispose à tout le moins de moyens financiers suffisants. On peut se demander pourquoi la CCN n'entend pas concentrer ses efforts à Ottawa, où la présence du français est moins visible que celle de l'anglais à Hull. Sans moyens légaux, la CCN, elle, peut arriver à ses buts par la construction d'édifices fédéraux dans l'île de Hull. Ces lieux de travail dits bilingues seront des endroits de

---

[10] *Ibid.*, p. 2.

[11] « Procès-verbaux du conseil municipal de la Ville de Hull, séance du 22 août 1972 », p. 62-63, Ville de Gatineau, Fonds de la Ville de Hull, Fonds du Conseil municipal de la Ville de Hull, H002, [En ligne], [http://www.gatineau.ca/servicesenligne/DocArchives/H001%20Ville%20de%20Hull%20(1875-2001)%20Conseil%20municipal/H001_1972_1973_1.pdf] (octobre 2014).

cohabitation des langues même si, à plus long terme, une conséquence de cette proximité de la majorité anglophone sera que l'anglais prévaudra généralement sur le français dans la fonction publique.

Le rapport annuel de la CCN pour l'année 1970-1971 explique les nouveaux buts et objectifs de son programme qui consiste à favoriser l'aménagement de la région de la capitale nationale afin qu'elle devienne le symbole des valeurs culturelles et linguistiques du Canada. Il s'agit alors de la présenter comme une région digne de la conduite des affaires de la nation et comme un modèle d'aménagement urbain dont profiteront d'autres localités du pays et dont les Canadiens pourront être fiers (Commission de la capitale nationale, 1971 : 1). Ce rapport annuel comprend une section sur l'acquisition de terrains à Hull « qui, une fois aménagés, devraient faire de la région un symbole et un modèle national » (Commission de la capitale nationale, 1971 : 6). La construction d'édifices fédéraux sur la rive hulloise est présentée comme étant « essentielle à la rénovation de Hull et au rapprochement de cette ville avec Ottawa. [...] Tous ces efforts permettent d'escompter pour bientôt une Capitale nationale à reflet bilingue et biculturel authentiquement canadien ». Concernant spécifiquement la promotion du bilinguisme, la CCN se voit ajouter un nouvel élément à son mandat par le premier ministre Trudeau, le 22 décembre 1971 : celui de « coordonner, au niveau fédéral, les initiatives de nature à favoriser le bilinguisme parmi le public et au sein des services officiels dans la Région de la Capitale Nationale » (Commission de la capitale nationale, 1972 : 37). Cette nouvelle mission traduit une volonté plus large de favoriser le rapprochement entre les cultures francophone et anglophone, québécoise ou ontarienne, de la région de la capitale nationale.

Toujours dans le même esprit, la CCN rédige un autre rapport intitulé *La capitale de demain... Une invitation au dialogue* (1974). Produit sous la direction de l'ancien président de la CCN, Douglas Fullerton, ce document se veut une invitation au dialogue entre les différentes autorités responsables de l'aménagement. Cinq thèmes principaux guident les recommandations : l'environnement régional, la répartition de la population, le transport et l'aménagement du territoire, la répartition de l'emploi et le milieu culturel. La symbolique nationale fait, quant à elle, figure de principe directeur :

> Créer et maintenir une capitale qui symbolise le Canada en tant que nation. La région de la Capitale doit refléter et respecter la dualité culturelle et linguistique du Canada, ainsi que son héritage multiculturel. Elle doit également s'identifier avec le centre politique du Canada et être perçue comme un microcosme du pays, auquel tous les Canadiens peuvent se référer et avoir accès (Commission de la capitale nationale, 1974 : 19).

À cette fin, le rapport Fullerton recommande que la CCN assure un investissement plus équitable des deux côtés de la rivière des Outaouais de manière à « passer de l'état actuel de dépendance de l'un sur l'autre à un état d'interdépendance » (Commission de la capitale nationale, 1974 : 20). Pour justifier ses efforts de réaménagement symbolique en vue de faire de la capitale nationale un microcosme du Canada ainsi qu'un lieu exemplaire de cohabitation entre francophones et anglophones, la CCN prend en considération trois tendances :

- une augmentation de la population francophone, malgré une assimilation vers le groupe anglophone ;
- une proportion croissante de la population possède une connaissance suffisante de l'autre langue officielle pour travailler dans cette langue ;
- une augmentation plus rapide de la population francophone du côté québécois que du côté ontarien conduit à une concentration croissante des francophones au Québec (Commission de la capitale nationale, 1974 : 78).

La CCN note que la prédominance des emplois en anglais à Hull peut « conditionner le caractère culturel de la Région à l'avenir ». Aussi reconnaît-elle que la grande disponibilité de terrains propices à l'habitation sur la rive québécoise pourrait attirer davantage d'anglophones. Pour la CCN, il faut agir de façon à éviter la dilution de la culture francophone dans la culture anglophone. Toutefois, selon l'avis de certains, dont l'auteur Jean Cimon, il est déjà alors trop tard.

Tableau 2

Nombre d'emplois fédéraux dans la région métropolitaine de recensement Ottawa-Hull

	1968	1976	1979
Québec	2 050	7 189	18 915
Ontario	63 200	95 517	85 588

Source : Commission de la capitale nationale, 1980b : 72.

Urbaniste et ancien président de la Commission d'aménagement de la Communauté urbaine de Québec, Jean Cimon publie, en 1979, un ouvrage sur la problématique urbaine, culturelle et linguistique de la région de la capitale nationale suite à la rénovation urbaine.[12] Il présente les conditions d'habitabilité des communautés francophones de la région de la capital nationale et désire aider à la compréhension de la réalité de l'Outaouais. Selon lui, la région dénoterait un ensemble d'ambiguïtés :

> Parler de l'Outaouais québécois comme d'une *région*, c'est une première ambiguïté ; parler de l'agglomération urbaine de Hull-Gatineau comme d'une *capitale régionale*, c'est une deuxième ambiguïté ; parler de Hull comme partie de la région de la *capitale nationale*, c'est une troisième ambiguïté ; parler du *bilinguisme* dans la capitale fédérale, c'est une quatrième ambiguïté. On pourrait poursuivre cette litanie *ad nauseam* (Cimon, 1979 : 15).

Les préoccupations de Cimon concernent aussi l'anglicisation progressive de la population de l'Outaouais. Les recensements de 1971 et 1976 lui donnent d'ailleurs raison sur ce point : si la proportion anglophone de la population de Hull augmente de 25,4 % durant cette période, le pourcentage de francophones n'augmente que de 16 %. En ce qui a trait aux Hullois dont la langue maternelle est le français, leur nombre chute de 1,5 % entre 1971 et 1976, soit de 82,4 % à 80,9 %. Pour Cimon, ce glissement serait une conséquence directe de l'intervention fédérale

[12] « Jean Cimon est urbaniste et ancien président de la Commission d'aménagement de la Communauté urbaine de Québec. [...] *Le Dossier Outaouais* a été écrit de 1976 à 1978 alors que Jean Cimon était attaché de recherche à l'Université du Québec à Hull » (Cimon, 1979).

sur l'île de Hull par l'intermédiaire de la CCN, cette dernière ayant entraîné une hausse de la population et un milieu d'emploi plus anglicisé. « [C]ette hypertrophie de la croissance de la population de la région hulloise s'est accomplie au détriment de son caractère français » (Cimon, 1979 : 79). C'est pourquoi, à ses yeux, seule une politique linguistique adéquate et bien construite peut « conjurer définitivement le spectre de l'assimilation qui planait sur la région depuis quelque temps » (Cimon, 1979 : 80). Or la CCN, qui voulait éviter la division de la population en secteurs uniquement anglophones ou francophones, désire maintenant conserver les majorités culturelles et linguistiques chacune de leur côté afin « d'assurer la vitalité des deux groupes » ainsi que leur qualité de vie. Il y a donc un changement de position devant le risque d'assimilation au groupe anglophone.

Puisque la CCN est responsable, avec le ministère des Travaux publics, de l'installation des ministères fédéraux à Hull et de fournir des services de loisir, de culture et de tourisme dans les deux langues, et ce, des deux côtés de la rivière, son rôle dans la promotion de la francophonie devient, il va sans dire, de plus en plus important. La fonction publique emploie un grand nombre de francophones, de sorte qu'il est important que ceux-ci puissent y travailler dans leur langue maternelle. C'est pourquoi les ministères installés à Hull devront être prioritairement francophones. Mais qu'en est-il des francophones de la partie ontarienne de la région de la capitale nationale ? La cohabitation souhaitée par la CCN devait rendre possible la vie dans les deux langues officielles, mais on note alors que la concentration des services et des emplois en français à Hull pourrait drainer du côté québécois la vie francophone, ce qui est loin de favoriser le développement d'un environnement culturel et professionnel stimulant pour les Franco-Ontariens qui résident du côté d'Ottawa.

Conclusion

En revenant sur les buts et les objectifs de la CCN, sur ses plans et ses projets, on constate que, pendant une vingtaine d'années, la Commission a tenté, avec l'appui du gouvernement fédéral, d'aménager une capitale idéale. Elle a eu suffisamment de pouvoir pour exercer une influence à long terme sur la vie dans la région de la capitale nationale.

La CCN prépare actuellement un rapport pour les cinquante prochaines années avec pour horizon les célébrations du bicentenaire de la

Confédération. La première ébauche de ce rapport, publiée en août 2011, porte sur les défis de la capitale et présente dans ces termes la fonction symbolique que devrait jouer la capitale au XXIe siècle :

> **L'expression symbolique de la capitale** – La capitale suscite la fierté non seulement comme lieu de qualité, mais aussi comme lieu représentatif des valeurs et des réalisations des Canadiens. La capitale célèbre des étapes importantes de l'histoire canadienne : la Confédération, le système parlementaire et la monarchie constitutionnelle, ainsi que la contribution du Canada dans le monde, en temps de guerre comme en temps de paix (Commission de la capitale nationale, 2011 : 83).

Pour peu que son mandat se soit élargi, la CCN demeure toujours dans le même créneau d'intervention qui l'a vu naître et évoluer au fil des dernières décennies. À cet égard, elle aime souligner que « la capitale projette une perception parfois fragmentée de la part des citoyens du pays » (Commission de la capitale nationale, 2011 : 20), rappelant ainsi que l'aménagement d'une capitale à l'image de tous les Canadiens est un défi constant.

BIBLIOGRAPHIE

Archives

Bibliothèque et Archives Canada (BAC)
Fonds du Secrétariat de la Conférence constitutionnelle, R11940

Ville de Gatineau
Fonds de la Ville de Hull
Fonds du Conseil municipal de la Ville de Hull, H002

Publications officielles

ASSEMBLÉE NATIONALE DU QUÉBEC (2012). « Aimé Guertin (1898-1970) », avril, biographies des députés, [En ligne], [http://www.assnat.qc.ca/fr/deputes/guertin-aime-3545/biographie.html] (août 2014).

CANADA. CHAMBRE DES COMMUNES (1958). *Débats de la Chambre des communes, 24e Législature, 1re Session*, vol. 3, 21 juillet, [En ligne], [http://parl.canadiana.ca/view/oop.debates_CDC2401_03/208?r=0&s=3] (27 décembre 2013).

Commission de la capitale nationale (1959). *Cinquante-neuvième rapport annuel*, Ottawa, CCN.

Commission de la capitale nationale (1960). *Soixantième rapport annuel (1er janvier 1959 au 31 mars 1960)*, Ottawa, CCN.

Commission de la capitale nationale (1961). *Soixante-unième rapport annuel (1er janvier 1960 au 31 mars 1961)*, Ottawa, CCN.

Commission de la capitale nationale (1962). *Soixante-deuxième rapport annuel (1er janvier 1961 au 31 mars 1962)*, Ottawa, CCN.

Commission de la capitale nationale (1963). *Soixante-troisième rapport annuel (1er janvier 1962 au 31 mars 1963)*, Ottawa, CCN.

Commission de la capitale nationale (1964). *Soixante-quatrième rapport annuel (1er janvier 1963 au 31 mars 1964)*, Ottawa, CCN.

Commission de la capitale nationale (1965). *Soixante-cinquième rapport annuel (pour l'année se finissant le 31 mars 1965)*, Ottawa, CCN.

Commission de la capitale nationale (1966). *Soixante-sixième rapport annuel (pour l'année se finissant le 31 mars 1966)*, Ottawa, CCN.

Commission de la capitale nationale (1970). *Soixante-dixième rapport annuel 1969-1970*, Ottawa, CCN.

Commission de la capitale nationale (1971). *Soixante et onzième rapport annuel 1970-1971*, Ottawa, CCN.

Commission de la capitale nationale (1972). *Rapport annuel 1971-1972*, Ottawa, CCN.

Commission de la capitale nationale (1973). *Rapport annuel 1971-1972*, Ottawa, CCN.

Commission de la capitale nationale (1974). *Tomorrow's capital... Invitation To Dialogue: regional planning concept proposed by the National Capital Commission = La capitale de demain... Une invitation au dialogue : concept d'aménagement régional proposé par la Commission de la capitale nationale*, Ottawa, CCN.

Commission de la capitale nationale (1976). *Rapport annuel 1975-1976*, Ottawa, CCN.

Commission de la capitale nationale (1977). *Rapport annuel 1976-1977*, Ottawa, CCN.

Commission de la capitale nationale (1980a). *Rapport annuel 1979-1980*, Ottawa, CCN.

Commission de la capitale nationale (1980b). *Hull 1969-1979 : rapport sur le nouveau centre-ville*, Hull, CCN.

Commission de la capitale nationale (2011). *Horizon 2067 : plan de la capitale du Canada : tracer l'avenir de la capitale du Canada au 21e siècle, une invitation au dialogue*, [En ligne], [http://www.capitaleducanada.gc.ca/sites/default/files/pubs/Horizon2067-Tracer.pdf] (juin 2013).

Commission d'étude sur l'intégrité du territoire du Québec (1972). *Rapport de la Commission d'étude sur l'intégrité du territoire du Québec : la Région de la Capitale Canadienne*, Rapport des commissaires, vol. 1, t. 1 et 2, Québec, la Commission.

Commission du district fédéral (1956). *Rapport annuel/La Commission du District Fédéral, de 1955-1956*, Ottawa, CCN, 31 décembre.

Commission du district fédéral (1958). *Rapport annuel/La Commission du district fédéral, de 1958-1959*, Ottawa, CCN, 31 décembre.

Commission royale d'enquête sur le bilinguisme et le biculturalisme (1967). *Rapport de la Commission royale d'enquête sur le bilinguisme et le biculturalisme,* livre V : *La capitale fédérale,* Ottawa, Imprimeur de la Reine, 1967.

Lavoie, Eugène (1967). « Mémoire présenté à la Commission d'étude sur l'intégrité du territoire par Monsieur Eugène Lavoie, 166, Sherbrooke, Hull, Qué., 1967 », dans Commission d'étude sur l'intégrité du territoire du Québec, *Rapport de la Commission d'étude sur l'intégrité du territoire du Québec : la Région de la Capitale Canadienne : les mémoires*, vol. 1, t. 3.2, Québec, la Commission, 1969-1972, p. 411-437.

Études

Cimon, Jean (1979). *Le dossier Outaouais : réflexion d'un urbaniste*, Québec, Éditions du Pélican.

Gyton, Greg (1999). *A place for Canadians: the Story of the National Capital Commission*, Ottawa, CCN.

Tatman, Sandra L. ([s. d.]). *Greber, Jacques (1882-1962)*, Biography from the *American Architects and Buildings database*, [En ligne], [http://www.philadelphiabuildings.org/pab/app/ar_display.cfm/22592] (8 décembre 2013).

Le septième art hors des frontières nationales : le pouvoir de la langue et de l'imaginaire culturel dans les films du cinéaste québécois Xavier Dolan

Valérie Mandia
Université d'Ottawa

« [L]e vent tourne, [...] le vent se lève » (Tremblay, 2012), a déclaré Xavier Dolan en recevant le prix tant envié du meilleur film canadien au 37e Festival international du film de Toronto pour son troisième long métrage, *Laurence Anyways*, livré au public en 2012. Soupir de soulagement pour le jeune cinéaste, réalisateur et acteur québécois montréalais, après que *J'ai tué ma mère*, son premier film, eut signé ses débuts remarqués sur la scène québécoise en 2009. Objet de curiosité, d'attention et de commentaires mitigés de la part du public et des médias nationaux, son entrée marquant la filmographie nationale n'a pas soufflé qu'un vent de fierté sur l'imaginaire hétérogène québécois. Car le vent est fantasque. Sujet à des fantaisies, des sautes d'humeur, il peut être brise ou bourrasque. La langue hybride des personnages de Dolan semble avoir joué un rôle important dans l'accueil divergent qu'il a reçu sur ses propres terres. Soufflant des vents fougueux, elle a réveillé les tensions entre différentes visions de la langue au Québec[1]. Force est de constater que les pratiques discursives fictives qu'il développe dans son cinéma ne font pas l'unanimité. En filigrane de la réception de ses créations, apparaissent

[1] L'un des exemples les plus frappants du chaos provoqué par l'alternance des codes dans les films de Dolan se trouve dans une entrevue accordée par Christian Rioux, journaliste, essayiste, chroniqueur politique et correspondant européen du quotidien *Le Devoir*, à *France Culture* et qui portait, entre autres, sur la loi 101. Le nom de Xavier Dolan prononcé par l'animatrice a bousculé l'assurance du journaliste au sujet du combat du Québec contre « l'envahissement anglo-saxon », pour reprendre ses mots : « Tout allait comme sur des roulettes, jusqu'à ce que l'animatrice dégaine la question qui tue. "Alors, si le français se porte si bien chez vous, expliquez-nous pourquoi tant de jeunes Québécois chantent en anglais et pourquoi, dans le dernier film de Xavier Dolan, il n'y a pas une phrase sans un mot anglais ?" » (Rioux, 2010)

Francophonies d'Amérique, n° 37 (printemps 2014), p. 105-132

donc les effets de pouvoir et de rejet de la langue qui, au Québec, est porteuse d'inévitables questionnements identitaires[2].

De là découle une question alarmiste qui revient inlassablement à propos des films de Dolan : « Pourquoi tant de mots anglais? », se demande-t-on dans les tribunes libres des journaux de même que dans les critiques à la radio et à la télévision. Ces dernières ne manquent d'ailleurs pas une occasion de relayer les opinions négatives à l'égard de la qualité de la langue dans ses films et, par le fait même, les discours pessimistes sur la langue utilisée par la nouvelle génération. Chantale Bouchard remarque que ce sont souvent des gens d'âge mûr marqués par la crise identitaire et l'insécurité linguistique des années 1950 et 1960 qui s'expriment dans ces tribunes médiatiques, les quadragénaires formant un groupe intermédiaire dans ce « clivage » caractérisant le rapport des Québécois avec le français (2002 : 9). La linguiste insiste aussi sur le fait que, depuis une quarantaine d'années, malgré les « interférences » du bilinguisme, « la langue courante se "désanglicise" » (2002 : 13) et que de « réels progrès dans la maîtrise du code normatif se sont réalisés dans les jeunes générations » (2002 : 9) québécoises.

Nous avançons sur un terrain qui, à notre connaissance, n'a pas encore été abordé. La langue chez Dolan n'a pas fait l'objet d'une étude approfondie, mais on parle volontiers de la « poésie de sa langue » et on le coiffe, au Québec, des épithètes de Mozart ou de Rimbaud du cinéma – deux références françaises. On peut s'étonner que les nombreux emprunts que le cinéaste fait au français hexagonal ne bousculent pas ceux qui s'en font les détracteurs. Peut-être faut-il rappeler, même s'il s'agit d'un truisme, que ces emprunts au français hexagonal n'en demeurent pas moins des emprunts au français. Quoi qu'il en soit, on peut d'ores et déjà observer que l'élasticité de la langue que Dolan donne à entendre dans ses

[2] Le constat est d'autant plus d'actualité si l'on considère la réception du plus récent film du cinéaste. Le commentaire que Paul Warren a signé récemment dans *Le Devoir* suscite au Québec diverses réactions à l'égard de l'utilisation abusive des sacres québécois dans *Mommy* (2014). Quelques jours plus tard dans le même quotidien, François Bilodeau renchérissait sur son propos en avançant qu'« aux personnes qui [...] appartiennent à des générations plus vieilles, ce film laisse certainement un goût amer : que Xavier Dolan l'ait voulu ou non, il nous amène à constater que, quelque 50 ans après le fabuleux chantier de la Révolution tranquille et de la réforme de l'éducation, le français (et bien d'autres choses encore) nous fait toujours défaut » (Bilodeau, 2014).

films rencontre une limite au Québec. Cette flexibilité linguistique gagne toutefois en puissance à l'extérieur des frontières nationales, rejoignant le public de la grande francophonie, voire le public anglophone de l'Amérique du Nord.

Comme l'affirme Pauline Curien, « [l]es pratiques discursives qui tissent, modulent, réorientent ou martèlent les imaginaires sont le fait d'individus détenant un certain pouvoir dans la société » et parmi ces individus, « outre le personnel strictement politique », elle classe les intellectuels et les artistes (2003 : chapitre 1). En l'occurrence, le 7e art, celui du cinéaste, serait, aux côtés de la littérature, un des « vecteurs nourrissant l'imaginaire de ses représentations » (Bouchard, 2003 : 11) et transmettant ainsi de nombreuses idées et idéologies. Divertissement populaire des plus courus, le cinéma est, depuis sa naissance à la fin du XIXe siècle, « un instrument très intéressant pour toutes sortes de pouvoirs qu'ils soient politiques ou non » (Chrétien, Duffour et Le Fur [s. d.]).

À la lumière de ce qui précède, nous pouvons donc nous interroger sur le pouvoir et les limites des films de ce cinéaste francophone. Nous concentrerons l'essentiel de notre propos sur la dimension linguistique de ses créations, notre postulat de départ voyant dans la langue hybride de ses personnages le principal vecteur de pouvoir lui permettant de s'illustrer sur la scène internationale. Pour ce faire, nous procéderons à une réflexion critique sur la mise en forme et les usages du français dans trois de ses longs métrages, soit : *J'ai tué ma mère* (2009), *Les amours imaginaires* (2010) et *Laurence Anyways* (2012). Nous espérons ainsi montrer la polyvalence remarquable de ses personnages dont la langue, frappée du sceau de la mobilité, leur permet de manier plusieurs registres et de se déplacer entre différents accents et diverses langues selon leur situation et leur interlocuteur.

D'entrée de jeu, il sera important d'appréhender les conditions historiques et artistiques dans lesquelles se situe notre objet d'étude, pour ensuite juger de la réception de son acte esthétique à l'échelle locale, nationale et internationale. Puis, la grille d'analyse[3] proposée par Christian Poirier

[3] Cette grille suit une méthodologie divisée en deux axes d'analyse : identitaire et politique. Le premier aspect suggère un « repérage des représentations de l'identité québécoise, en relation avec les références temporelles » en suivant cinq éléments : les parcours identitaires globaux des personnages et des collectivités, les références

dans ses recherches sur le cinéma québécois nous servira de fil rouge dans notre étude sociolinguistique. Suivant ses conseils, nous considérerons le « cinéma comme un discours, un texte qui, comme tout autre, serait susceptible d'être analysé par un chercheur » (Poirier, 2004 : 2). D'ailleurs, le cinéma de Dolan se construit comme un livre. Partant de ces prémisses, notre premier volet d'analyse concernera le discours du cinéaste, alors que le second volet se concentrera davantage sur le contenu des œuvres cinématographiques susmentionnées. C'est à ce deuxième volet que nous grefferons notre analyse linguistique. Les résultats de ce second axe d'analyse seront présentés sous forme de tableaux synthèses que le lecteur pourra consulter en annexe[4]. Ces tableaux ne pourront faire l'objet d'un commentaire exhaustif, mais ils se révèlent un outil d'analyse probant pour quiconque souhaite poursuivre cette réflexion[5] sociolinguistique à la lumière du lexique, de la prononciation et de la morphosyntaxe. La consultation de ces tableaux permet aussi de visualiser les trajectoires identitaires des personnages et les dimensions spatiotemporelles dans lesquelles s'effectue leur transformation identitaire; les représentations de l'autre et les transferts culturels qui s'opèrent dans les trois films étudiés.

---

temporelles et spatiales ainsi que la connotation positive ou négative associée aux lieux représentés et, finalement, la rencontre des identités culturelles et linguistiques avec celle des personnages québécois d'héritage canadien-français (Poirier, 2004 : p. 8-9). Le deuxième aspect propose de se pencher sur la « position des cinéastes comme interprètes de leurs propres discours, à savoir : leurs prises de position politiques par rapport aux événements et à la conjoncture; le statut social du cinéaste, sa perception de la réalité historique, le discours qu'il tient sur la production cinématographique, sa fonction en société; le cinéaste face à son travail de représentation du réel; les traditions cinématographiques du passé qui sont perpétuées, remodelées, contestées (par exemple, le cinéma direct); la manière dont les contemporains réinterprètent les cinéastes du passé ou les films, etc. » (Poirier, 2004 : p. 9-10).

[4] L'ensemble de ces tableaux est disponible sur le site personnel de l'auteure, à l'adresse suivante : www.valeriemandia.com.

[5] Nous avons relevé des extraits significatifs de chaque film et nous avons opté pour une retranscription à l'identique, ne modifiant ni l'orthographe, ni la syntaxe, ni les expressions ou mots typiquement québécois, ni la prononciation, qui était parfois éclipsée par les sous-titres français.

Mise en contexte historique et artistique : ce qui fait peur aux individus et aux institutions

Notre réalité contemporaine est marquée par l'innovation rapide des nouveaux médias qui mobilisent simultanément plusieurs langages et donnent naissance à une hétérogénéité culturelle qui, sans être nouvelle, donne lieu à de nouveaux discours. Comme le mentionne Patrick Imbert : « De nos jours, tout se déplace, tout se recontextualise et la légitimité nationale se définit de plus en plus [...] par la capacité à pénétrer les réseaux mondiaux des savoirs, de l'innovation [...] » (2012 : 10). En effet, notre monde contemporain demeure en profonde transformation. Tiraillé entre les traditions et une mondialisation massifiée, il est le terrain de tensions causées par la modernité. Précisons que, contrairement à ce que prônaient les quatre mouvements à leur base, soit l'émancipation, l'expansion, la rénovation et la démocratisation (Canclini, [1989] 2010 : 55), les projets de modernisation ont provoqué un mouvement à contre-courant accompagné d'une peur du chaos qui a poussé l'homme à s'imposer des frontières et à revendiquer le local, ce qui a « engendré de nouveaux fondamentalismes » ([1989] 2010 : 363). Ce paradoxe de la modernité a renforcé les frontières canoniques dans une conception bipolaire de la réalité opposant privé / public, étranger / national, culture de masse / culture d'élite, intérieur / extérieur, même / autre, ancien / nouveau, hégémonie / subalterne, homme / femme, etc. Encore à ce jour, ces paradigmes régissent notre façon de concevoir le réel et la création d'une œuvre hors frontière reste idéalisée. En effet, il serait naïf de croire qu'une création transnationale puisse se réaliser sans heurt. Or les tensions que de telles œuvres engendrent peuvent nous aider à comprendre les conflits d'altérité générés par les fusions (Canclini, [1989] 2010 : 18). Une œuvre transnationale pourrait se définir comme une création au carrefour de plusieurs cultures échappant aux divisions nationales dans l'usage d'une langue qui « n'a plus rien de national » (Cappella, 2014 : 2). Il pourrait s'agir d'une œuvre tributaire d'un « échange » créatif qui se reconnaîtrait dans les notions « d'intertextualité, de filiation littéraire, voire de légitimation par l'extérieur » (Espagne et Werner, 1994 : 17). Une œuvre transnationale se conçoit finalement comme une œuvre « transcend[ant] toute problématique liée à la question de [*sic*] nationalisme littéraire[6] » (Thomas, 2004 : 81). En d'autres mots, c'est une œuvre hybride qu'on pourrait se représenter comme un « "tiers-espace" », c'est-à-dire un lieu intermédiaire « rend[ant] possible l'émergence d'autres positions » (Bhabha, 2006 : 99).

C'est dans cet espace poreux que progresse l'univers filmique et linguistique de Dolan, et *Laurence Anyways* atteint sans doute le plus haut degré du tiers-espace dans la mesure où son personnage principal, Laurence Alia, personnifie l'hybridité par une *trans*sexualité qui, selon toute vraisemblance, dérange la société. Dans ce dernier long métrage, l'île au Noir – peut-être un clin d'œil à l'île aux Noix sur la rivière Richelieu, proche du lac Champlain, qui a fini entre les mains des forces américaines – incarne géographiquement le tiers-espace. L'île au Noir est un *milieu* idéal entouré d'eau, symbole d'altérité, où se rendent Laurence, devenu femme, et Fred (Frédérique), sa petite amie, pour fuir les conventions sociales et les préjugés. L'île au Noir représente un espace sans conflit, éloigné de la *doxa*, où les gens parlent anglais et français au sein d'un même couple, où ils aiment avec le cœur sans se fier aux apparences, où les différences identitaires sont acceptées, où la loi n'a pas de prise. C'est « un exemple de bonheur », les gens y sont ensemble, « *no matter what* », pour reprendre les mots de Laurence. Soulignons toutefois que Fred entre en conflit avec ce tiers-espace qui, pour elle, n'est pas synonyme de liberté, mais plutôt d'étouffement, c'est un « *shak* à marde » duquel elle veut se sortir au plus vite : « Heille, *come on!* Reviens-en, là ! », lance-t-elle en colère à Laurence.

Selon Édouard Glissant, « on ne peut plus écrire de manière monolingue » (1996 : 116) aujourd'hui. Ainsi, le langage dans les films de Dolan, bien que le français y occupe une place dominante, relève à la fois des sphères locale, nationale et mondiale, c'est pourquoi le parler de ses personnages dérange par son caractère hétérogène. Il ne saurait en être autrement, car la *chaophonie* qui découle du métissage d'accents

---

[6] Au Québec, le cinéma, et, parallèlement, la littérature des années 1960, 1970 et 1980 ont constitué un instrument d'affirmation collective pour développer un sentiment d'appartenance à une francophonie ni française ni canadienne, mais québécoise. Certains réalisateurs québécois comme Claude Jutra, Michel Brault, Gilles Groulx, Claude Fournier, Jacques Leduc, Pierre Perrault, Denys Arcand et Pierre Falardeau ont porté à la scène la différence spécifique du français québécois à travers des récits identitaires.

et de langues joue parfois de l'incohérence et la structure polyphonique devient complexe. Ses films déplacent les limites de la langue française en exploitant ses ambiguïtés (ses racines communes avec l'anglais, par exemple), ses lieux communs, ses mots usités, et l'irruption de l'anglais devient dans ses scénarios une ressource stylistique très originale. Il n'y a pas que les paradigmes mentionnés plus haut qui conditionnent notre pensée. La syntaxe et la morphologie d'une langue font aussi partie de ces processus institutionnels qui « proposent à l'être humain, dès son plus jeune âge, des modes d'organisation des concepts, qui produisent du sens, modes en dehors desquels la communication est impossible ou à tout le moins fort chaotique et imprévisible » (Bouchard, 2002 : 34).

Dolan fait du chaos son matériau de travail, prenant des risques le conduisant à de nouvelles façons de conceptualiser la réalité dans une cartographie translinguistique et transnationale. Ses œuvres concernent l'authentique et la rencontre avec le changement et, encore plus, avec ce qui fait peur aux institutions et aux individus. Il n'est pas inutile de rappeler ici que ses deux premiers films n'ont pas été subventionnés. Quant à *Laurence Anyways*, il dira que ce film « n'est pas facile. Autant il a pu faire peur au public dans son format, sa durée [2 h 40 min], son thème, autant [...] [il a] fait peur à [son équipe] aussi à l'heure de le produire » (Tremblay, 2012). Ses œuvres portent l'empreinte de l'hybridité identitaire et se libèrent ainsi des vieux raisonnements, des contraintes et des aliénations multiples. En somme, Dolan cherche à exposer les contradictions pour rendre compte des défis du vivre-ensemble. Ce qui nous amène à constater que, contrairement au cinéaste québécois Denys Arcand qui, malgré une certaine hybridité linguistique, reste très ancré dans le débat québécois, Xavier Dolan ne traite pas de la question nationale ou, à tout le moins, ses films illustrent, dans une certaine mesure, la rupture intergénérationnelle du projet souverainiste[7].

Ainsi, son public demeure flou : il semble s'adresser à la fois aux Québécois, aux minorités, à la grande francophonie et aux anglophones. Le créneau langue / nation / culture du cinéma québécois semble s'altérer chez Dolan. Toutefois, il serait faux de prétendre que Dolan évacue complètement le collectif. Il explore inlassablement un jumelage étroit

[7] Il n'est pas inintéressant de rappeler que, lors de l'un de ses passages à l'émission *Tout le monde en parle* au printemps 2012, l'artiste avait sous-entendu qu'il était nationaliste, voire souverainiste. Selon toute vraisemblance, la question nationale n'est plus un ascendant moral sur les règles de conduite de la génération Y.

de l'individuel et du collectif et, pour cette raison, son cinéma est aussi politique, nous irons même jusqu'à dire qu'il repense l'intersection entre l'esthétique et le politique. Il dépasse la simple question de la marginalité et de l'homosexualité à laquelle ses films sont souvent réduits. Ainsi, *Laurence Anyways* ne parle pas que de transsexualité, mais aussi d'une société rejetant ce qui est atypique, Laurence Alia, *alia* étant dérivé du latin et signifiant « autrement ».

Dans cette perspective, ajoutons qu'entre 2005 et 2011, un nouveau mouvement du cinéma québécois trouverait son point de départ et connaîtrait son effervescence (Sirois-Trahan, 2011 : 1). Jean-Pierre Sirois-Trahan (professeur au Département des littératures de l'Université Laval) a proposé de nommer ce renouveau « nouvelle vague » alors que d'autres iront même jusqu'à le nommer « vague postréférendum » (Faradji, 2009). Bien que les cinéastes de cette « mouvée » puissent jouir d'une reconnaissance extérieure en participant à plusieurs festivals internationaux, les compétitions officielles sont loin d'apporter une solution aux défis d'exportation du cinéma québécois (Villeneuve, Mondoux et Ménard, 2008 : 40). Les générations de cinéastes précédentes n'étaient pas à proprement parler immobiles, mais la situation linguistique minoritaire du Québec pousse les Québécois à prendre des décisions lorsqu'ils entrent en contact avec des étrangers :

> Aujourd'hui encore, la langue est au Québec une source de préoccupation. Les Québécois, qu'ils tournent des films, écrivent des livres, montent des pièces de théâtre, qu'ils produisent des publicités, composent des chansons, ou qu'ils conçoivent des programmes pour l'inforoute, sont toujours confrontés à des choix (Bouchard, 2002 : 17).

Ce sont donc ces choix linguistiques plus que la mobilité qui semblent s'être transformés chez un cinéaste tel que Dolan. Davantage que les frontières, ce sont surtout ses œuvres qui deviennent des points de contact, de passage, permettant les échanges, les influences interculturelles, les rencontres des imaginaires et les mises en réseau de langues, ce qui lui donne le moyen de créer de nouveaux paradigmes.

Analyse

Le cinéma de Dolan : la réception

Les deux premières œuvres de Dolan ont été vendues dans une trentaine de pays et ses réalisations se sont distinguées sur la scène internationale dans la catégorie du meilleur film étranger ou, encore, dans la catégorie du film s'étant le plus illustré hors Québec. Qui plus est, Dolan a obtenu trois prix au Festival de Cannes et a ainsi représenté le Canada dans la course aux nominations des Oscars en 2009 dans la catégorie du meilleur film en langue étrangère pour *J'ai tué ma mère*. De fil en aiguille, la réception critique des films de Dolan se fait plus dure au Québec. Dans le cas de*s Amours imaginaires* et de *Laurence Anyways*, les médias et le public l'accusent parfois de trahir sa langue maternelle. Le cinéaste émergent est conscient de ce recul sur la scène nationale. Il aurait souhaité que les cinéphiles québécois se déplacent en plus grand nombre lors de la première montréalaise de *Laurence Anyways* : « Avant son départ pour Cannes, [il] avait insisté sur le fait qu'il accordait beaucoup d'importance à la réception dont jouirait son œuvre en sol québécois » (Cartier, 2012). En revanche, au Canada anglais, le jury du Festival du film de Toronto lui a décerné le prix du meilleur film canadien. D'ailleurs, le jeune créateur estimait que « [l]e fait que Toronto [...] appuie [son] équipe de la sorte en di[sai]t long sur la réception du film dans l'Amérique du Nord anglophone [...] » (Tremblay, 2012). Contrairement à la première québécoise, 2 500 spectateurs se seraient déplacés pour y voir le film et deux distributeurs américains d'envergure se seraient montrés intéressés à en acquérir les droits (Tremblay, 2012). De l'autre côté de l'océan, *Laurence Anyways* a su séduire à nouveau Cannes, festival de cinéma le plus médiatisé au monde. Présenté dans le volet non compétitif « Un certain regard », ce dernier film lui aurait permis de rayonner au niveau international. Dolan, déçu de ne pas être en compétition officielle, se réjouira de voir les pays européens désireux d'acquérir son film (La Presse canadienne, 2012a). Du côté de l'Amérique, Radio-Canada annonçait pour 2012 la présentation de ce long métrage aux États-Unis, à Hollywood, dans le cadre du festival de l'American Film Institute (AFI Fest). Au dire de la productrice, des négociations se tenaient avec un distributeur américain alors que des ententes étaient conclues en Amérique, en Europe et en Asie (au Japon, en Allemagne et en Amérique latine) (La Presse canadienne, 2012b).

Difficile, donc, de savoir si le cinéma de Dolan s'insère davantage dans un marché américain qu'européen, mais nous pouvons supposer que, petit à petit, il gagne le marché américain, « [u]n des marchés les plus difficiles à percer » (Villeneuve, Mondoux, Ménard, 2008 : 38). Une chose est certaine, c'est que l'ambition américaine habite le cinéaste et, selon Marc Chevrier, cette ambition est plus visible chez les jeunes : « [L]a jeunesse avide de succès [...] prend pour modèles des parvenus décomplexés, qui vont du français vers l'anglais souvent dans la même phrase, dont la fortune et la célébrité se sont édifiées dans le monde anglo-américain » (2010). À la suite de Chevrier, nous pouvons nous demander si Dolan a intégré l'alternance des codes pour s'assurer le succès dans le monde anglo-américain. L'artiste confie d'ailleurs à *Paris Match* que « réaliser un gros film hollywoodien reste un rêve » et que « [l]e cinéma de [s]on enfance, c'est le cinéma américain commercial » (Fitoussi, 2012). Ces films de culture populaire qui lui viennent de son enfance, qu'il s'agisse de *Titanic* (James Cameron, 1997), de *Jumangi* (Joe Johnston, 1995), de *Magnolia* (Paul Thomas Anderson, 1999) ou de *Batman* (Tim Burton, 1989), influencent forcément ses propres productions (Blondeau, 2014). Mais ses choix d'acteurs, de part et d'autre de l'océan dans des films traversés par l'anglais et le français, en disent long sur sa vision : sans être fermée et dirigée vers le seul point de fuite américain, elle est aussi tournée vers des voies / voix multiples, *any-ways*. Dolan semble ainsi vouloir rendre ses films très accessibles. Plusieurs auteurs et chercheurs affirment que le cinéma québécois s'exporte difficilement non seulement en raison de la langue, mais aussi en raison de l'accent qui en limiterait l'accessibilité : « [O]n ne peut penser qu'il sera plus facile d'exporter nos films en France parce que l'on parle la même langue » (Villeneuve, Mondoux, Ménard, 2008 : 33). Cette question de l'accent québécois demeure un défi de taille que Dolan tente de relever pour favoriser la réception de ses films en France. Alors que « le Québec oriente ses politiques d'exportation surtout en France pour les films francophones et vers les États-Unis pour les films anglophones » (Villeneuve, Mondoux, Ménard, 2008 : 34), le jeune cinéaste québécois se frotte simultanément à tous ces défis d'ordre linguistique. Dans ses films, il mélange les accents locaux, naviguant entre les accents bourgeois bon chic bon genre et populaire montréalais (Marie, dans *Les amours imaginaires,* par exemple), l'accent parisien (Laurence, dans *Laurence Anyways*), l'accent de l'anglophone parlant français (la journaliste interviewant Laurence, dans le récit-cadre de *Laurence Anyways*). D'un côté, c'est sans doute ce malaise lié à la langue rendant difficile la présence des films québécois sur les marchés étrangers que tente de surmonter Dolan par ses *choix* linguistiques. Mais d'un autre côté, le métissage de langues et d'accents lui permet aussi de construire ses œuvres et ses intrigues sur une dynamique des rencontres et de se distancier de ses prédécesseurs.

Le discours du cinéaste, son statut social et sa perception de la réalité historique

Xavier Dolan est perçu comme une figure de proue non seulement de la nouvelle génération de cinéastes, mais aussi de la génération Y, celle des 20-25 ans ayant participé au Printemps érable québécois et que le journaliste et critique québécois Luc Boulanger a surnommé la « Génération Dolan » (2012). Dans une entrevue accordée à l'animatrice Marie-France Bazzo, sur le plateau de *Bazzo.tv* diffusé sur les ondes de Télé-Québec en octobre 2012, Dolan avoue se méfier des généralisations emprisonnant la diversité dans une perspective univoque, et se méfie de celle de la « Génération Dolan ». Il affirme ne pas parler au nom de toute une génération de jeunes qu'il décrit comme étant :

> une minorité importante, suffisante pour apporter des changements importants et qui est très consciente des enjeux actuels, qui veut se détourner un peu des vieux tics entre francophones et anglophones au Québec, qui est très *green*, très écologique, qui n'a pas peur de s'ouvrir au monde, et qui comprend que la protection de l'identité québécoise, ça commence par l'ouverture aux autres identités (Télé-Québec, 2012).

Son discours d'ouverture à l'autre colle tout à fait à celui véhiculé dans ses films.

Dans une autre entrevue accordée à *La Presse*, Dolan décrit sa génération de façon analogue : « Notre génération [...] pense et agit avec une ferveur nouvelle, inspirée par l'ambition américaine et mondiale qui nous éclabousse par l'internet. Les médias sociaux lui adjugent un pouvoir unique, diffusent sa parole, captent ses gestes, répandent son rêve » (Boulanger, 2012). Notons ici ses points de référence : le monde et l'Amérique. Nous constatons donc son héritage américain et sa volonté de pénétrer les réseaux mondiaux[8].

Lors de son entrevue avec Marie-France Bazzo, celle-ci lui demande de quoi le Québec a besoin. Avec hésitation, conscient de marcher sur des œufs en évoquant des questions d'ordre identitaire et linguistique, il répondra par trois éléments : le Québec a besoin de « sortir du Québec », et il précise qu'il ne parle pas ici de *voyager*; le Québec a besoin « d'arrêter d'avoir peur » et, finalement, le Québec a besoin « d'accepter la richesse

[8] Joseph Yvon Thériault associe ce mimétisme américain au « désir d'être grand » pour en « finir avec la petitesse de sa culture » (2005 : 76).

du bilinguisme » (Télé-Québec, 2012)[9]. Voilà qui est intéressant de la part d'un jeune francophone né à Montréal. Il ajoute : « La protection de l'identité québécoise passe par l'ouverture aux autres identités, c'est comme ça qu'on enrichit une identité et qu'on la consacre vraiment » (Télé-Québec 2012). Ce désir de décloisonnement se reflète également dans ses gestes, et il n'est pas inutile de rappeler qu'il a fièrement porté le carré rouge du Printemps érable québécois au Festival de Cannes, geste sortant le Québec du Québec qui a été vivement critiqué par les médias nationaux jugeant regrettable de porter nos conflits sociaux sur la scène internationale[10]. L'artiste s'engage donc sur la scène politique québécoise[11], mais force est de constater que, dès qu'il prend la plume pour faire valoir son opinion politique, il reçoit des reproches de la part des médias, qui lui conseillent de rester dans sa discipline[12]. Pourtant, comme nous l'avons vu en introduction, le cinéma et la politique sont interreliés.

Selon le regard du critique posé sur lui, Dolan sera défini soit comme un Canadien français, soit comme un Québécois. Reste à voir la façon dont il se définit lui-même. Nous avons remarqué qu'en prenant la plume pour parler du Québec, il emploie le déterminant possessif « notre » dans lequel il dit lui-même s'inclure (Dolan, 2012b). Mais Dolan semble jouer sur plus d'un tableau selon le public cible de ses entrevues. Dans ses propos rapportés plus haut lors de l'entrevue sur les ondes de Télé-Québec, nous remarquons que le cinéaste joue certainement sur le caractère québécois de la langue, ne serait-ce que par son accent. Il utilise également certains anglicismes tels que *anyways*, *job* (au féminin comme au Québec et non

[9] Il est intéressant de souligner à ce propos le titre d'un article publié dernièrement dans *Le Devoir*, qui se lisait comme suit : « Qui a peur de Xavier Dolan ? » (Bilodeau, 2014).

[10] Dans un article intitulé « Le carré de la honte » publié dans *Le Journal de Québec*, la journaliste Isabelle Maréchal « [...] trouve que c'est un bien désolant spectacle que nos chicanes de famille soient exposées ainsi au festival international de Cannes » (2012).

[11] Il a d'ailleurs réalisé une vidéo intitulée *Allez voter//Go vote*, qu'il a mise en ligne lors de la dernière campagne électorale, encourageant les Québécois à aller voter. Xavier Dolan a représenté la pluralité de Montréal avec des gens de tous les horizons : culturel, social et politique.

[12] Xavier Dolan a dû faire face à Éric Duhaime, qui a écrit une *Lettre à Xavier Dolan* sur le blogue du *Journal de Québec* et qui l'accusait d'être « [sorti] de [s]a zone de confort pour [s]'égarer dans le monde politique » (2012).

au masculin comme en France), *green* qui ne semble pas un emprunt très répandu au Québec. Mais qu'en est-il devant un public franco-français ? Lors d'une entrevue dans le cadre du Festival de Cannes portant sur *J'ai tué ma mère*[13], il adopte un accent français, soignant son vocabulaire, donnant même parfois à son public l'équivalent français du lexique québécois, par exemple « lycée » pour « secondaire ». Il utilise aussi l'expression plus québécoise « pétage de coche » alors que dans un registre plus franco-français on aurait dit « pétage de plomb ». En laissant parfois entendre un « pis » pour faire la liaison entre ses idées, il lui arrive de se reprendre par un « et donc ». Ce qui est étonnant, c'est sa facilité à fonctionner dans le registre franco-français. Il semble tout à fait à l'aise quand il s'exprime avec cet accent. Il dira, d'ailleurs, dans le discours de clôture de la projection de son film au Festival, qu'il porte le tatouage d'une citation du grand écrivain français Cocteau, mots « qu'il a dans la peau ».

Cette aisance à s'adapter à son public[14] et ce changement de registre de langue n'est pas perçu positivement au Québec. D'abord, parce que « [l]es Québécois ont beaucoup de complexes sur leurs anglicismes » (Jean-Benoît Nadeau, cité dans Larrivée, 2009 : 157). Ensuite, puisque le cinéaste n'emploie pas l'alternance linguistique comme la plupart des locuteurs bilingues qui passent d'une langue à l'autre grâce à la maîtrise des deux codes, et que les anglicismes lui semblent plutôt utiles sur le plan stylistique, il est sans doute perçu comme quelqu'un de snob. En effet, au Québec, il existe deux catégories d'anglicismes : les « anglicismes de snobisme, pour faire cool » et les anglicismes « d'assimilés » (Larrivée, 2009 : 157). Ainsi, Dolan ouvre une faille entre la « fonction de communication et [la] fonction identitaire » de la langue (Larrivée, 2009 : 58). En ce qui concerne la perte de l'accent québécois au profit de l'accent français, les Québécois porteront un jugement négatif à l'égard de celui qui adopte un accent autre que le sien, une attitude qu'ils jugent prétentieuse (Larrivée, 2009 : 100). On dira qu'il parle la bouche « en cul de poule », expression que le cinéaste Pierre Falardeau,

[13] Entrevue disponible sous la rubrique « Options spéciales » du DVD *J'ai tué ma mère*, une vidéo exclusive du Festival de Cannes réalisée en 2009.

[14] À cet égard, soulignons que Dolan s'exprime dans un anglais excellent, presque sans accent, résultat d'une formation de longue haleine, de l'école primaire jusqu'au collège où il devient pensionnaire à Ayer's Cliff, dans les Cantons de l'Est, puis à Berlitz (Lussier, 2014).

militant indépendantiste, employait également pour dénoncer ces faux airs (Larrivée, 2009 : 100-101). Ainsi, « [c]eux qui délaissent leur accent d'origine peuvent être rejetés » (Larrivée, 2009 : 97), même si la langue ou l'accent adopté a une « visée instrumentale » de communication (Larrivée, 2009 : 94-95). Nous pourrions ajouter, paradoxalement, que sa capacité à se situer à l'intersection des cultures linguistiques lui permet, encore aujourd'hui, de signer beaucoup de contrats de doublage au Québec (voir le site Web Doublage.qc.ca).

Finalement, cette aisance à s'adapter à des publics variés et ce changement de registre et de langue lui procurent un *caméléonage* positif (Imbert, 2011 : 21) : il dépasse l'idée d'un dualisme linguistique et identitaire face à l'authenticité québécoise « au profit d'une identité complexe [...] et hors de l'enclos des souvenirs » (Paterson, 2009 : 15). L'alternance des codes et des accents chez Dolan devient ainsi la métaphore du rapport des Québécois à l'altérité, mais il ne s'agit pas chez le cinéaste d'un acte d'assimilation à la culture anglophone ou franco-française.

Reste à voir si le discours du cinéaste qui a fait l'objet de notre commentaire correspond à celui qu'il attribue à ses personnages.

L'angle linguistique : une langue hybride aux visées locales, nationales et mondiales

Laurence Anyways aura des échos jusque dans la sphère littéraire. Le jeune artiste devient même un point de référence dans les tentatives de compréhension des œuvres de la nouvelle génération, qui priserait de plus en plus une langue hybride. Cependant, ceux qui opèrent ces rapprochements avec son œuvre sont loin d'en faire un constat positif. Il appert que la jeunesse d'aujourd'hui aurait remplacé le joual de Tremblay par l'alternance des codes de Dolan, mais une confusion demeure entre le français réel et le français fictif. Le joual de Michel Tremblay a longtemps été perçu comme un portrait fidèle du parler populaire de Montréal alors qu'il y avait là toute une recherche littéraire et stylistique. À l'instar de Tremblay, la langue que Dolan donne à entendre est une langue imaginaire plutôt que le véritable parler de Montréal. Le joual permettait au peuple aliéné de se libérer en attendant l'indépendance. Ce qui choque chez Dolan, malgré le fait que la classe ouvrière québécoise n'ait plus les mêmes contours aujourd'hui que dans les années 1960, c'est que ce sont souvent des personnages issus de la bourgeoisie ou de la génération montante et non des personnages appartenant à la classe ouvrière qui pratiquent l'alternance des codes et des registres dans ses trois premiers films, ce qui entre en rupture avec Tremblay. Prenons l'exemple du premier livre de l'auteur émergent Alexandre Soublière, intitulé *Charlotte before Christ* que Nathalie Petrowski rebaptise *Charlotte Anyways* en référence à Dolan. Alors que le joual de Tremblay était directement lié au discours langue / nation / culture et permettait aux Québécois d'affirmer leur indépendance et leurs spécificités nationales, le « franglais » de Dolan et de Soublière mènerait, paradoxalement, « *Nowhere* » (Petrowski, 2012) : « Parler joual, c'était s'assumer dans son accent, dans sa culture, dans son environnement, dans tout ce qui nous distinguait de la France. Plus important encore, le joual de Tremblay était un égalisateur social, qui célébrait le cœur et l'authenticité de la classe ouvrière » (Petrowski, 2012). Le joual de Tremblay avait une fonction libératrice par rapport au français normé prôné par les élites, alors que l'alternance des codes chez Dolan jouerait un rôle destructeur. Au lieu de voir cette hybridité linguistique comme un chaos régénérateur et créateur, elle est perçue comme un « dynamitage de la langue québécoise » (Petrowski, 2012) et une entrave à la communication (Rioux, 2010). La langue hybride mise en scène par Dolan et Soublière va à l'encontre de cette authenticité évoquée non sans une teinte de nostalgie par Nathalie Petrowski. Ce risque pris par la jeunesse engendre l'incertitude, que l'on perçoit dans les derniers mots de l'article de la journaliste : « Alexandre Soublière va-t-il continuer à dynamiter sa langue jusqu'à ce que mort linguistique s'ensuive ? » (Petrowski, 2012) Là où les uns voient dans la langue hybride un rôle libérateur, sa dimension vivante et créative (Mather, 2011) permettant de sortir des frontières nationales, d'autres y voient un rôle envahisseur, voire fatal, car, au Québec, la langue demeure une question de survie, et, pour plusieurs, le « franglais » dolanien est symptomatique d'une « schizophrénie linguistique » (Chevrier, 2010). Cette variation entre tous les registres représenterait pour d'autres « l'identité plurielle des Québécois d'aujourd'hui, qui côtoient quotidiennement l'anglo-américain au cinéma, à la télévision et sur Internet, mais aussi la réalité franco-française » (Mather, 2011). Là, encore, on confond fidélité / réalité et littéralité de la langue dans ses films.

Avec ses œuvres, Dolan brosse un portrait diversifié de la société québécoise contemporaine, en mettant en scène des protagonistes appartenant à différentes générations et couches sociales : des étudiants, des parents, des enseignants du niveau secondaire et du cégep travaillant dans des institutions publiques et privées, des serveurs, des coiffeuses, des mères élevant leurs enfants seules. Ce qui *détonne*, contrairement à bien des romans[15] représentant différentes variations linguistiques, c'est la justesse de ton des personnages, leur maîtrise parfaite de différents niveaux de langue. Mais cette polyvalence semble se concrétiser par hiérarchisation selon la génération et la couche sociale des personnages puisque ce sont les jeunes, les personnages doubles ou marqués par le passage et le changement qui maîtrisent le mieux cette polyvalence linguistique. À titre d'exemple, la polyvalence demeure étrangère au personnage de Chantal Lemming, la mère d'Hubert Minel, et à celui du concierge dans *J'ai tué ma mère*. Hubert, jeune étudiant québécois homosexuel de dix-sept ans, dont la mère est québécoise et le père français – son patronyme, son accent et son lexique plutôt franco-français nous permettent de confirmer sa nationalité – est le personnage le plus polyvalent du point de vue linguistique comme le montrent nos tableaux. Au contraire, la mère, par le lexique, la prononciation et la morphosyntaxe, semble cantonnée dans le très familier, comme la perçoit son fils Hubert. Celui-ci peut s'exprimer en empruntant différents niveaux de langue. Lorsqu'il parle à son père ou à son enseignante, par exemple, il soigne son langage, son lexique et emprunte un français plus conventionnel – c'est d'ailleurs souvent le cas selon le profil de ses interlocuteurs. Il saluera son père par un « bonjour » plutôt qu'un « allô ». D'ailleurs, sa mère, Chantal Lemming, lui reproche ce parler snobinard de salon élitiste : « Hè qu'tu m'fais penser à ton père, pas capable de s'exprimer comme tout l'monde, faut qu'ça épate la galerie avec son vocabulaire. » Comme dans la réalité, les personnages qui se permettent d'être des transfuges sont souvent jugés négativement non par les jeunes des générations montantes, mais par les générations de gens d'âge mûr. Quant aux passages où, dans le discours du fils, il y a surexposition du français populaire tant du point de vue du lexique que du point de vue de la prononciation et de la grammaire (exemple : je vas), ce sont des cris du cœur, comme dans la réplique centrale du film où Hubert se sent rejeté parce qu'il est forcé d'aller au pensionnat. La mère use de beaucoup de mots populaires et d'anglicismes, et ce, de façon plus fréquente que ne le fait son fils ou, tout au moins, elle use d'anglicismes

[15] Nous pouvons donner l'exemple de Fred Vargas, *Sous les vents de Neptune*, Paris, Viviane Hamy, 2004.

différents de ceux dont se sert son fils (*chums*, *run*, *mess*, *kit*, *cute*, *gang* de machos, *dompée*, *jammé*). Certains des anglicismes employés par le fils sont très courants au Québec (*fun*, *break*, *toast*) et d'autres moins, comme *redneck*. Utilisant un vocabulaire soutenu pour rabaisser sa mère, il profite de l'ignorance de celle-ci pour l'insulter sans qu'elle ne s'en rende compte. À titre d'exemple, il critiquera ses goûts culturels par une expression la reléguant au rang d'animal : « Tu te pourlèches de cette émission », enchaînant phrases poétiques et jurons : « Je ne suis pas comme les aut'es p'tits gars de mon âge. On est unique. [...] Tu m'écorches la vie. J'veux juste m'enfuir ostie, m'enfuir dans un désert. Creuser un trou dans une dune, sans air, sans eau, sans rien tabarnak. » Remarquons le « ne », qui crée un effet de style, car on l'omet normalement à l'oral, au Québec comme en France. Encore une fois, c'est ce contraste des registres qui ouvre sur des richesses linguistiques inattendues et une étrangeté littéraire. Dolan ne cherche pas à relayer un discours négatif sur le français populaire, c'est justement l'écueil qu'il semble vouloir éviter. Il montre, au contraire, que le vocabulaire et la syntaxe du français sont riches[16].

Dans *Les amours imaginaires*, Marie « navigue allègrement entre l'accent bourgeois montréalais et celui de la pétasse parisienne » (Mather, 2011) selon le contexte, et, comme le montrent nos résultats en annexe, elle utilise tous les registres du français. En présence de Nicolas, étudiant en littérature à l'Université McGill, elle tente de le charmer par sa polyvalence et son érudition. Ainsi, Dolan arrive à créer une poésie dans ses films, contrairement à ce que nous pourrions attendre du cinéma québécois, et subvertit cette idée reçue selon laquelle dans le cinéma d'ici « [l]a discussion philosophique ou l'élégance littéraire ont peu de place dans un contexte langagier qui n'est pas issu d'une longue tradition culturelle qui trouve encore sa représentation sur les écrans français » (Larouche, 1996 : 223). Pour continuer avec *Les amours imaginaires*, soulignons que les premières et dernières paroles du film sont celles de Marie et elles se révèlent très poétiques. Le film s'ouvre sur : « Qui est ce bellâtre particulièrement à l'aise ? » et se clôt sur : « Qui est cette moche rockabilly qui a l'air d'une goule de Cracovie ? » D'autres passages sont

---

[16] Dans une entrevue réalisée par Marion Ruggieri, dans le cadre de l'émission *Il n'y en a pas deux comme elle*, et présentée sur Europe 1 le 6 octobre 2014, Dolan parlait de la langue québécoise comme d'une « langue musicale » qui, à l'instar de « la langue de Racine », aurait sa propre « plénitude ».

aussi très littéraires et montrent que Marie est douée pour les lettres : « J'ai de la difficulté à imaginer un iris plus banal. On a intérêt à avoir un quotient intellectuel compensatoire quand on a les yeux bruns », pour ne mentionner que cet extrait.

Qui plus est, comme dans un livre, chaque partie des films de Dolan est divisée en chapitres dont les titres orientent notre lecture et accentuent le caractère hybride et poreux de ses œuvres cinématographiques qui ouvrent ainsi un entre-deux générique. Dolan s'approprie d'ailleurs plusieurs citations de grands écrivains français, qui constituent un héritage culturel français dont il se réclame. Il emprunte donc des discours, des textes et des œuvres appartenant à des espaces culturels autres que québécois. Par exemple, *Les amours imaginaires* s'ouvrent sur une citation de Musset et *J'ai tué ma mère* sur une citation de Maupassant placée en exergue de la même manière que dans un livre. Dans *Laurence Anyways*, le protagoniste, enseignant dans un cégep, transmet un savoir littéraire français à ses étudiants en leur parlant de Proust, de Céline et de Grasset. L'œuvre de l'artiste contient donc une grande part d'intertextualité[17] entre les Amériques et l'Europe, ce qui accentue le caractère transnational de ses créations.

Il est nécessaire d'ajouter que les personnages s'expriment parfois dans un registre plus franco-français, parfois en alternant les codes. Ainsi, dans *Les amours imaginaires*, les personnages empruntent au français hexagonal : Nicolas, qui n'est pas français, « fume des clopes » et Marie fume des « smokes », se traite de « conne » ou propose une sortie « sympathique ». Elle utilisera également des expressions comme « pétasse », « fermer ma gueule » ou « merde » (alors que le cliché voudrait que le Québécois dise plutôt *yeule* et *marde*), mais elle parlera plus volontiers d'un « *show* de théâtre », évoquant un univers beaucoup plus branché qu'un « spectacle » de théâtre que l'on imagine plus classique, élitiste et d'un autre âge. Pour parler vêtements, elle emploiera les mots « *look* », « *vintage* », « *zipper* ». Toutefois, en devenant plus émotive, elle s'enfonce dans les jurons québécois, « au fond du *câlisse* de baril ». Parfois, elle troquera les anciens jurons blasphématoires pour les gros mots plus actuels empruntés à l'anglais, mais ne leur accordera pas la même charge émotive. Elle les emploiera plutôt pour se montrer à la hauteur de ses

---

[17] Voir le tableau sur les transferts culturels pour visualiser cette rencontre.

propos. Ainsi, critiquant la représentation théâtrale à laquelle elle a assisté en compagnie de Nicolas, elle s'insurgera : « Moi les pseudo-*borderlines* là qui rêvent de souffrir. Le fantasme de la douleur comme échappatoire à une vie sans intensité là. *Fuck off.* » Encore une fois, c'est le contraste des propos qui surprend le lecteur-spectateur.

Dans *Laurence Anyways*, le personnage de Fred utilisera davantage un vocabulaire anglais et des jurons québécois pour exprimer son irritation, saupoudrant ses phrases de « ciboire » ou exprimant sa frustration par un « *give me a fucking break* », un exemple parmi plusieurs. Mais ce qui frappe, c'est que pour décrire l'état d'entre-deux de Laurence, elle pratiquera elle-même le *switching-code* affirmant perdre le « *beat* » devant son « *switch* ». Elle adoptera parfois un accent français pour parler littérature avec Laurence, mais elle le fera surtout par dérision. En parlant avec sa sœur qui est danseuse dans un bar, elle gardera un accent québécois : « Ça, ça m'énarve. J'haïs ça ce monde-là. » Quand elle travaille sur un plateau de tournage, l'anglais fait partie de son langage quotidien : « on *check* la *gate* », « c'est un *wrap* », « *call* », « *turn-around* ». Mais Fred est le personnage qui évolue sans doute le moins dans *Laurence Anyways*, et sa flexibilité linguistique demeure limitée. Par ailleurs, c'est ce dernier film qui compte le plus de passages complètement en anglais, puisque davantage de personnages anglophones y sont mis en scène, notamment la journaliste faisant partie du récit-cadre, qui souhaite faire les choses simplement face au phénomène complexe et dérangeant qu'est devenue Laurence. Elle dira : « Écoutez, Laurence. *Let's just keep this very simple.* » On peut se demander pourquoi l'auteur traduit ces passages en anglais. Le contexte est assez éloquent, la journaliste n'ose même pas poser le regard sur lui, ne voulant pas le / la voir. Voilà qui clôt la boucle avec l'*incipit* du film qui s'ouvre sur une voix hors champ : « Je cherche une personne qui comprenne ma langue, qui la parle même. » Cette journaliste à qui il s'adresse a beau parler sa langue, elle ne la comprend pas ou ne veut pas la comprendre. Cette rupture est traduite par l'image : un fond noir, comme si elle fermait les yeux sur Laurence.

Conclusion : le don d'ubiquité

L'étude que nous avons réalisée sur l'univers filmique de Xavier Dolan, selon la grille d'analyse de Christian Poirier, nous a permis de constater que l'héritage du créateur est multiple, à la fois québécois, français et américain. En effet, les frontières linguistiques et territoriales ne semblent plus constituer un obstacle pour le cinéaste, qui représente un jalon incontournable dans l'éclosion du cinéma québécois à l'extérieur des frontières nationales.

À la suite de nos observations, nous pouvons maintenant conclure qu'à l'augmentation graduelle du bilinguisme, de l'alternance des codes, des variations linguistiques et de la variété des langues parlées par les personnages de ses films correspond une accentuation de l'intérêt pour le travail du cinéaste à l'extérieur du Québec[18]. Intérêt grandissant notamment dans la grande francophonie et rejoignant de plus en plus le public anglophone de l'Amérique du Nord. Corrélativement, nous avons observé une diminution de ses résultats au guichet au Québec, parallèlement à une réception forte et positive dans l'Hexagone. Nous avons également constaté que la langue de ses personnages, ouvrant sur des créations inattendues, rejoint le discours d'ouverture du jeune cinéaste de talent.

L'hybridité qui caractérise ses œuvres gagne en acuité et lui permet ainsi de se situer dans un espace plus vaste que le Québec, et, par le fait même, il semble accorder le don d'ubiquité à ses personnages, leur donnant la possibilité de se trouver dans plus d'un lieu à la fois. Malgré ce que plusieurs opposants à son langage hybride pourraient croire, le cinéaste ne se place pas en rupture avec la société québécoise et son passé. Son discours n'est pas un lieu divisé. Il ne noie ni ne gomme les spécificités nationales dans des considérations universelles, simplement, il les expose pour mieux les faire entrer en communication, et c'est dans la tension créée par cette rencontre, dans la promiscuité avec les autres cultures, les autres langues et les autres identités, que se révèlent les couleurs et les limites québécoises.

L'artiste voit au-delà de ce qui ferme l'horizon habituel des choses et nous amène à réfléchir aux valeurs présentées comme les seules vérités valables. Son cinéma, bien qu'influencé par la culture américaine, ne manque pas de faire un clin d'œil à ses prédécesseurs québécois en donnant, par exemple, à Yves Jacques le rôle d'un professeur homosexuel,

---

[18] Il n'est pas inutile de souligner les commentaires d'une critique anglophone du FIFT et d'une critique française du journal *Libération* que l'on trouve sur le boîtier du DVD de *Laurence Anyways,* contrairement à celui de *J'ai tué ma mère* qui ne présente que ceux des quotidiens montréalais *La Presse* et *Le Devoir.*

comme dans *Le déclin de l'Empire américain* (Denys Arcand, 1986), en donnant celui d'une fausse Française à Sophie Faucher, comme dans *Ding et Dong, le film* (Alain Chartrand, 1990) et celui de *waitress* à Denise Filiatrault, comme dans *Il était une fois dans l'Est* (André Brassard, 1974).

L'artiste a souvent été accusé de narcissisme parce qu'il apparaît dans tous ses films et qu'il embauche les mêmes acteurs, mais ce choix n'est pas fait par manque de ressources. Le jeu de rôles des acteurs devient lui-même hybride et montre leur capacité à s'adapter, à reproduire les nuances contextuelles, à changer de registre de langage. Nous pouvons donner l'exemple de l'actrice québécoise Patricia Tulasne incarnant Hélène Rimbaud, la mère d'Antonin, dans *J'ai tué ma mère*. Frivole et élégante, dans ce film, s'exprimant dans un registre franco-français, elle passera au rôle de coiffeuse qui s'exprime dans un français québécois populaire dans *Les amours imaginaires*.

Puisque les analyses sociolinguistiques peuvent éclairer « l'évolution des langues, les effets du pouvoir, du prestige, ceux de la reconnaissance ou du rejet » (Bouchard, 2002 : 7), elles nous ont permis d'évaluer la circulation des films de Dolan selon leur usage de la langue, qui cède parfois du terrain à celle de l'autre. Des films qui arrivent, dans un même mouvement de lutte et de jeu avec l'autre, à se faire passeurs d'une culture francophone et transmetteurs de la culture québécoise chez les nations qui les accueillent. Selon la cinéaste Gayle Ferraro, « [l]e pouvoir du cinéma est énorme » dans la mesure où un seul film suffit pour faire « passer [un] message de façon quasi universelle » (2010). L'univers filmique de Dolan est paradigmatique en ce sens, car, à bien des égards, ses nouvelles modalités discursives ouvrent des perspectives entre le *même* et l'*autre* et récusent les définitions identitaires fermées. Dans cet univers hybride, c'est aussi la rencontre des arts, de la peinture et de la musique qui devient un moyen de communication universel complémentaire des mots, une forme de langage total qui est susceptible de servir le phénomène de l'*intercompréhension* en arrivant à rejoindre l'*autre* davantage que ne pourrait le faire le seul mot contenu dans ses limites étroites. Chez Dolan, la communication avec l'*autre* se fait par la faille, la fracture, évitant de reproduire des discours en vase clos. Il ne peut y avoir d'ouverture sans ordre aboli, conspué et, finalement, rompu, et la *chaophonie* que le cinéaste investit court-circuite, d'une certaine manière, la brèche séparant la fonction de communication et la fonction identitaire de la langue chez les Québécois. Dolan ouvre une porte et nous permet ainsi d'éclairer, un tant soit peu, les références et les stratégies à partir desquelles se renouvellent la culture et les pratiques artistiques au Québec.

ANNEXE

Registres de langue **Source : *Grevisse*** ***J'ai tué ma mère***	**Personnages**
Soutenu / très soutenu • Surtout dans la langue écrite • Convient aussi à un cours, à une homélie, à un discours • Implique un souci de se distinguer de l'usage ordinaire • Concerne surtout la langue littéraire	1. Le père 2. Le directeur du collège Notre-Dame-des-douleurs 3. **Hubert Minel**
Courant • Vocabulaire juste et précis • Respect des règles de construction de phrases • S'exprimer de façon correcte • Toutes les formes d'expression qui sont généralement perçues comme correctes, indépendamment de la situation de communication (orale ou écrite)	1. L'enseignante Julie Cloutier 2. Hélène Rimbaud **3. Hubert Minel** 4. Antonin Rimbaud 5. Le directeur du collège Notre-Dame-des-douleurs
Familier • Vie courante • Surtout fréquent dans la langue parlée, dans la conversation même des gens les plus distingués • La correspondance familiale ou amicale • Il y a des faits propres à la langue parlée : l'omission de « ne »	1. Chantal Lemming **2. Hubert Minel** 3. Antonin Rimbaud 4. Hélène Rimbaud
Très familier • Suppose la communauté d'âge, de condition sociale, d'intérêt • Inclut un certain nombre de mots jugés vulgaires ou triviaux • Épithètes qui font intervenir la notion de grossièreté	1. **Hubert Minel** 2. La serveuse 3. Le concierge d'un édifice à appartements 4. Denise, l'amie de la mère 5. La mère

Registres de langue **Source : *Grevisse*** ***Les amours imaginaires***	**Personnages**
Soutenu / très soutenu • Surtout dans la langue écrite • Convient aussi à un cours, à une homélie, à un discours • Implique un souci de se distinguer de l'usage ordinaire • Concerne surtout la langue littéraire	1. Marie **2. Francis**
Courant • Vocabulaire juste et précis • Respect des règles de construction de phrases • S'exprimer de façon correcte • Toutes les formes d'expression qui sont généralement perçues comme correctes, indépendamment de la situation de communication (orale ou écrite)	1. Nicolas 2. Marie **3. Francis**
Familier • Vie courante • Surtout fréquent dans la langue parlée, dans la conversation même des gens les plus distingués • La correspondance familiale ou amicale • Il y a des faits propres à la langue parlée : l'omission de « ne »	1. Marie **2. Francis** 3. Les jeunes témoignant de leur expérience amoureuse sous la forme de capsules informatives; la trame narrative du film
Très familier • Suppose la communauté d'âge, de condition sociale, d'intérêt • Inclut un certain nombre de mots jugés vulgaires ou triviaux • Épithètes qui font intervenir la notion de grossièreté	1. Désirée, la mère de Nicolas 2. La coiffeuse 3. Les jeunes témoignant de leur expérience amoureuse sous la forme de capsules informatives **4. Francis**

Registres de langue **Source :** ***Grevisse*** ***Laurence Anyways***	**Personnages**
Soutenu / très soutenu • Surtout dans la langue écrite • Convient aussi à un cours, à une homélie, à un discours • Implique un souci de se distinguer de l'usage ordinaire • Concerne surtout la langue littéraire	1. Les collègues de travail de Laurence, professeurs de cégep 2. La mère de Fred **3. Laurence**
Courant • Vocabulaire juste et précis • Respect des règles de construction de phrases • S'exprimer de façon correcte • Toutes les formes d'expression qui sont généralement perçues comme correctes, indépendamment de la situation de communication (orale ou écrite)	1. Fred **2. Laurence**
Familier • Vie courante • Surtout fréquent dans la langue parlée, dans la conversation même des gens les plus distingués • La correspondance familiale ou amicale • Il y a des faits propres à la langue parlée : l'omission de « ne »	1. Fred **2. Laurence**
Très familier • Suppose la communauté d'âge, de condition sociale, d'intérêt • Inclut un certain nombre de mots jugés vulgaires ou triviaux • Épithètes qui font intervenir la notion de grossièreté	1. Fred **2. Laurence** 3. La serveuse 4. La sœur de Fred (travaille dans un club de danseuses)

BIBLIOGRAPHIE

Filmographie et articles de Xavier Dolan

J'ai tué ma mère, [film], réalisation et scénario : Xavier Dolan; production : Xavier Dolan *et al.*, [Montréal], 2009, 1 h 36 min.

Les amours imaginaires, [film], réalisation et scénario : Xavier Dolan; production : Xavier Dolan *et al.*, [Montréal], 2010, 1 h 35 min.

Laurence Anyways, [film], réalisation et scénario : Xavier Dolan; production : Lyse Lafontaine, [Montréal], 2012, 2 h 40 min.

Dolan, Xavier (2012a). *Allez voter!/Go vote!*, 3 septembre, page Facebook du réalisateur [https://www.facebook.com/dolanxavier/posts/220052341457650].

Dolan, Xavier (2012b). « La réplique > Le malentendu », *Le Devoir,* 5 juillet, [En ligne], [http://www.ledevoir.com/politique/quebec/353874/le-malentendu] (17 décembre 2012).

Articles sur Xavier Dolan et entrevues

Bilodeau, François (2014). « Qui a peur de Xavier Dolan? », *Le Devoir,* 17 octobre, [En ligne], [http://www.ledevoir.com/culture/cinema/421262/qui-a-peur-de-xavier-dolan] (17 octobre 2014).

Blondeau, Romain (2014). « Xavier Dolan : "Je fais des films pour me venger" », sur le site *Les inRocks,* 1er octobre, [http://www.lesinrocks.com/2014/10/01/cinema/xavier-dolan-fais-films-venger-11520012/] (17 octobre 2014).

Boulanger, Luc (2012). « Génération Dolan », *La Presse,* 29 juillet, [En ligne], [http://www.lapresse.ca/actualites/201207/28/01-4560286-generation-dolan.php] (17 décembre 2012).

Cartier, Hector (2012). « Xavier Dolan est déçu de la performance de "Laurence Anyways" au Québec », *Fugue,* 4 juin, [En ligne], [http://www.fugues.com/main.cfm?l=fr&p=100_article&Article_ID=21257&rubrique_ID=11] (17 décembre 2012).

Dolan, Xavier (2009). « Entrevue », sous la rubrique « Options spéciales », vidéo exclusive du Festival de Cannes, DVD du film *J'ai tué ma mère.*

Duhaime, Éric (2012). *Lettre à Xavier Dolan,* Blogue du *Journal de Québec,* 1er juillet.

Fitoussi, Karelle (2012). « Xavier Dolan, un garçon sans contrefaçon : un entretien avec Karelle Fitoussi », *Paris Match,* 21 juillet, [En ligne], [http://www.parismatch.com/Culture-Match/Cinema/Actu/Xavier-Dolan-un-garcon-sans-contrefacon-410987/] (17 décembre 2012).

Lussier, Marc-André (2014). « Festival de Toronto : le jour Xavier Dolan », *La Presse,* 11 septembre, [En ligne], [http://www.lapresse.ca/cinema/festivals-de-cinema/festival-de-toronto/201409/11/01-4799148-festival-de-toronto-le-jour-xavier-dolan.php] (17 octobre 2014).

Maréchal, Isabelle (2012). « Le carré de la honte », *Le Journal de Québec*, 20 mai.

Mather, Patrick-André (2011). « Une analyse sociolinguistique du film "Les amours imaginaires", de Xavier Dolan », *Linguistique et politique = Linguistics and Politics*, 2 mars, [En ligne], [https://linguisticsandpolitics.wordpress.com/2011/03/02/une-analyse-sociolinguistique-du-film-les-amours-imaginaires-de-xavier-dolan/] (17 décembre 2012).

Petrowski, Nathalie (2012). « Charlotte Anyways », *La Presse*, 30 janvier, [En ligne], [http://www.lapresse.ca/debats/chroniques/nathalie-petrowski/201201/30/01-4490635-charlotte-anyways.php].

La Presse canadienne (2012a). « Xavier Dolan déçu de la performance de Laurence Anyways au Québec », Dossier « Arts et spectacles », mis à jour le samedi 2 juin, [En ligne], [http://www.radio-canada.ca/nouvelles/arts_et_spectacles/2012/06/02/002-xavier-dolan-decu-decu-laurence-anyways-quebec.shtml] (17 décembre 2012).

La Presse canadienne (2012b). « Laurence Anyways sera présenté dans un festival à Hollywood », Dossier « Arts et spectacles », mis à jour le mercredi 17 octobre 2012, [En ligne], [http://www.radio-canada.ca/nouvelles/arts_et_spectacles/2012/10/17/003-dolan-laurence-hollywood.shtml] (17 décembre 2012).

Ruggieri, Marion (2014). « Xavier Dolan : le quebecois [*sic*] est une "langue musicale" », entrevue avec Xavier Dolan, réalisée dans le cadre de l'émission *Il n'y en a pas deux comme elle*, et présentée sur Europe 1, 6 octobre.

Télé-Québec (2012). « *Bazzo.tv* reçoit Xavier Dolan », entrevue de Marie-France Bazzo avec Xavier Dolan, octobre 2012, [En ligne], [http://video.telequebec.tv/video/12213], épisode 311, [Montréal], Les Productions Bazzo Bazzo.

Tremblay, Odile (2012). « Le Festival de Toronto couronne Xavier Dolan : *Laurence Anyways*, meilleur film canadien », *Le Devoir*, 17 septembre, [En ligne], [http ://www.ledevoir.com/culture/cinema/359363/laurence-anyways-meilleur-film-canadien] (17 décembre 2012).

Warren, Paul (2014). « "Mommy" : un grand film, oui, mais… », *Le Devoir*, 11 octobre, [En ligne], [http://www.ledevoir.com/culture/cinema/420876/mommy-un-grand-film-oui-mais] (17 octobre 2014).

Textes critiques et théoriques

Bhabha, Homi (2006). « Le tiers-espace : entretien avec Jonathan Rutherford », traduit de l'anglais par Christophe Degoutin et Jérôme Vidal, *Multitudes*, nº 26, (automne), p. 95-107.

Bouchard, Chantal (2002). *La langue et le nombril : une histoire sociolinguistique du Québec*, nouvelle édition mise à jour, Montréal, Éditions Fides.

Bouchard, Gérard (2003). « Sur la structure et l'évolution des imaginaires collectifs : quelques propositions », *Interfaces Brasil / Canadá*, vol. 3, nº 1-2, p. 9-28, [En ligne], [http://www.revistas.unilasalle.edu.br/index.php/interfaces] (15 janvier 2014).

CAJOLET-LAGANIÈRE, Hélène, Pierre MARTEL et Chantal-Édith MASSON (2015). *Dictionnaire Usito : parce que le français ne s'arrête jamais*, [En ligne], [www.usito.com/doctio], réalisé dans le cadre du projet Franqus, Éditions Delisme.

CANCLINI, Néstor García ([1989] 2010). *Cultures hybrides : stratégies pour entrer et sortir de la modernité*, traduit de l'espagnol par Francine Bertrand Conzález, Québec, Les Presses de l'Université Laval.

CAPPELLA, Emilie (2014). *Appel à contributions : politique/esthétique : un tournant transnational?, Colloque des doctorants*, 1er et 2 mai 2014, Northwestern University, [En ligne], [http://transnationalturn.blogspot.ca/p/call-for-papers.html] (janvier 2015).

CHEVRIER, Marc (2010). « Les français imaginaires (et le réel franglais) », sur le site Web *Encyclopédie de la Francophonie*, Dossier anglicisme, 20 juin, [http://agora-2.org/francophonie.nsf/Documents/Anglicisme--Les_francais_imaginaires_et_le_reel_franglais_par_Marc_Chevrier] (17 décembre 2012).

CHRÉTIEN, Amaury, Jean DUFFOUR et Guillaume LE FUR ([s. d.]). *Le Cinéma et le pouvoir*, [En ligne], [http://cinema-pouvoir.e-monsite.com/] (15 janvier 2014).

CURIEN, Pauline (2003). *L'identité nationale exposée : représentations du Québec à l'Exposition universelle de Montréal 1967 (Expo 67)*, thèse de doctorat (philosophie), Québec, Université Laval, [En ligne], [http://theses.ulaval.ca/archimede/fichiers/21176/21176.html].

ESPAGNE Michel, et Michael WERNER (dir.) (1994). *Qu'est-ce qu'une littérature nationale? Approches pour une théorie interculturelle du champ littéraire*, Paris, Éditions de la Maison des sciences de l'Homme.

FARADJI, Helen (2009). « Nouvelle vague 2.0? », *Revue 24 images.com : cinéma, etc.*, 26 février, [En ligne], [http://anciensite.revue24images.com/articles.php?article=713] (17 décembre 2012)

FERRARO, Gayle (2010). « Le pouvoir du cinéma est énorme », *Libération culture*, 4 février, [En ligne], [http://www.liberation.fr/culture/2010/02/04/le-pouvoir-du-cinema-est-enorme_607952] (15 janvier 2014).

GLISSANT, Édouard (1996). *Introduction à une poétique du divers*, Paris, Gallimard.

IMBERT, Patrick (2011). « Transculturalité et transdisciplinarité », *Revista Ixchel*, vol. III, [En ligne], [http://www.revistaixchel.org/] (29 septembre 2014).

IMBERT, Patrick (dir.) (2012). « Introduction », *Le transculturel et les littératures des Amériques : le Canada et les Amériques*, Ottawa, Chaire de recherche de l'Université d'Ottawa « Canada : enjeux sociaux et culturels dans une société du savoir », p. 9-17.

LAROUCHE, Michel (dir.) (1996). *L'aventure du cinéma québécois en France*, avec la participation de François Baby *et al.*, Montréal, Éditions XYZ.

LARRIVÉE, Pierre (2009). *Les Français, les Québécois et la langue de l'autre*, Paris, L'Harmattan.

PATERSON, Janet (2009). « Le sujet en mouvement : postmoderne, migrant et transnational », *Nouvelles études francophones*, vol. 24, nº 1 (printemps), p. 10-18.

Poirier, Christian (2004). *Le cinéma québécois à la recherche d'une identité?*, t. 1 : *L'imaginaire filmique*, Québec, Presses de l'Université du Québec.

Rioux, Christian (2010). « Servitude volontaire », *Le Devoir*, 5 novembre, sur le site *Vigile.québec*, [http://www.vigile.net/Servitude-volontaire] (17 décembre 2012).

Sirois-Trahan, Jean-Pierre (2011). « Du renouveau en terrains connus », *Nouvelles vues : revue sur les pratiques et les théories du cinéma au Québec*, n° 12 (printemps-été), [En ligne], [http://www.nouvellesvues.ulaval.ca/no-12-printemps-ete-2011-le-renouveau-dirige-par-jean-pierre-sirois-trahan-et-thomas-carrier-lafleur/introduction/du-renouveau-en-terrains-connus-par-jean-pierre-sirois-trahan/] (17 décembre 2012).

Thériault, Joseph Yvon (2005). « Le désir d'être grand », dans Jacques L. Boucher et Joseph Yvon Thériault, *Petites sociétés et minorités nationales : enjeux et perspectives comparées*, avec la collaboration d'Anne Gilbert, Svetia Kokeva et Daniel Tremblay, Québec, Presses de l'Université du Québec, p. 67-77.

Thomas, Jean-Jacques (2004). « La poétique historique transnationale de Joël Des Rosiers », *Québec Studies*, vol. 37 (printemps-été), p. 79-89.

Vargas, Fred (2004). *Sous les vents de Neptune*, Paris, Viviane Hamy.

Villeneuve, Anne-Claire, André Mondoux et Marc Ménard (2008). *Le défi de l'exportation du cinéma québécois : état des lieux*, Chaire René-Malo en cinéma et en stratégies de production culturelle, Montréal, UQAM, [En ligne], [http ://chairerenemalo.uqam.ca/upload/files/Strategies/Ledefi.pdf] (17 décembre 2012).

Traduttore è traditore
Aux sources de l'antagonisme Garneau-Bell : deux conceptions du pouvoir politique bas-canadien

Joël Lagrandeur
Université de Sherbrooke

À LA SUITE DE LA DÉFAITE DES PATRIOTES en 1837-1838 et du rapport Durham, qui préconise ouvertement l'assimilation du peuple canadien-français et qui mène à l'Acte d'Union, François-Xavier Garneau publie, en août 1845, son *Histoire du Canada*, qui réussira, du point de vue canadien-français, à « interpréter de façon positive des événements qui se soldent par une catastrophe » (Lemire et Saint-Jacques, 1996 : 257). L'historiographie a maintes fois souligné l'importance de cette œuvre classique du patrimoine littéraire canadien-français. Celle-ci demeure pourtant largement muette sur l'histoire plutôt controversée de la traduction anglaise de sa troisième édition effectuée par le Britannique Andrew Bell et parue en 1860, traduction qui demeure, à ce jour, la principale référence du public anglophone concernant l'œuvre de Garneau (Savard et Wyczynski, 1977). Cette délicate et exigeante tâche avait été confiée à Bell par l'éditeur et imprimeur John Lovell, dont l'intention était alors de traduire, suite à l'assentiment de Garneau, « *the best Canadian History extant [...] with such modifications as would make it acceptable to the entirety of our people, whether of British or French origin*[1] ».

[1] *The Pilot*, 14 septembre 1859, p. 2. « La meilleure histoire canadienne existant [...] avec les modifications nécessaires pour la rendre acceptable à l'entièreté de notre peuple, qu'il soit d'origine britannique ou française. » (Nous traduisons.) L'article nous explique en outre que c'est « le souhait, exprimé à M. Lovell par plusieurs de ses amis et relations commerciales » (nous traduisons) que celui-ci publie une traduction de l'œuvre de Garneau qui a poussé l'éditeur à demander à se lancer dans cette entreprise. Le tout semble plausible : Lovell, l'éditeur de la seconde édition de l'*Histoire*, était assurément bien au fait du prestige et de la valeur commerciale de l'œuvre, et on peut raisonnablement croire (la question n'a pas encore été étudiée) qu'il cherchait à la fois à la rendre disponible à un public anglophone curieux de la lire et à tirer un certain profit de l'entreprise. Mais la pensée politique de Lovell

Un mois plus tard, Garneau réagissait à cette annonce en précisant, dans le *Journal de Québec* du 15 octobre 1859, qu'il n'avait « cédé [s]on droit d'auteur que pour une traduction fidèle et correcte » (1859c : 2).

Au moment de la parution de l'œuvre, et dans un esprit pour le moins discordant avec la mise en garde formulée par Garneau, Bell présentait son travail comme une traduction « *moderately* free, *rather than* [...] *slavishly* literal[2] » (1860a : iii). Il justifiait ce choix par la nécessité d'adapter l'ouvrage au public canadien-anglais : « *French-Canadian critics will please to remember – the editor would hint – that the present work had to be shaped, to some extent, to meet the reasonable expectations (but not to flatter the prejudices) of Anglo-Canadian readers*[3] » (1860a : iii-iv).

En dépit de cette justification, l'accueil de la critique canadienne-française fut pour le moins défavorable. De Henri-Raymond Casgrain, qui qualifie la traduction « d'assez médiocre et souvent incorrecte » (1866 : 59) et de Pierre-Joseph-Olivier Chauveau, qui juge qu'elle « justifie parfaitement le proverbe italien à l'adresse des traducteurs : *traduttore è traditore*[4] » (1883 : ccxxxiii) à *La vie littéraire au Québec*, qui la juge « non conforme à l'original » (Lemire et Saint-Jacques, 1996 : 267), tous estimèrent que la traduction de Bell n'était pas « fidèle et correcte » au sens où l'entendait Garneau. De fait, la version traduite cumule une série de déformations et de glissements de sens qui ne sont pas sans altérer le propos original. Ceux-ci concernent tout particulièrement, comme nous le montrerons, le statut politique du Bas-Canada dans les années 1830 ainsi que le sens attribué aux actes posés par la Chambre d'assemblée et par le gouvernement colonial dans la décennie menant à l'Acte d'Union.

Suivant Pierre Bourdieu, le propre de la circulation de textes entre deux espaces culturels réside dans le fait « qu'ils n'emportent pas avec

a-t-elle influé sur le ton de la traduction (ou de l'adaptation) de l'œuvre garnélienne ? La question mériterait assurément d'être étudiée, dans la mesure où l'on sait que Lovell servit dans un corps de volontaires anglais, le Royal Montreal Cavalry, pendant les troubles de 1837, ce qui semble placer sa pensée politique à l'opposé de celle d'un Garneau, très critique des actions britanniques au moment de ces troubles.

2 « ... modérément *libre* plutôt que servilement *littérale.* » (Nous traduisons.)

3 « Les critiques canadiens-français voudront bien se rappeler – comme l'éditeur le laisserait entendre – que le présent ouvrage a dû être modelé, dans une certaine mesure, pour atteindre les attentes raisonnables (mais non pour flatter les préjugés) des lecteurs anglo-canadiens. » (Nous traduisons.)

4 « ... le traducteur est un traître. » (Nous traduisons.)

eux leur champ de production ». Autrement dit, une fois introduit dans un nouveau champ d'accueil, le texte, au même titre qu'une idée, est forcément réinterprété « en fonction de la structure du champ de réception » (Bourdieu, 2002 : 4). Plus précisément, Bourdieu explique :

> le sens et la fonction d'une œuvre étrangère sont déterminés au moins autant par le champ d'accueil que par le champ d'origine. Premièrement, parce que le sens et la fonction dans le champ originaire sont souvent complètement ignorés. Et aussi parce que le transfert d'un champ national à un autre se fait à travers une série d'opérations sociales : une opération de sélection (qu'est-ce qu'on traduit? qu'est-ce qu'on publie? qui traduit? qui publie?); une opération de marquage (d'un produit préalablement « dégriffé ») à travers la maison d'édition, la collection, le traducteur et le préfacier (qui présente l'œuvre en se l'appropriant et en l'annexant à sa propre vision et, en tout cas, à une problématique inscrite dans le champ d'accueil et qui ne fait que très rarement le travail de reconstruction du champ d'origine, d'abord parce que c'est beaucoup trop difficile); une opération de lecture enfin, les lecteurs appliquant à l'œuvre des catégories de perception et des problématiques qui sont le produit d'un champ de production différent (2002 : 4-5).

Discutant du même sujet, Johan Heilbron et Gisèle Sapiro viennent soutenir, à propos de la traduction, que « pour comprendre l'acte de traduire, il faudrait [...] l'analyser comme imbriqué dans des rapports de force entre des pays et leurs langues » (2002 : 4). Par ailleurs, ils ajoutent également que « les fonctions de la traduction sont multiples : instrument de médiation et d'échange, elle peut aussi remplir des fonctions politiques ou économiques [...] » (2002 : 5).

Il est évident que la traduction de l'*Histoire du Canada* relève de ce que Bourdieu appelle une réinterprétation en fonction du champ de réception : Lovell l'avoue lui-même dans son annonce de l'entreprise de traduction de l'œuvre de Garneau parue dans le *Pilot* du 14 septembre 1859[5]. Nous n'entendons pas ici analyser toutes les opérations sociales

[5] Voir note 2. Il est permis de se demander quelles raisons poussent Lovell à annoncer que la traduction sera modifiée en fonction non seulement des attentes de la population d'origine britannique, mais aussi de celle d'origine française : pourquoi les francophones iraient-ils lire la traduction d'une œuvre originellement écrite en français et alors toujours disponible en cette langue? Par ailleurs, outre sa dimension libérale qui heurte à l'époque certains esprits ultramontains, l'œuvre de Garneau est déjà « acceptable » pour la frange française de la population. Ces constats faits, nous pouvons comprendre entre les lignes que Lovell annonce une adaptation pour un lectorat anglais, en ayant en tête toutefois l'idée de ménager les susceptibilités des Canadiens français.

énumérées par Bourdieu : l'exercice demanderait davantage d'espace. Toutefois, la piste proposée par Heilbron et Sapiro semble intéressante pour l'œuvre et la traduction qui nous intéressent ici[6]. Dans la mesure où l'œuvre de Garneau tient un discours politique procanadien-français, on peut croire que les « modifications » apportées à l'*Histoire du Canada* par Bell, au moment de sa traduction, ont transformé le discours politique de l'œuvre originale, et que ces modifications sont liées à la pensée politique du traducteur et du champ énonciatif de sa traduction.

Dans la présente étude, nous entendons donc analyser l'antagonisme Garneau-Bell à la lumière de la conception sociologique de la traduction que proposent Bourdieu, Heilbron et Sapiro, plus particulièrement, en examinant les glissements de sens entre les versions originale et anglaise selon les horizons d'attente de nos deux auteurs et leur champ énonciatif respectif. Au cœur de ces enjeux résident, comme nous le montrerons, deux visions opposées du lieu où doit reposer la légitimité du pouvoir politique bas-canadien.

Les contextes « canadien-français » et « anglais »

Avant d'aborder la question qui nous occupe dans cet article, il nous paraît essentiel de décrire, tout d'abord, les contextes sociohistoriques dans lesquels écrivent Garneau et son traducteur. En effet, bien que les deux œuvres aient été produites au Bas-Canada, leurs auteurs sont issus de contextes sociaux bien différents : alors que Garneau appartient au groupe culturel canadien-français, qui constitue une majorité francophone et catholique sur le futur territoire québécois, Bell s'identifie plutôt aux Anglais qui, protestants et minoritaires au Canada-Est, exercent malgré tout une domination sur les Canadiens français.

De la conquête de 1760 à la parution de la traduction de l'*Histoire du Canada*, ces deux cultures distinctes cohabitent au Canada. Les Canadiens français ont longtemps craint pour leur survie culturelle

---

6 Bien que Heilbron et Sapiro parlent de « rapports de force entre des pays et leurs langues », le concept semble malgré tout adaptable au cas qui nous intéresse dans la mesure où il existe une « lutte » entre deux blocs culturels de langues différentes. Cela semble cohérent avec le fait que les deux auteurs remarquent que les *translations studies*, dont relève l'étude du « fonctionnement des traductions dans leurs contextes de production et de réception » (2002 : 4), se sont développées « dans quelques petits pays, souvent plurilingues (Israël, Belgique, Pays-Bas) » (2002 : 4), dans les années 1970.

suite à la conquête, mais diverses mesures conciliatoires incluses dans l'Acte de Québec[7], adopté par le Parlement britannique en 1774, sont venues les rassurer sur ce point. Celles-ci ont toutefois eu le désavantage de mécontenter la minorité anglaise qui, parmi d'autres doléances, supportait mal d'être régie par des lois civiles françaises sur un territoire britannique.

Afin de remédier à ce problème, le gouvernement britannique adopte en 1791 l'Acte constitutionnel, qui sépare la Province of Quebec en deux provinces distinctes, à savoir le Bas-Canada, ancêtre du Québec, régi selon le code civil français, et le Haut-Canada, prédécesseur de l'Ontario, où s'appliquera plutôt la *common law* anglaise. Par ailleurs, chacune des provinces reçoit une chambre élective populaire, la Chambre d'assemblée, qui, de par son statut électif, est rapidement dominée par les Canadiens français, qui sont supérieurs en nombre au Bas-Canada. S'ajoutent à cette instance un Conseil législatif, un gouverneur et un Conseil exécutif, tous nommés par le roi et, par conséquent, constitués essentiellement de cadres anglais.

Au cœur de cette réforme politique subsiste toutefois un problème en ce qui concerne la structure du gouvernement. Alfred De Celles résume ainsi, le 29 mai 1900, devant la Société royale du Canada, le principal point faible de ce système politique du point de vue canadien-français : « Sous son empire le pouvoir se trouve encore en présence du pouvoir personnel du gouverneur comme auparavant. Si la Chambre possède certains pouvoirs, ils sont purement négatifs, le gouverneur, appuyé par le conseil législatif rempli de ses créatures, pouvant toujours lui faire échec » (1901 : 10). En effet, pour entrer en vigueur, les résolutions de la Chambre d'assemblée doivent être validées par le Conseil législatif.

La situation est inacceptable pour la plupart des Canadiens. C'est ainsi qu'Étienne Parent, dans un texte paru dans *Le Canadien* du 7 novembre 1832, appelle au règlement définitif de ce problème par l'adoption d'un gouvernement responsable afin que le Bas-Canada ait autre chose que « le cadavre d'une constitution représentative » (1832 : 2) :

---

[7] Notamment, l'abandon du serment du test, la reconnaissance formelle du droit de pratique de la religion catholique, le droit pour le clergé catholique de récolter la dîme chez ses fidèles et le rétablissement des lois civiles françaises, incluant le régime seigneurial.

> Il est une autre branche de notre système politique à l'égard de laquelle nous avons aussi fait de fortes et fréquentes remontrances, mais où nos 40 années de constitution et de représentations n'a [*sic*] encore pu introduire aucune réforme, c'est le Conseil Exécutif, ce pouvoir occulte et intangible, doué du pouvoir extraordinaire de faire le mal, sans être tenu d'en répondre. Jamais nous ne pouvons espérer de paix et d'harmonie dans le gouvernement, tant que la constitution n'entourera pas le représentant du Roi [le gouverneur] d'hommes responsables de tous les actes administratifs, et jouissant de la confiance des Chambres, comme c'est le cas dans tout gouvernement représentatif bien organisé (1832 : 2).

En l'absence de réaction satisfaisante du gouvernement britannique à ce sujet, la confrontation est inévitable : alors que la Chambre d'assemblée, forte de l'appui électoral croissant des Canadiens français, cherche à assurer la survie à long terme de ces derniers sur un continent dominé par les anglophones en tentant d'acquérir une autonomie politique intérieure et en usant du seul levier politique efficace à sa disposition pour tenter d'y arriver[8], les Anglais, à travers le Conseil législatif, cherchent plutôt, malgré le fait qu'ils soient minoritaires, à asseoir leur autorité sur la colonie. Au fil de la décennie, les revendications des Canadiens français se font de plus en plus pressantes et finissent par déboucher sur les 92 Résolutions adoptées par la Chambre d'assemblée et dont le but principal était, pour régler le problème politique canadien, de rendre électif le Conseil législatif, dont le choix des membres, jusqu'ici, « a toujours eu lieu dans l'intérêt du monopole et du despotisme exécutif, judiciaire et administratif, et jamais en vue de l'intérêt général » (Bédard, 1869 : 336) :

> [...] le remède efficace à ce mal reconnu, a été judicieusement pressenti et indiqué par le comité de la chambre [...] ; les réponses auxquelles questions, par le dit John Neilson, écuyer, comportaient, entre autres réflexions, qu'il y avait deux moyens d'améliorer la composition du conseil législatif; l'une par de bons choix, en y appelant des personnes indépendantes de l'exécutif; mais qu'à en juger par l'expérience il n'y aurait aucune sûreté; et dans d'autres réflexions, si l'on trouvait ce moyen impraticable, l'autre mode serait de rendre le conseil législatif électif. [...] [C]ette chambre croit également qu'il n'y aurait aucune sûreté dans le mode indiqué au premier lieu, la suite des événements n'ayant que trop démontré la justesse de ces prévisions; [...][C]ette chambre n'est nullement disposée à admettre l'excellence du système actuel de constitution du Canada [...] ni à repousser le principe d'étendre, beaucoup plus loin qu'il ne l'est aujourd'hui, l'avantage d'un système d'élections fréquentes; et qu'en

8 Le refus de voter les sommes nécessaires au paiement de la liste civile.

particulier ce système devrait être étendu au conseil législatif [...] (Bédard, 1869 : 336-337).

La réponse britannique viendra par l'entremise des 10 résolutions du ministre John Russel, qui rejettent les revendications de la Chambre tout en permettant au gouverneur d'utiliser les fonds de la Chambre d'assemblée, sans l'accord de celle-ci, pour payer la liste civile. La suite est bien connue : les patriotes se soulèvent, et le soulèvement est rapidement étouffé par les troupes britanniques.

Bref, les Canadiens français ont de plus en plus cherché à assurer leur autonomie politique, au cours de la première moitié du XIXe siècle, en jouant le jeu du parlementarisme britannique, stratégie qui a culminé en un affrontement avec le pouvoir britannique, qui s'est soldé par une défaite. Une fois cette défaite consommée, le moral est au plus bas, et les Canadiens français, craignant pour leur avenir, entrent dans une ère de survivance culturelle et religieuse en marge de la sphère politique. Du côté britannique, l'Acte d'Union constitue plutôt une victoire. Comprenant mal pourquoi la métropole a laissé pendant aussi longtemps autant de latitude politique à un peuple conquis, allant même jusqu'à lui laisser ses lois civiles françaises sur un territoire britannique, les Anglais se réjouissent enfin de voir les Canadiens français placés en minorité politique, ce qu'ils avaient réclamé à maintes reprises avant l'Acte d'Union de 1840.

Garneau et Bell, deux horizons d'attente différents?

Il est clair, donc, que pendant la première moitié du XIXe siècle, les groupes culturels canadien-français et anglais ont essentiellement évolué en opposition l'un avec l'autre. Mais qu'en est-il de Garneau et de son traducteur? À quel point ont-ils adhéré au discours dominant de leur groupe culturel de référence? La question peut sembler un peu triviale dans le cas de Garneau, dont les sympathies libérales ont été maintes fois soulignées. Voyons toutefois d'un peu plus près ce qu'il en est, en faisant un bref retour aux sources de sa sensibilité libérale et sur ses principales articulations.

Pour commencer, il importe de souligner que Garneau n'a jamais fréquenté une école confessionnelle. Après être passé par l'école lancastrienne « progressiste[9] » (Marcotte, 1996 : 12) de Joseph-François Perrault, il se forme au métier de notaire, d'abord chez Perrault, puis chez Archibald Campbell. Il en profite pour parfaire sa formation de façon autonome en puisant dans les bibliothèques de ses deux maîtres, s'initiant ainsi au latin, à l'italien, aux « classiques de la littérature antique et [aux] maîtres de la littérature européenne, [aux] poètes anglais et écossais [ainsi qu'aux] Romantiques français » (Grisé, 2012 : 9). S'il est difficile de voir clairement à quel point l'éducation semi-autodidacte de Garneau l'a mené vers le libéralisme, il est toutefois évident que son éducation non confessionnelle le prédisposait davantage à l'adoption de ce mode de pensée[10].

C'est avec ce bagage que Garneau s'embarque pour l'Europe en juin 1831. À cette époque, il écrit quelques poésies (« Dithyrambe sur la mission de M. Viger, envoyé des Canadiens en Angleterre », « La liberté prophétisant sur l'avenir de la Pologne »), empreintes « du thème de la "Liberté", cher aux Romantiques » (Garneau, 2012 : 240). Ces derniers font état d'une pensée politique libérale déjà en bonne partie formalisée. Il en va de même pour ses œuvres, qui laissent paraître une certaine admiration pour la monarchie constitutionnelle britannique, apte à assurer le bonheur populaire, et un rejet du despotisme. Pour s'en convaincre, relisons l'extrait d'une lettre datée du 29 décembre 1832, qu'il adresse à son ami Pierre Winter : « La domination étrangère est le plus grand mal dont un peuple puisse être frappé. Plusieurs de nos griefs ressemblent à ceux dont les braves et malheureux Polonais avaient à se

---

[9] Au sujet de cette école, Mgr Lartigue se félicite, dans une lettre écrite en 1823 et citée par Yvan Lamonde (1998 : 52), « de n'avoir pris aucune part à l'école du protonotaire Perrault [...], car cet établissement se tourne évidemment en école biblique, c'est-à-dire en école de protestantisme ou d'impiété ».

[10] C'est d'ailleurs ce que laisse implicitement entendre, en le déplorant, l'abbé Casgrain, qui parle, à propos de l'historien, du « malheur de son éducation solitaire, abandonnée à elle-même, privée de cette salutaire direction qu'impriment aux jeunes talents nos grandes institutions religieuses » (1866 : 123-124). L'abbé Georges Robitaille (1929 : 50-51) adopte le même discours négatif que Casgrain. Gustave Lanctot (1946 : 165) s'intéresse également aux lectures autodidactes de Garneau en présentant leur apport de façon positive. Plus récemment, Yvan Lamonde, qui parle du « maître libéral » de Garneau et de la formation de l'historien qui « n'est pas infléchie par l'esprit et la lettre du Séminaire de Québec » (1998 : 55), tient également le même discours en adoptant un ton plus neutre.

plaindre[11]. » Garneau est bien placé pour faire ce constat : pendant son séjour à Londres, il fréquente un groupe de Polonais exilés suite à la prise de Varsovie par les Russes en 1831 et, en tant que secrétaire de Denis-Benjamin Viger, envoyé spécial de la Chambre d'assemblée bas-canadienne auprès du gouvernement britannique, il est aux premières loges pour observer le jeu politique qui se joue dans la métropole à propos des Canadiens français. On peut aisément penser que ces fréquentations contribuent à renforcer ses convictions libérales.

À son retour d'Europe, dans une étrenne publiée le 1er janvier 1834, moins d'un mois avant l'adoption des 92 Résolutions, Garneau constate que le « ciel est plein d'orages » (Garneau, 2012 : 159) au Canada, mais semble avoir encore confiance au système parlementaire britannique, qui devrait prévenir « l'approche des tyrans » (Garneau, 2012 : 159). Le ton change toutefois six mois plus tard, après le dépôt des 92 Résolutions. Dans un poème publié dans les pages du journal *Le Canadien* du 30 juin 1834, Garneau se range clairement du côté des députés patriotes contre la « tyrannie » britannique.

À la veille des troubles de 1837, il ne se fait plus d'illusions quant à la suite des choses et craint déjà la disparition de son peuple, ce qu'il exprime dans le poème « Au Canada ». En 1838, la venue au Canada de lord Durham, qui doit mener enquête sur les récents mouvements d'insurrection, semble redonner un certain espoir à Garneau. En effet, ce dernier adresse au lord britannique, qui jouit d'une réputation de « défenseur des libertés démocratiques » (Garneau, 2012 : 323), un poème qui, à la fois, dénonce les abus de pouvoir des Britanniques et demande la clémence pour les Canadiens français en professant à nouveau leur fidélité à la Couronne. L'Acte d'Union de 1840, auquel il est farouchement opposé dans la mesure où il vient placer un peuple majoritaire en nombre dans une situation de minorité politique, vient toutefois briser les espoirs de Garneau. Il ne croit plus vraiment alors à la survie de sa « race », sentiment perceptible dans le poème « Le dernier Huron », dont le personnage éponyme est généralement considéré comme « le symbole de l'avenir du peuple "canadien" » (Lamonde, 1998 : 67). L'historien Yvan Lamonde explique qu'en dépit de ce désenchantement,

---

11 Lettre de François-Xavier Garneau à Pierre Winter, 29 décembre 1832, dans Lamonde (1998 : 59).

la position politique de Garneau « est claire à la veille de la publication de son *Histoire du Canada* : "Nos institutions, notre langue et nos lois sous l'égide de l'Angleterre et de la liberté" » (Lamonde, 1998 : 69).

C'est donc en craignant fortement pour l'avenir de ses semblables, mais toujours aussi imprégné des valeurs libérales défendues par la Constitution britannique que Garneau s'applique à devenir l'« historien national » du Canada français (Casgrain, 1866 : 134). Dans cette mesure, il semble bel et bien incarner, jusqu'à la parution de son *Histoire*, un trait dominant de son groupe culturel d'appartenance.

Du côté d'Andrew Bell, on en sait peu sur sa vie, outre le fait qu'il a habité en France assez longtemps pour acquérir, selon lui, un « *intimate knowledge of the character of the French people*[12] » (1859 : 7). Le portrait de sa pensée politique reste donc à faire. Toutefois, certains de ses écrits, tant antérieurs que postérieurs à sa traduction de l'*Histoire du Canada*, donnent une bonne idée de sa pensée, et l'analyse de ses écrits permet de formuler certaines réserves quant à l'aptitude de Bell à traduire « fidèlement et correctement » l'œuvre garnélienne.

À titre d'exemple, dans *Men and Things in America*, publié sous le pseudonyme d'A. Thomason en 1838, il dresse un portrait plutôt méprisant des Canadiens français – chez qui « *ignorance, superstition, and sloth*[13] » (Thomason, 1838 : 113) sont des traits dominants – puis des orateurs patriotes – les qualifiant de « *cowardly prating anarchists*[14] » et d'« avocats criards[15] » (1838 :113) – ce que n'aurait sans doute pas réfuté un bureaucrate anglais de la même époque. Il assimile ensuite la crise qui vient de secouer le Bas-Canada à la ruade d'une « mule stupide, mais malicieuse » ayant jeté son cavalier en bas de sa selle avant de préciser : « *the sound lashing the* [la « mule canadienne-française »] *lately received will teach him the difference between ill-judging forbearance and impotency to punish*[16] (1838 : 115). Si Bell paraît avoir modéré son jugement, on peut néanmoins le voir, dans le cadre d'une conférence prononcée la

---

[12] Sa « connaissance approfondie du caractère des Français ». Traduction tirée de Morley (2003).

[13] « Ignorance, superstition et paresse. » (Nous traduisons.)

[14] « Anarchistes au babillage couard. » (Nous traduisons.)

[15] En français dans le texte.

[16] « [...] la bonne flagellation qu'il reçut récemment lui apprendra la différence entre la tolérance malavisée et l'incapacité de punir. » (Nous traduisons.)

veille[17] de l'annonce de son embauche comme traducteur de l'*Histoire,* soutenir à demi-mot que le Canada est l'« enfant gâté » (« *spoiled child* » (1859 : 8)) de l'Angleterre et que le joug britannique n'aurait pas péché par excès d'autoritarisme. Par ailleurs, l'existence de deux peuples au Canada suppose inévitablement, pour Bell, des rapports de force inégaux à l'intérieur desquels le pôle dominant doit être britannique. Ainsi, écrit-il, malgré

> *the evils, reals or imagined, French Canadians have experienced at British hands, they ought, in justice, to remember the benefits they have experienced from the broad ægis of Britain having been interposed between them and the perils of war and changefulness*[18] (1859 : 9).

Lors de la même conférence, Bell donne la pleine mesure de l'écart idéologique qui le sépare du peuple canadien-français. Grand admirateur du général Wolfe, il explique avoir proposé, dans une édition du *Pilot* de Montréal de septembre 1858, l'organisation d'une célébration pour marquer le centenaire de la bataille des plaines d'Abraham et rappeler le souvenir des deux généraux ennemis qui y trouvèrent la mort. Expliquant que son projet a été violemment rejeté par la presse canadienne-française, il avoue ensuite ne pas avoir compris pourquoi[19].

En somme, souscrivant à l'idée d'une domination britannique, le discours de Bell laisse transparaître une pointe de mépris à l'endroit du

---

17 Littéralement : il donne sa conférence le 13 septembre 1859, et son embauche comme traducteur de l'*Histoire* est annoncée dans le *Pilot* du 14 septembre 1859.

18 Malgré « les maux, réels ou imaginaires, qu'ils ont éprouvés aux mains des Britanniques, les Canadiens français doivent se rappeler, en toute justice, les bénéfices qu'ils ont retirés du fait que la large égide de la Grande-Bretagne se soit interposée entre eux et les périls de la guerre et de l'inconstance. » (Nous traduisons.)

19 « *The idea was favourably, in a few instances warmly, taken up by several members of the British Canadian press. [...] The proposal, however, met with a very different reception from the Gallo-Canadian press, the writers in which denounced, mocked, or carped at it, in the most bitter, nay even insulting terms. Never did a kindly meant and conciliatory expressed "notion" meet more unworthy treatment than mine, from all my French* confrères *of Lower Canada.*

*I was a little vexed at this, I must own, and not a little surprised; for I have lived long in the mother country of these gentlemen [*la France*], and where, such is my intimate knowledge of the character of the French people, a "demonstration" like that I proposed would have met general approval, perhaps even been hailed with enthusiasm* (Bell, 1859 : 7-8).

peuple canadien-français, pour qui l'Angleterre aurait, selon lui, eu trop d'égards. À mesurer la distance qui existe entre le champ de production original de l'œuvre et le champ de réception où se réalisera sa traduction, on peut raisonnablement penser que l'œuvre sera adaptée à l'horizon d'attente d'un nouveau public.

Sur le statut politique du Bas-Canada

À la lumière de ce qui a été précédemment discuté, il est aisé de voir le fossé idéologique qui sépare Garneau de son traducteur. Alors que les sympathies de l'historien sont résolument libérales et canadiennes-françaises, celles de Bell penchent clairement du côté britannique, et son discours laisse entrevoir un certain dédain pour les revendications des Canadiens français. Dans cette mesure, il ne faut pas se surprendre, à la lecture des versions originale et traduite du livre seizième de l'*Histoire du Canada*, de voir que celles-ci sont le lieu d'un véritable débat entre les deux hommes au sujet du statut politique du Bas-Canada des années 1830. Autrement dit, l'acte de traduction révèle deux manières de concevoir le lieu d'ancrage du pouvoir et son effectuation.

En effet, alors que Garneau ne désigne que très rarement le Bas-Canada comme une colonie, Bell semble, de son côté, tenir particulièrement à rappeler le statut colonial de ce dernier. Un premier exemple de ce glissement se trouve dans un passage où Garneau évoque les tensions survenues entre la Chambre d'assemblée, le Conseil législatif et le gouverneur quelques années avant les troubles politiques. Dans ce contexte, il souligne que « tous les moyens seraient pris pour rétablir l'harmonie et la concorde entre les trois pouvoirs de *l'État*[20]» (1859b : 260), ce que Bell traduit par : « *every means would be taken to restore concord among the three branches of* the colonial government[21] » (1860b : 305). Ce procédé correspond à ce qu'Antoine Berman nomme la « clarification négative », qui consiste à « rendre "clair" ce qui ne veut pas l'être dans l'original » (1985 : 73). Ainsi, alors que Garneau élude par son choix de mots la subordination du Gouvernement du Bas-Canada à une puissance exté-

---

[20] Dans les citations qui suivront, nous mettrons certains éléments des citations françaises en italique et omettrons l'italique pour certains éléments des citations anglaises afin de mieux faire ressortir la nature distincte du propos original et de sa traduction.

[21] « Tous les moyens seraient pris pour rétablir la concorde entre les trois branches du gouvernement colonial. » (Nous traduisons.)

rieure, Bell vient clairement la souligner par l'emploi du mot *colonial*. Quelques pages plus loin, Garneau nous annonce que tout semble rentrer dans l'ordre et que le gouverneur Kempt « suggérait, pour *favoriser ces progrès* [soit l'augmentation du commerce, du revenu public et du nombre d'écoles, l'amélioration des routes et l'ordre des finances], de perfectionner la loi des monnaies et celle de l'éducation » (1859b : 263). Pour sa part, le traducteur écrit que Kempt « *suggested that, for* the advancement of the colony in its new career, *the currency laws should be ameliorated, and education still better cared for*[22] » (Bell, 1860b : 309), venant ainsi souligner plus clairement que ne le fait Garneau la nature coloniale du Bas-Canada. Bref, d'une part, Garneau évite de souligner le statut colonial du Bas-Canada, ce qui n'est pas incongru dans les paramètres de sa pensée libérale où la légitimité du pouvoir politique doit d'abord reposer entre les mains de la Chambre d'assemblée bas-canadienne. De l'autre, Bell, en tablant sur le statut colonial, tient un discours qui rejoint la pensée des cadres anglais voulant que le pouvoir politique au Bas-Canada doive reposer entre les mains de l'autorité britannique. Mais de quoi ces inflexions dans les deux discours sont-elles le nom ? Procèdent-elles bel et bien de conceptions différentes du lieu où doit reposer la légitimité du pouvoir politique bas-canadien ? Pour le vérifier, il sera utile de pousser plus loin l'analyse du discours garnélien et de sa traduction.

François-Xavier Garneau : le pouvoir au peuple

À la lecture de l'*Histoire du Canada*, on constate rapidement, dès le « Discours préliminaire », que Garneau se range derrière le principe d'un pouvoir populaire :

> Nous voyons maintenant penser et agir les peuples ; nous voyons leurs besoins et leurs souffrances, leurs désirs et leurs joies ; [...] Mais il fallait la révolution batave, celle d'Angleterre, celle des colonies anglaises de l'Amérique, et surtout la révolution française, pour rétablir solidement le lion populaire sur son piédestal (1859a : xiii).

Dans cette mesure, on comprend que ses sympathies iront davantage à une Chambre d'assemblée élue qu'à un Conseil législatif nommé. Il appuie d'ailleurs totalement la cause de la Chambre, à savoir l'obtention

[22] « [...] suggéra, *pour le progrès de la colonie dans sa nouvelle voie*, que les lois des monnaies soient améliorées et qu'on prenne un meilleur soin de l'éducation. » (Nous traduisons.)

du plein contrôle des affaires intérieures du Bas-Canada, qui permettrait enfin aux Canadiens français d'assurer leur avenir :

> Car, quant à la justice de leur cause, ils avaient cent fois plus de droit de renverser leur gouvernement que n'en avait eu l'Angleterre elle-même en 1668, et les États-Unis en 1775, parce que c'était contre leur nationalité, cette propriété la plus sacrée d'un peuple, que le bureau colonial dirigeait tous ses coups (1859b : 305).

Il sait toutefois, pour se prémunir contre des accusations de partialité, se montrer critique de la stratégie du Parti patriote canadien-français en reprochant, entre autres, à la Chambre le rejet de la liste civile à un moment où le pouvoir britannique fait preuve d'ouverture. Garneau réprouve également l'insurrection, mais pas pour les raisons que l'on pourrait croire :

> Il fallait avoir prévu ce résultat [la défaite patriote] d'avance, et ne pas se mettre dans le cas de subir toutes les conséquences d'une défaite, sans avoir réellement combattu ; car les petits chocs qui venaient d'avoir lieu n'étaient que le fruit d'une agitation locale, insuffisante pour amener un soulèvement en masse et une véritable révolution (1859b : 322).

En d'autres mots, convaincu du bon droit de la cause canadienne-française, il regrette l'insurrection non pas parce qu'il la juge illégitime, mais bien parce que, « prématurée et inattendue » (1859b : 327), elle échoue à mener à une « véritable révolution ». Cependant, le fait que l'on ait assisté à une insurrection locale plutôt qu'à une révolution généralisée permet à Garneau de conclure que, malgré les troubles et l'oppression, les Canadiens français sont, en grande partie, restés fidèles à la Couronne. Cela lui permet de mieux condamner le gouvernement britannique qui, après avoir « viol[é] l'un des principes les plus sacrés de la constitution en ordonnant le payement des fonctionnaires sans le vote de la législature[23] » (1859b : 310), en vient à planifier, tout en le niant, une union des deux Canadas (1859b : 333 et suivantes). Garneau va jusqu'à dire que l'insurrection fut le dernier acte d'un long complot fomenté par le Bureau colonial dans le seul et unique but d'imposer l'union des deux Canadas aux Canadiens français (1859b : 329-330). À la veille de cette union, le verdict de Garneau est on ne peut plus clair : « le parti anglais, à Londres, à Québec et à Montréal, faisait voir, par la spontanéité de ses mouvements et la concordance de ses vues, qu'il était sûr maintenant des intentions

[23] Par les résolutions Russell.

de lord Durham, et que les Canadiens allaient enfin leur être sacrifiés » (1859b : 341). En d'autres termes, selon lui, l'Acte d'Union vient signer l'arrêt de mort de la culture canadienne-française, mort depuis longtemps désirée par le « parti anglais ».

En somme, selon Garneau, la Chambre d'assemblée, issue d'un pouvoir populaire qu'il place au-dessus de tout, agit dans les limites fixées par le parlementarisme britannique. S'il n'hésite pas à lui imputer certaines erreurs stratégiques, il se dit néanmoins convaincu de la justesse de sa cause. À l'inverse, il souligne en de nombreux endroits le caractère anticonstitutionnel des actions prises par le parti anglais, mu par la volonté claire d'assujettir le peuple canadien-français. Dans cette mesure, aucun doute possible : la pensée de Garneau est bel et bien libérale et s'insère tout à fait dans la logique canadienne-française de son époque. Pour lui, la légitimité du pouvoir bas-canadien repose entre les mains de la Chambre d'assemblée, et la réponse britannique relève de la « tyrannie », car elle viole la constitution du Bas-Canada. Ainsi, il paraît raisonnable de penser que Garneau cherche à apporter de l'eau à son moulin en évitant de rappeler le statut colonial du Bas-Canada, rappel qui pourrait laisser entendre que le pouvoir réside ultimement entre les mains des Britanniques.

Bell : l'Angleterre est maître

Mais si le discours de Garneau, en évitant de désigner le Canada comme une colonie, prône la remise du pouvoir politique du Bas-Canada entre les mains du peuple, est-ce à dire que Bell, en soulignant le statut colonial du Canada, soutient que ce sont les Britanniques qui détiennent la légitimité du pouvoir? La déduction, ainsi posée, serait trop courte; le travail de Bell, malgré les libertés qu'il prend, est d'abord et avant tout une traduction. Dans cette mesure, Bell n'a pas la même liberté que Garneau pour exprimer son opinion et, conséquemment, son positionnement, dans la traduction, n'est pas aussi clair que celui de l'auteur de l'*Histoire*. Outre le rappel fréquent du statut colonial du Bas-Canada, d'autres indices donnent à penser que c'est surtout la pensée de Bell qui opère ici. Ainsi, on constate, par exemple, que sa plume tend à radicaliser régulièrement les positions et le ton de la Chambre d'assemblée. Alors que Garneau écrit que la Chambre

> décida qu'elle ne devait en aucun cas *abandonner son contrôle* sur la recette et la dépense du revenu entier ; que le parlement impérial, où le Canada n'avait pas de représentants, *ne pouvait intervenir que pour révoquer* les lois contraires aux droits des Canadiens ; que son intervention dans les affaires intérieures ne pouvait qu'aggraver le mal (Garneau, 1859b : 262).

Bell traduit :

> *The decision arrived at was, that in no case would the assembly* recede from its determination to assume unlimited control *over the entire financial receipts and public expenditure; that the imperial parliament, wherein Canada had no representative,* had no right to interpose for the renovations *of laws which the Canadians considered needful for the maintenance of their rights; and intimating that interference in the local legislation of Canada* in any way by *British legislators could only aggravate existing evils*[24] (1860b : 307-308).

On remarque que le ton de la traduction anglaise est plus agressif ; alors que le texte français parle d'« abandonner son contrôle », ce qui laisse sous-entendre que c'est déjà là un pouvoir de la Chambre, la version anglaise mentionne plutôt une « détermination de prendre le contrôle illimité » (« *determination to assume unlimited control* »). Ce changement de ton laisse entendre que la Chambre réclame un contrôle qu'elle ne possède pas et vient clarifier (au sens où l'entend Berman) la nature du contrôle en question en lui donnant la plus grande mesure possible (« *unlimited* »), accentuant aussi la nature de la demande de la Chambre. De plus, cette dernière, dans le texte original, définit les cas où le Parlement impérial peut intervenir, la traduction émet plutôt une interdiction (« *no right* »), ce qui donne encore une fois à la phrase anglaise un ton plus belliqueux, ton qui est accentué par l'ajout, plus loin, de « de quelque façon que ce soit » (« *in any way* »).

On relève un autre exemple du même ordre lorsque Garneau rapporte le discours des membres de la Chambre à propos des réformes demandées :

[24] « La décision arriva et fut qu'en aucun cas l'assemblée *ne renoncerait à sa détermination de prendre le contrôle illimité* des recettes financières et des dépenses publiques dans leur ensemble ; que le Parlement impérial, où le Canada n'avait pas de représentants, *n'avait aucun droit de s'interposer pour réformer* des lois que les Canadiens considéraient utiles au maintien de leurs droits ; et laissèrent entendre qu'une interférence, *de quelque façon que ce soit,* des législateurs britanniques dans la législation locale du Canada ne pourrait qu'aggraver les maux existants. » (Nous traduisons.)

> MM. de Bleury, Lafontaine, Morin, Rodier, etc., trouvèrent qu'on s'arrêtait au milieu de la carrière. *Il fallait* que le peuple entrât en possession de tous les droits et de tous les privilèges qui font son partage indubitable dans le Nouveau-Monde (1859b : 273).

Dans la version anglaise, la traduction se lit comme suit :

> *Messrs. de Bleury, Lafontaine, Morin, Rodier, &c. opined that* it was a pity *to stop* (even for a moment) *in mid-career.* It was absolutely necessary (it seemed to such as they) *that the people should* at once *enter into possession of all the rights, and of every privilege, which devolved indubitably upon all the citizens of the New World*[25] (1860b : 321).

Encore une fois, la traduction radicalise le ton de la Chambre en ajoutant une dimension absolutiste (« *absolutely* ») et une contrainte de temps (« *at once* ») dans les demandes de celle-ci. À cela s'ajoute une clarification qui accentue le jugement négatif des membres de la Chambre quant au fait d'arrêter là la liste des revendications et, surtout, deux commentaires émanant directement de Bell et placés entre parenthèses. Le premier (« *even for a moment* ») souligne le radicalisme du discours patriote en mettant l'accent sur la vitesse à laquelle les membres souhaitent demander des réformes. Mais le second est bel et bien une opinion de Bell : en soulignant de la sorte qu'il semblait nécessaire aux membres de l'Assemblée (« *it seemed to such as they* ») que le peuple entre en possession de tous ses droits et privilèges, il se distancie de cette affirmation.

Pour rares qu'ils soient dans la traduction de l'*Histoire du Canada*, ces passages, en plus de révéler certains aspects de la pensée de Bell, nous permettent de donner un sens clair aux phénomènes précédemment observés. En effet, l'omniprésence des rappels du statut colonial du Bas-Canada, la radicalisation du discours de la Chambre d'assemblée et, même, l'accentuation du niveau de crise à la veille des troubles (Bell a tendance à rendre plus critique que Garneau l'état de crise au Bas-Canada) sont des procédés observables, mais dont les raisons d'être ne peuvent qu'être supposées sans le discours direct du traducteur. Or les quelques incursions dans la pensée personnelle de Bell nous permettent de valider nos suppo-

[25] « MM. De Bleury, Lafontaine, Morin, Rodier, etc. étaient d'avis que c'était dommage de s'arrêter (*même pour un moment*) au milieu de la carrière. Il était absolument nécessaire *(cela leur semblait ainsi)* que le peuple entre immédiatement en possession de tous les droits et de chaque privilège qui échoient indubitablement à tous les citoyens du Nouveau Monde. » (Nous traduisons.)

sitions. Ainsi, lorsque Bell vient qualifier d'« abstraite » (« *abstract* ») « la justice de [la] cause » (Garneau, 1859b : 305) des Canadiens français[26], il laisse peu de doutes sur son antipathie à leur cause.

Le discours de Bell laisse peu de place à l'ambiguïté quant aux dépositaires légitimes du pouvoir politique bas-canadien. Selon lui, ce sont les Anglais qui mènent. Cela se confirme d'ailleurs dans une note en bas de page qu'il ajoute à un endroit où Garneau juge que les résolutions Russel sont « conformes aux résolutions les plus hostiles » (1859b : 310) faites par les commissaires chargés d'étudier la situation du Bas-Canada :

> *As a plain statement of the « hostile » proceedings of the imperial parliament on this occasion, given by perhaps the most « liberal » of all British historians, may be acceptable to impartial readers, we subjoin the following summary of the whole transaction, as we find it in Wade's* British Chronology, *p. 1020 :* [...] « *Mr. Roebuck, and some other members, opposed the resolutions as an infringement of the Canadian constitution, and a coercing of the people. But, the violent proceedings of the colonial parliament calling for strong measures, they met with the general support of political parties*[27] » (Bell, 1860b : 368).

En d'autres termes, pour excuser les mesures jugées anticonstitutionnelles par certains qui furent adoptées par le gouvernement britannique, il cite un auteur expliquant que la mesure était rendue nécessaire par les agissements « violents » de la Chambre d'assemblée. En remettant ouvertement en question la nature jugée hostile par Garneau des procédés du Parlement britannique et en citant un auteur justifiant les mesures adoptées contre la Chambre bas-canadienne par le pouvoir métropolitain, Bell indique clairement dans quel camp il se range : contre le pouvoir investi par le peuple canadien-français tel que le prône Garneau, il se rallie au pouvoir suprême de la métropole. Ainsi, il est raisonnable de penser qu'en

---

26 Bell écrit littéralement : « *the* (abstract) *justice of their cause* » (Bell, 1860b : 361) (« La justice *(abstraite)* de leur cause. » (Nous traduisons.))

27 « Puisqu'un compte rendu clair des procédés "hostiles" du Parlement impérial à cette occasion, fait par celui qui est peut-être le plus "libéral" des historiens britanniques, pourrait sembler acceptable aux lecteurs impartiaux, nous adjoignons le résumé suivant de l'affaire entière, tel que nous le trouvons dans la *British Chronology* de Wade, à la page 1020 : [...] "M. Roebuck et certains autres membres s'opposèrent aux résolutions puisqu'elles enfreignaient la constitution canadienne, et qu'elles constituaient une coercition du peuple. Mais les procédés violents du Parlement colonial appelant des mesures fortes, elles obtinrent l'appui général des partis politiques". » (Nous traduisons.)

soulignant le statut colonial du Bas-Canada et en radicalisant la Chambre d'assemblée, il cherche à rendre moins légitime le comportement de cette dernière tout en justifiant les mesures prises par la métropole face à l'intransigeance de la Chambre et à l'insurrection des patriotes. Ici aussi, nous retrouvons un discours correspondant à la fois à la pensée politique de l'homme qui l'a émis et au contexte sociohistorique dont il est issu.

La présente étude comparative des deux textes laisse clairement paraître que Garneau et Bell ont des opinions diamétralement opposées en ce qui a trait au lieu où repose la légitimité du pouvoir politique dans le Bas-Canada des années 1830. En effet, alors que le premier juge que la Chambre est dans son bon droit, et qu'il semble tenter, dans cette mesure, de minimiser le lien politique assujettissant le Bas-Canada à l'Angleterre, le second penche clairement du côté du parti anglais, et tente d'adapter sa traduction en conséquence. On le voit donc souligner à maintes reprises la dépendance coloniale du Bas-Canada face à l'Angleterre à l'aide de clarifications, et on le voit à plusieurs endroits ajouter des éléments au discours de Garneau, tantôt en les soulignant ouvertement, tantôt en les camouflant dans le texte, afin de radicaliser le ton de la Chambre d'assemblée. Ces deux stratégies lui permettent, ensuite, de mieux condamner les actions de la Chambre pour cause de radicalisme, et ainsi de justifier les mesures répressives adoptées par l'Angleterre.

À la lumière de ce que nous avons exposé à propos de la pensée politique de Garneau et de son traducteur ainsi que des champs de production dans lesquels les deux auteurs évoluent respectivement, ces discours n'ont rien d'étonnant. En effet, pour Garneau, dès le « Discours préliminaire » de son œuvre, la cause est entendue : le peuple doit être maître de sa destinée. Dans cette mesure, la Chambre « populaire » doit avoir raison.

De l'autre côté, pour Bell, les Canadiens français, un peuple conquis par l'Angleterre, semble en mener beaucoup trop large. Pour lui, comme pour la faction anglaise, la répression des troubles puis l'Acte d'Union ne sont que des mesures qui viennent enfin rétablir l'ordre naturel des choses, trop longtemps renié : l'Angleterre est conquérante, elle doit donc régner en maître sur les territoires lui appartenant. Il apparaît donc que l'*Histoire du Canada* de Garneau est une œuvre qui se situe dans le prolongement de sa pensée politique, qui elle-même s'inscrit dans le courant politique dominant de son champ de production canadien-français. De son côté, le traducteur, qui se situe dans le courant qui domine le champ d'accueil étranger de l'œuvre, transforme radicalement le propos politique de celle-ci, qui s'inscrit alors dans un mode de pensée s'éloignant sensiblement de celui de l'œuvre originale, et ce, malgré les dires du traducteur. Dans cette mesure, on ne peut guère être surpris lorsque Garneau, après avoir offert à Lovell de réviser la seconde édition de la version anglaise de son œuvre, déclare, en retirant son offre : « [...] je ne pourrais entreprendre la révision de la traduction de Bell sans la rendre conforme au texte français avec les petites corrections qui peuvent être devenues nécessaires, et sans y consacrer un temps que mes occupations ne me laissent point[28]. »

BIBLIOGRAPHIE

Archives

Université d'Ottawa, Centre de recherche en civilisation canadienne-française (CRCCF) Fonds François-Xavier-Garneau, P144

Œuvres d'Andrew Bell

Bell, Andrew : voir aussi Thomason, A.

(1859). *General James Wolfe, His Life and Death: A Lecture Delivered in the Mechanics' Institute Hall, Montreal, on Tuesday, September 13, 1859, Being the Anniversary Day of the Battle of Quebec, Fought a Century Before in Which Britain Lost a Hero and Won a Province*, Montréal, John Lovell.

(1860a). *History of Canada, From the Time of Its Discovery Till the Union Year (1840-41)*, traduction de l'*Histoire du Canada* de François-Xavier Garneau, Esq., vol. I, Montréal, John Lovell.

(1860b). *History of Canada, From the Time of Its Discovery Till the Union Year (1840-41)*, traduction de l'*Histoire du Canada* de François-Xavier Garneau, Esq., vol. III, Montréal, John Lovell.

(1862). *Men and Things in America: Being the Experience of a Year's Residence In the United State, In a Series of Letters to a Friend*, 2e éd., Southampton, E. Paul and Son. Première édition parue sous le nom d'A. Thomason (1838).

[28] « Lettre de François-Xavier Garneau à John Lovell, Québec, 26 mai 1862 », Université d'Ottawa, Centre de recherche en civilisation canadienne-française, Fonds François-Xavier-Garneau, P144/2/12.

THOMASON, A. [pseudonyme d'Andrew BELL] (1838). *Men and Things in America: Being the Experience of a Year's Residence in the United States, In a Series of Letters to a Friend*, Londres, William Smith.

Œuvres de François-Xavier Garneau

(1859a). *Histoire du Canada, depuis sa découverte jusqu'à nos jours,* t. 1, 3e édition revue et corrigée, Québec, P. Lamoureux.

(1859b). *Histoire du Canada, depuis sa découverte jusqu'à nos jours,* t. 3, 3e édition revue et corrigée, Québec, P. Lamoureux.

(1859c). *Le Journal de Québec,* 15 octobre, p. 2.

(2012). *Poésies,* édition critique, texte établi et annoté par Yolande Grisé et Paul Wyczynski, Québec, Les Presses de l'Université Laval.

Livres et articles

BÉDARD, Théophile-Pierre (1869). *Histoire de cinquante ans (1791-1841) : annales parlementaires et politiques du Bas-Canada depuis la Constitution jusqu'à l'Union*, Québec, Léger Brousseau.

BERMAN, Antoine (1985). « La traduction comme épreuve de l'étranger », *Texte : traduction/textualité = Text/translatability*, n° 4, p. 67-81.

BOURDIEU, Pierre (2002). « Les conditions sociales de la circulation internationale des idées », *Actes de la recherche en sciences sociales*, vol. 4, n° 145 (décembre), p. 3-8.

CASGRAIN, Henri-Raymond (1866). *Un contemporain : F.X. Garneau*, Québec, J. N. Duquet.

CHAUVEAU, Pierre-Joseph-Olivier (1883). *François-Xavier Garneau : sa vie et ses œuvres,* Montréal, Beauchemin & Valois, libraires-imprimeurs.

DE CELLES, Alfred D. (1901). *Les constitutions du Canada, étude politique*, Ottawa, J. Hope & Son.

GRISÉ, Yolande (2012). « Introduction : notre premier poète romantique », dans François-Xavier Garneau, *Poésies*, Québec, Les Presses de l'Université Laval.

HEILBRON, Johan, et Gisèle SAPIRO (2002). « La traduction littéraire, un objet sociologique », *Actes de la recherche en sciences sociales*, vol. 4, n° 144 (septembre), p. 3-5.

LAMONDE, Yvan (1998). « "L'ombre du passé" : Garneau et l'éveil des nationalités », dans Gilles Gallichan, Kenneth Landry et Denis Saint-Jacques (dir.), *François-Xavier Garneau : une littérature nationale*, Québec, Éditions Nota bene, p. 51-83.

LANCTOT, Gustave (1946). *Garneau, historien national*, Montréal, Éditions Fides.

LEMIRE, Maurice, et Denis SAINT-JACQUES (dir.) (1996). *La vie littéraire au Québec,* t. III : *1840-1869 : « Un peuple sans histoire ni littérature »*, avec la collaboration de Marie-Andrée Beaudet *et al.*, Québec, Les Presses de l'Université Laval.

MARCOTTE, Gilles (1996). « Garneau dans le texte », dans François-Xavier Garneau, *Histoire du Canada depuis sa découverte jusqu'à nos jours : discours préliminaire, livres I et II*, Montréal, Bibliothèque québécoise, p. 7-42.

Morley, William F. E. (2003). « Bell, Andrew (circa 1827-1863) », dans *Dictionnaire biographique du Canada,* vol. 9 : *1861-1870*, Université Laval / University of Toronto, [En ligne], [http://www.biographi.ca/fr/bio/bell_andrew_1827_1863_9F.html] (22 février 2014).

Parent, Étienne (1832). Sous la rubrique « Québec : mercredi, 7 novembre 1832 », *Le Canadien,* 7 novembre, p. 2, [En ligne], [http://collections.banq.qc.ca/ark:/52327/1912385#].

The Pilot (1859). Sous la rubrique « Montreal, Wednesday, September 14 », 14 septembre, p. 2.

Robitaille, Georges (1929). *Études sur Garneau : critique historique*, Montréal, Librairie d'Action canadienne-française.

Savard, Pierre, et Paul Wyczynski (1977). « Garneau, François-Xavier », dans *Dictionnaire biographique du Canada,* vol. 9 : *1861-1870*, Université Laval / University of Toronto, [En ligne], [http://www.biographi.ca/fr/bio/garneau_francois_xavier_9F.html] (11 août 2014).

L'état de la reconnaissance et de la non-reconnaissance des acquis des immigrants africains francophones en Alberta

Amal Madibbo
Université de Calgary

Cet article met en lumière l'expérience de la première génération d'immigrants africains francophones en provenance de l'Afrique subsaharienne en ce qui concerne la reconnaissance et la non-reconnaissance de leurs diplômes et expérience professionnelle en Alberta. Nous nous servons des études existantes pour montrer qu'une proportion importante d'immigrants au Canada fait face à la problématique de la non-reconnaissance des acquis obtenus à l'étranger et que cette problématique renvoie à plusieurs facteurs systémiques, linguistiques et culturels. En nous basant sur une étude que nous avons menée entre 2008 et 2011[1] en Alberta auprès de 34 individus originaires de pays tels que la République démocratique du Congo, le Cameroun, le Rwanda et le Sénégal, nous explorons la démarche que quatre participants ont entamée afin de faire reconnaître leurs acquis en Alberta et les conséquences qui s'en sont suivies. Les résultats des entrevues semi-dirigées et des analyses documentaires[2] révèlent qu'en dépit des initiatives mises en

[1] Le projet sur l'identité raciale et ethnique des immigrants africains francophones, qui a été subventionné par le programme University of Calgary Starter Grants (2008-2011) et le Centre canadien de recherche sur les francophonies en milieu minoritaire (CRFM) de l'Université de Regina (2009), analyse les choix identitaires de la première génération d'immigrants africains francophones en Alberta dans les villes de Calgary, d'Edmonton et de Brooks. L'étude examine comment les immigrants en provenance de l'Afrique subsaharienne se définissent par rapport à la communauté immigrante, à la communauté francophone en général et à l'ensemble de la société canadienne. L'équipe de recherche, deux étudiantes de deuxième cycle – Raheela Manji et Josée Couture – et moi-même – Dr Amal Madibbo, a terminé la collecte des données de l'étude menée à l'aide des méthodes de recherche qualitatives d'entrevues semi-dirigées et d'analyses documentaires.

[2] Les documents utilisés dans cet article sont composés de revues et d'ouvrages scientifiques, de rapports produits par le Gouvernement de l'Alberta, par certains ordres

œuvre pour optimiser la reconnaissance des acquis des immigrants en Alberta, certaines lacunes persistent et nuisent à la reconnaissance des qualifications des immigrants. Ces facteurs nous servent de base pour déterminer de bonnes pratiques, qui donneraient lieu à une meilleure reconnaissance de la formation et de l'expérience des immigrants.

Certains chercheurs dans le domaine précisent que, malgré un niveau de scolarité beaucoup plus élevé que celui des personnes nées au Canada, un nombre important d'immigrants n'arrivent pas à obtenir un emploi dans leur domaine de spécialisation (Girard, Smith et Renaud, 2008). Toutefois, plusieurs occupent des postes qui nécessitent un diplôme secondaire seulement (Galarneau et Morissette, 2008). Des études soulignent aussi que cette situation relève souvent de la non-reconnaissance des diplômes et de l'expérience professionnelle obtenus à l'étranger (Houle et Yssaad, 2010 ; Li, 2003 ; Reitz, 2007). Ainsi, en 2005 les acquis de 340 000 immigrants n'ont pas été reconnus au Canada (Samuel et Basavarajappa, 2006). De nombreux facteurs sont liés à la non-reconnaissance des acquis des immigrants tels que le niveau de compétence en anglais et en français, de même que la qualité de l'enseignement et de l'expérience de travail prémigratoires (Picot, 2008). D'autres chercheurs ont indiqué que, dans certains cas, l'âge, le statut familial et le manque de renseignements appropriés sur l'évaluation et la reconnaissance des acquis freinent également la reconnaissance des titres professionnels. À ces éclaircissements s'ajoute le racisme systémique et institutionnel comme une des causes de la non-reconnaissance des acquis des immigrants. Ce racisme se manifeste sur le marché du travail sous forme de sous-emploi ou d'exclusion complète de l'emploi (Das Gupta *et al.*, 2007 ; Commission ontarienne des droits de la personne, 2005). Par exemple, il a été précisé qu'au Québec le taux de chômage des Haïtiens était deux fois plus élevé (15,9 %) que celui de l'ensemble des Québécois (8,2 %) (Diversité artistique Montréal, [s. d.]). En plus, le racisme est même parfois basé sur le nom du candidat de telle manière que les candidats dont les noms semblent anglo-saxons ont plus de chances d'être invités aux entretiens d'embauche que les individus dont les

professionnels et par des organismes communautaires en Alberta ainsi que des renseignements affichés sur les sites Web du Gouvernement de l'Alberta, des ordres professionnels, des universités en Alberta et dans les pays africains francophones où les participants à la recherche ont été formés.

noms sont à connotation « ethnique » (Oreopoulos, 2009). Ces pratiques discriminatoires nuisent à la reconnaissance des acquis dans la mesure où elles empêchent les immigrants de remplir une des exigences les plus importantes dans ce domaine, soit l'obtention d'une expérience de travail au Canada.

Le racisme renvoie également au fait que des évaluateurs et employeurs canadiens, qui ne connaissent pas suffisamment les systèmes éducatifs et la culture du travail, se servent des préjugés et stéréotypes eurocentriques qui associent certaines régions du monde, surtout les pays occidentaux, au progrès et d'autres, notamment les pays en voie de développement, à la décadence, pour déterminer la qualité des acquis des immigrants (DeVoretz et Coulombe, 2005). Ainsi, les évaluateurs et employeurs supposent que la valeur des diplômes de la majorité des pays en voie de développement est moindre que celle des diplômes canadiens et que le capital humain des individus originaires de ces pays est rudimentaire. D'après les commentateurs, les immigrants dont les acquis sont obtenus dans des pays occidentaux anglophones tels que l'Angleterre, les États-Unis, l'Australie et les États de l'Europe de l'Ouest ont plus de chances, pour ces raisons, d'occuper un emploi dans leur domaine professionnel que ceux qui sont formés dans des régions en voie de développement telles que l'Amérique latine, les Antilles, l'Afrique ou l'Asie (Boyd et Thomas, 2002).

Les recherches citées ci-dessus explorent la problématique de la reconnaissance et de la non-reconnaissance des acquis des immigrants dans plusieurs provinces canadiennes anglophones ainsi qu'au Québec. Cependant, ce sujet demeure sous-étudié dans certaines provinces telles que l'Alberta et dans le cas des francophones en situation minoritaire au Canada. À titre d'exemple, Chedly Belkhodja et Éric Forgues (2009) ont fait allusion à une certaine dévaluation des compétences des immigrants francophones dans le domaine de la santé au Canada anglophone. Pour sa part, Jean Lafontant (2007) a attiré l'attention sur la non-reconnaissance des acquis des immigrants francophones à Winnipeg dans plusieurs domaines de professions réglementées.

La population de l'Alberta, qui s'élève présentement à 4 082 600 habitants, connaît une croissance plus rapide que celle des autres provinces canadiennes. Selon Statistique Canada, en date du 1er juillet 2013, la population de l'Alberta a augmenté de 3,4 % par rapport à 2012, ce qui représente le double de la moyenne nationale. Ce développement provient surtout de l'immigration interprovinciale et internationale vers l'Alberta. De plus, la province va continuer à dépendre de l'immigration comme source de travailleurs qualifiés. Cependant, un rapport publié en 2007 a révélé que 45 % des immigrants professionnels en Alberta formés à l'extérieur du Canada n'occupaient pas un emploi qui correspondait à leurs qualifications, que 49 % étaient surqualifiés pour l'emploi qu'ils occupaient et que la scolarité et l'expérience de travail de 64 % des immigrants n'avaient pas été reconnues (International Qualifications Assessment Service (IQAS), 2007). Conscient de l'importance de l'immigration pour le bien-être de la province, le Gouvernement de l'Alberta a donné suite aux résultats de cette étude et de celles qui expliquent les raisons derrière la non-reconnaissance des acquis des immigrants en mettant en œuvre, en 2008, une stratégie destinée à abolir les barrières qui nuisent à la reconnaissance des compétences des immigrants. Cette stratégie, qui est décrite dans un document intitulé *A Foreign Qualification Recognition Plan for Alberta* (Alberta. Gouvernement, 2008), vise les trois dimensions suivantes :

1) L'information spécialisée : fournir aux immigrants des renseignements récents et appropriés sur toutes les étapes de l'évaluation et de la reconnaissance des acquis, ce que le gouvernement effectue par l'entremise d'initiatives telles que le site Web *Immigrate to Alberta,* qui explique les démarches de l'évaluation et de la reconnaissance des acquis. On cherche également à inciter les ordres professionnels à se procurer des ressources qui facilitent la compréhension des systèmes éducatifs et des milieux de travail de plusieurs pays du monde. Pour ce faire, le gouvernement a entamé une étude sur la formation postsecondaire en médecine en Allemagne et dans cinq pays en voie de développement, à savoir : l'Inde, le Pakistan, l'Afrique du Sud, l'Égypte et le Nigéria, pour aider les évaluateurs à comparer la scolarité de ces pays avec les diplômes canadiens.

2) L'équité et l'élimination de la discrimination et des préjugés : s'assurer de la fiabilité des méthodes d'évaluation des acquis. Pour y arriver, le gouvernement emploie des mesures de suivi et de responsabilisation auprès de certains ordres professionnels en leur demandant de rédiger des rapports décrivant les démarches et les résultats de l'évaluation des acquis des professionnels formés à l'extérieur du Canada qui postulent pour obtenir un permis d'exercice de professions réglementées en Alberta. Le

gouvernement se base sur ces rapports pour déterminer les lacunes qui persistent et, ensuite, privilégier d'autres initiatives susceptibles d'assurer davantage d'équité. En outre, on vise à optimiser l'appréciation et l'adaptation à la diversité culturelle et ethnique ainsi que l'embauche des immigrants par l'entremise d'ateliers de formation sur la gestion de la diversité culturelle que le gouvernement organise à l'attention des employeurs à travers la province.

3) La mise à jour des habiletés des immigrants : permettre aux immigrants de répondre aux exigences du marché du travail canadien et des diplômes canadiens à travers des programmes de transition en comptabilité, en ingénierie, en pharmacie et en sciences infirmières, entre autres professions. D'autres initiatives, telles que les cours d'anglais langue seconde et d'anglais dans le milieu de travail, ont été implantées pour aider à renforcer les habiletés linguistiques des immigrants et à les familiariser avec le marché du travail canadien.

Il est évident que des efforts significatifs ont été déployés pour cerner les causes de la non-reconnaissance des acquis des immigrants et que, dans le cas de l'Alberta, une gamme d'initiatives a été mise en place pour permettre aux immigrants, y compris les Africains francophones, d'occuper des professions exigeant un permis d'exercice en Alberta.

L'immigration africaine francophone en Alberta est relativement récente, n'ayant débuté qu'à la fin des années 1990. Cependant, le poids démographique de cette population est important, car 40 % des 238 000 locuteurs du français en Alberta viennent de l'extérieur du Canada, surtout de l'Afrique, de l'Asie et du Moyen-Orient. En plus, l'Afrique francophone a été reconnue comme un bassin potentiel d'immigration vers l'Alberta (Association canadienne-française de l'Alberta (ACFA), 2011). Pour saisir les circonstances de l'évaluation et de la reconnaissance des acquis de certains membres de cette population, nous examinons les profils des quatre participants qui ont exercé des métiers réglementés dans leur pays d'origine avant d'émigrer en Alberta. Il s'agit d'un pharmacien, d'un comptable, d'un ingénieur et d'un médecin, qui ont été respectivement formés dans quatre pays francophones de l'Afrique subsaharienne. Les acquis du pharmacien et du médecin ont été évalués en Alberta avant 2008 et ceux du comptable et de l'ingénieur à partir de 2008. Nous cherchons à voir si les acquis des quatre participants ont ou n'ont pas été reconnus en Alberta et pour quelles raisons. Nous présentons, par la suite, la démarche que certains participants ont entreprise pour répondre aux exigences de l'évaluation et de la reconnaissance de leurs acquis et indiquons pourquoi d'autres ont abandonné le processus en vue de cette reconnaissance. Pour bien contextualiser notre étude, nous nous assurons d'établir un lien entre les résultats de notre étude et les recherches mentionnées ci-dessus qui traitent de l'évaluation et de la reconnaissance des acquis des immigrants au Canada. Nous abordons, ensuite, l'effet de la stratégie que le Gouvernement de l'Alberta a mise en œuvre concernant la reconnaissance des acquis des immigrants francophones dans cette province pour, finalement, dégager les lacunes et proposer des pistes de solutions qui favorisent davantage la reconnaissance des acquis.

Cas à l'étude

Comme nous l'avons vu, un des participants a exercé dans le domaine de la pharmacie dans son pays d'origine. Il y a obtenu un baccalauréat en pharmacie après des études en français d'une durée de cinq ans. Il est devenu membre de l'ordre des pharmaciens de son pays, un processus qui exige une expérience de travail dans le domaine pendant une année et la réussite de l'examen de certification et a, par la suite, exercé sa profession pendant une vingtaine d'années. Le participant est arrivé en Alberta au début des années 2000, quand il était au début de la cinquantaine, et a entrepris les démarches relatives à l'évaluation de son dossier quelques mois après son arrivée en Alberta. À l'instar de l'autre participant dont les acquis ont été évalués avant 2008, ce participant a indiqué qu'il a mis longtemps à obtenir l'information appropriée sur l'évaluation et la reconnaissance des acquis parce qu'il a d'abord reçu des renseignements contradictoires de diverses sources. Finalement, l'Alberta College of Pharmacists (ACF) a évalué ses acquis et a conclu que son diplôme n'était pas comparable aux programmes de pharmacie au Canada et que l'expérience professionnelle obtenue dans son pays d'origine ne pouvait donc être reconnue.

Ainsi, afin d'obtenir le permis d'exercice de la pharmacie en Alberta, l'ACF a demandé à ce participant de suivre des cours universitaires pendant environ trois ans à temps plein, de pratiquer ou d'enseigner la pharmacie pendant au moins 2 000 heures, de se conformer aux exigences en matière d'habiletés langagières en anglais, ce qui consiste à obtenir au moins 50 % au *Test of Spoken English* et à réussir l'examen d'évaluation et l'examen d'aptitude en pharmacie (Bureau des examinateurs en pharmacie du Canada (BEPC), [s. d.]).

Le participant a décidé de remettre à une date ultérieure les démarches en vue de l'obtention du permis d'exercice de la pharmacie, afin de gagner de l'argent pour faire venir sa famille de l'Afrique en Alberta. Il a cherché un emploi à temps plein dans le domaine de la pharmacie pendant une année, mais n'en a pas trouvé : « J'ai finalement opté pour un travail qui ne correspondait pas à mes qualifications, dans [un abattoir]. J'y ai travaillé pendant cinq ans jusqu'à l'arrivée de ma famille [en Alberta] », nous a-t-il dit. Par la suite, sachant qu'il serait dans la soixantaine au moment où il obtiendrait son diplôme, il a décidé d'abandonner la voie de la pharmacie et fait un baccalauréat en éducation de deux ans pour devenir enseignant dans les écoles francophones.

Pour ce qui est du comptable, il a obtenu un baccalauréat en comptabilité après quatre années d'études en français dans son pays d'origine. Il y a reçu un permis d'exercice de la comptabilité dont les exigences consistaient en un examen de certification et une expérience de travail dans le domaine de la comptabilité. Il a, par la suite, exercé le métier de comptable pendant deux ans puis s'est installé après 2005 en Alberta, où ses acquis ont été évalués à la fin de 2008. L'Institute of Chartered Accountants of Alberta (ICAA) considère le pays d'origine du participant dont les acquis « ne sont pas tous équivalents aux critères canadiens en comptabilité ». De ce fait, l'évaluation de ces acquis a eu pour résultat la reconnaissance d'une partie de son programme d'études alors que son expérience de travail a été complètement rejetée. Par conséquent, l'ICAA a demandé au participant de suivre certains cours universitaires pendant deux ans et demi à temps plein et, ensuite, de se conformer aux exigences d'habiletés langagières en anglais, de réussir les examens de certification et d'acquérir une expérience de travail au Canada en comptabilité d'une durée minimale de 30 mois afin d'obtenir le permis d'exercice de la comptabilité (ICAA, 2009).

Comme l'autre individu dont les acquis avaient été évalués à partir de 2008, ce participant nous a informés qu'il a eu un accès facile aux renseignements pertinents liés à l'évaluation des acquis. Cependant, il a estimé que ça lui prendrait quatre ou cinq ans pour répondre aux exigences de la reconnaissance de ses acquis, ce qu'il s'est permis de faire parce que, comme il l'a relaté : « Je suis relativement jeune [il était au début de la trentaine]... Je n'ai pas une grande responsabilité [financière], car je ne suis pas marié et je n'ai pas d'enfants. » Ainsi, le participant a suivi des cours d'anglais langue seconde et des cours en comptabilité à l'université et, en même temps, il a travaillé comme chauffeur de taxi afin de subvenir à ses besoins. Au moment de l'entrevue, le participant avait déjà rempli les exigences langagières et obtenu un diplôme en comptabilité. Lors d'une entrevue informelle qui a eu lieu après 2011, le participant nous a informés qu'il avait également réussi les examens de certification de comptabilité, mais qu'il n'avait pas encore obtenu le permis d'exercice de la comptabilité parce qu'il n'avait pas l'expérience de travail canadienne requise, n'ayant pas encore trouvé un emploi dans le domaine.

Quant à l'ingénieur, il est titulaire d'un diplôme qui a exigé cinq années d'études et a exercé le génie dans une entreprise privée pendant un an dans son pays d'origine. Il a émigré en Alberta au milieu des années 2000 avant d'obtenir le certificat d'exercice de l'ingénierie dans son pays d'origine. Ses acquis ont été évalués en Alberta juste après 2008 et l'Association of Professional Engineers and Geoscientists of Alberta (APEGA) a reconnu une partie de son diplôme, mais a complètement rejeté son expérience de travail. Pour obtenir le permis d'exercice de l'ingénierie en Alberta, le participant devait améliorer son anglais, demander le statut de *membre en formation* pour acquérir une expérience de travail dans le domaine de l'ingénierie d'une durée minimale de quatre ans, dont une année de travail au Canada et, ensuite, devenir *membre professionnel*, un processus qui exigeait des aptitudes en anglais et la réussite des examens du National Professional Practice Examination (APEGA, 2014).

Le participant a estimé qu'il faudrait mettre au moins sept ans pour pouvoir exercer le génie en Alberta. Il était relativement jeune, « à la fin de la vingtaine », mais devait faire venir sa famille en Alberta. Il a donc décidé de parcourir un chemin « moins long » que celui de l'obtention du permis d'exercice de l'ingénierie et a fait une maîtrise en ingénierie. Lors d'une entrevue informelle qui a eu lieu après 2011, le participant a indiqué qu'il avait déjà obtenu la maîtrise en ingénierie et que cela l'avait aidé à obtenir « un bon travail » dans l'industrie du pétrole et du gaz en Alberta, non pas comme ingénieur mais dans un domaine connexe.

Pour ce qui est du médecin, celui-ci a suivi dans son pays d'origine un programme français d'études en médecine de huit ans, composé de cours et d'une pratique de la médecine dans des hôpitaux. Il a, par la suite, réussi les examens de certification, la seule exigence requise pour devenir membre de l'ordre national des médecins de son pays, ce qui lui a permis d'y exercer la médecine pendant cinq années, dont deux années de travail dans un camp de réfugiés. Il s'est installé en Alberta après 2005, et l'évaluation de ses acquis a été effectuée avant 2008. Le College of Physicians and Surgeons of Alberta (CPSA) a précisé que le programme d'études du participant n'a pas été reconnu intégralement et que son expérience de travail n'a pas du tout été reconnue. Cela signifie que, pour obtenir le permis d'exercice de la médecine en Alberta, le participant devait suivre un programme universitaire à temps plein pendant quatre ou cinq ans, terminer une formation postdoctorale « en résidence » pour une durée minimale de deux ans, réussir les examens prescrits par le Conseil médical du Canada, satisfaire aux exigences d'habiletés langagières en anglais, puis présenter une demande d'obtention de permis d'exercice de la médecine auprès du CPSA (CPSA, [s. d.]). Voyant que ce cheminement serait « long, difficile et coûteux », et comme il a précisé : « Je devais investir au moins sept ans dans le processus... et en même temps subvenir aux besoins financiers de la famille [l'épouse et les quatre enfants] », le participant, qui était dans la mi-quarantaine, a décidé d'abandonner la voie de la médecine et a suivi un programme de transition dans le domaine de la santé, qui l'a aidé à obtenir un poste de technicien dans ce domaine.

Discussion et recommandations

Les témoignages des participants corroborent les études sur le sujet, qui montrent que certains immigrants n'obtiennent pas facilement les renseignements appropriés liés à l'évaluation et à la reconnaissance des acquis. En même temps, ces témoignages confirment le succès des initiatives qui cherchent à faciliter l'accès à l'information spécialisée, car les participants dont les acquis ont été évalués à partir de 2008 ont souligné que les renseignements en question étaient disponibles et très bien expliqués.

Quant à l'importance de la connaissance des langues officielles du Canada, nous aimerions rappeler que les quatre participants maîtrisaient le français mais pas l'anglais quand ils sont arrivés en Alberta. Le manque de connaissance de l'anglais a ralenti les démarches d'évaluation et de reconnaissance de leurs acquis, car ils ont consacré du temps à l'apprentissage de cette langue avant de poursuivre leurs démarches. De cette façon, les trajectoires des participants comportent un élément précisé dans les études existantes, à savoir le manque de connaissance des langues officielles du Canada, dans ce cas l'anglais, qui a un effet négatif sur la reconnaissance des acquis des immigrants. Toutefois, les quatre participants ont remarqué l'efficacité et la disponibilité des cours d'anglais langue seconde et d'anglais dans le milieu du travail, ce qui reflète le succès de l'initiative mise en place par le Gouvernement de l'Alberta.

Où en est la connaissance de la deuxième langue officielle du Canada, le français ? Comme nous pouvons le constater, la maîtrise du français n'a pas eu un effet positif sur la reconnaissance des acquis des participants. À cet égard, nous aimerions préciser que peu d'études (Belkhodja et Forgues, 2009 ; Lafontant, 2007) ont fait référence à la dévalorisation du français. Celui-ci est pourtant considéré comme un facteur pouvant nuire à la reconnaissance des acquis des immigrants au Canada anglophone. De cette manière, notre étude confirme la marginalisation du français dans le processus d'évaluation et de reconnaissance des acquis en Alberta. Il faut toutefois préciser que l'Alberta souffre d'une pénurie de médecins francophones ou bilingues (Ngwakongnwi, 2010) surtout là où on retrouve des concentrations de francophones comme dans les régions métropolitaines d'Edmonton et de Calgary, au sein des communautés qui sont principalement francophones comme celles de Rivière-la-Paix et de Saint-Paul ou, encore, dans les trois municipalités bilingues de Beaumont, Légal et Falher. Cela nous amène à souligner la nécessité de reconnaître le français, dans le cadre de l'évaluation et de la reconnaissance des acquis, comme un atout et une valeur ajoutée pour l'Alberta, un élément qui peut être pris en compte au sein des initiatives qui traitent de l'équité et de l'élimination de la discrimination et des préjugés.

Pour ce qui est de l'évaluation de la qualité de l'enseignement et de l'expérience professionnelle, nous pouvons remarquer que seulement une partie de la scolarité des participants a été reconnue et que leur expérience professionnelle a été complètement rejetée. À cet égard, on ne peut pas déterminer si ces résultats sont basés sur des renseignements récents et appropriés de la part des évaluateurs parce que, selon les participants, les raisons pour lesquelles leurs acquis ont été évalués de la façon indiquée plus haut demeurent inconnues. Toutefois, on peut se permettre de conclure que l'initiative de l'information spécialisée à l'attention des évaluateurs, concrètement l'étude qui porte sur la médecine en Allemagne, en Inde, au Pakistan, en Afrique du Sud, en Égypte et au Nigéria, n'a pas eu de retombées positives sur les participants à notre étude, y compris le médecin. Ce résultat vient possiblement du fait qu'aucun des quatre pays africains francophones où les participants ont obtenu leurs acquis « ni aucun autre pays francophone dans le monde » n'est inclus dans l'étude, ce qui nous amène à penser que, vu la diversité des pays d'où viennent les immigrants, il serait souhaitable d'étendre cette étude à d'autres pays du monde, peu importe la langue officielle ou la langue d'instruction, et d'inclure d'autres professions en plus de la médecine pour faciliter la transition des immigrants au marché du travail canadien.

On peut se demander si la situation des participants n'est pas liée au racisme qui règne dans les milieux de travail et que fait ressortir la recherche. Pour répondre à cette question, nous aimerions signaler que, dans le cas de notre étude, le pharmacien et le comptable n'ont pas obtenu un emploi dans leurs domaines professionnels : le premier a dû travailler dans un abattoir et le comptable a été chauffeur de taxi pendant plusieurs années. Bien que l'ingénieur et le médecin aient occupé des emplois rémunérés, ils étaient surqualifiés pour ces emplois qui, de plus, n'étaient pas dans leurs domaines professionnels. Ainsi, notre étude tend à confirmer l'hypothèse du racisme dans les milieux de travail, mais précisons que, dans le cas de l'Alberta, ce racisme ne se manifeste pas par une exclusion de l'emploi – car le taux de chômage dans cette province est le plus bas au Canada (4,3 % en 2013) – mais plutôt par le sous-emploi.

En ce qui concerne le racisme relatif aux préjugés et stéréotypes eurocentriques au sujet des pays en voie de développement, les profils des participants confirment l'hypothèse de la marginalisation de ces pays « et par conséquent la thèse de la priorisation des pays occidentaux anglophones » signalée dans la littérature. On peut relier ces faits aux préjugés en question dans la mesure où les participants ont fréquenté des institutions d'enseignement et été membres d'ordres professionnels africains dont les critères et les exigences sont raisonnables et, dans certains cas, même rigoureux. Cela nous amène à constater que la formation de ces participants a une certaine valeur qui mérite d'être appréciée et prise en compte dans le processus d'évaluation et de reconnaissance des acquis, ce qui n'a pas été le cas. Les évaluateurs ont exigé des participants qu'ils suivent un grand nombre de cours alors qu'ils auraient pu leur demander de suivre une formation équilibrée de mise à jour des diplômes dans une période de temps raisonnable, par exemple, une période d'études de deux ans au lieu de quatre ou même cinq ans. En plus, on ne peut penser à une raison valable qui aurait amené les évaluateurs à n'attribuer aucune valeur à l'expérience professionnelle obtenue dans quatre pays africains différents. Par conséquent, on peut se permettre d'affirmer que l'évaluation des compétences des participants est basée sur des stéréotypes et des préjugés négatifs envers certains pays en voie de développement davantage que sur des méthodes d'évaluation équitables.

Que nous apprennent ces résultats sur les programmes dont le but est de renforcer l'équité et de combattre le racisme et la discrimination qui sous-tendent l'évaluation et la reconnaissance des acquis des immigrants ? Les mesures de suivi que le gouvernement a entreprises auprès de certains ordres professionnels, à savoir les rapports dont le but est d'assurer la fiabilité du processus d'évaluation, n'ont pas eu un effet positif sur les participants à notre étude. Comme le gouvernement n'a pas révélé les noms des ordres professionnels avec lesquels il a communiqué, les profils de nos participants nous permettent de suggérer qu'il faudrait davantage d'éclaircissements non seulement de la part des ordres professionnels, mais aussi de la part des institutions d'enseignement qui évaluent les diplômes des immigrants pour connaître leurs méthodes d'évaluation. Il serait aussi bénéfique d'expliquer aux immigrants comment leurs compétences sont évaluées et pour quelles raisons elles sont évaluées d'une certaine façon et pas d'une autre.

Les ateliers de gestion de la diversité n'ont pas abouti aux résultats escomptés ni sur le plan de la reconnaissance des acquis ni sur celui de l'accès à l'emploi. De ce point de vue, il faut noter que ces ateliers sont très utiles aux fins d'identification et de prévention de la discrimination ainsi que pour favoriser la diversité et la gestion de conflit. Pour ces raisons, les ateliers méritent d'être maintenus tout en les étendant, au-delà des employeurs, pour inclure les institutions d'enseignement qui participent à l'évaluation des acquis. Par contre, les ateliers ne sont pas suffisants pour mettre fin au racisme systémique et institutionnel et à la discrimination linguistique envers le français, qui contribuent à la non-reconnaissance des acquis des immigrants. Comme Candy Khan l'a fait valoir, pour optimiser la reconnaissance des acquis des immigrants, il faut « cibler les problèmes systémiques globaux [le racisme et la discrimination qui nuisent à la reconnaissance des acquis] » (2007 : 65 ; nous traduisons) en ayant recours à des initiatives plus vastes que les ateliers en question. Nous sommes d'accord avec l'idée proposée par Khan et croyons qu'elle pourrait être réalisée si on changeait la façon dont on perçoit les acquis canadiens et ceux du reste du monde, surtout les régions en voie de développement. Nous sommes d'avis que les acquis canadiens méritent d'être valorisés et que les immigrants devraient être qualifiés pour occuper les postes réglementés, mais il faudrait aussi valoriser les acquis des pays en voie de développement et même améliorer les moyens pour permettre au Canada d'en bénéficier. Par exemple, il serait bien d'envisager comment l'éducation et la pédagogie des quatre pays africains où les participants ont fait leur scolarité « ainsi que celles d'autres pays en voie de développement » pourraient contribuer au système éducatif du Canada. À cet égard, nous aimerions signaler que, lors des entrevues, un participant a fait référence à un devoir scolaire qui consistait pour ses camarades de classe et lui à interviewer leurs voisins. Les élèves leur ont demandé de partager avec eux des expériences positives ou négatives qui les avaient marqués et d'expliquer comment ils avaient profité de ces expériences ou comment ils les avaient rectifiées. Par la suite, les élèves ont pu discuter des résultats des entretiens en classe et déterminer comment ils se comporteraient dans des situations semblables. Il va sans dire que ce genre d'activités peut aider les apprenants à mieux connaître leur vécu et leur milieu social de même qu'à renforcer le leadership et la solidarité communautaire. S'il est intégré au système éducatif canadien, ce type d'exercices peut déboucher sur des retombées pédagogiques et sociales bénéfiques.

En ce qui a trait à l'expérience de travail, il a été mentionné qu'un participant a exercé la médecine dans un camp de réfugiés en Afrique. Au lieu de rejeter ce genre d'expérience comme l'ont fait les évaluateurs des acquis, il serait plus judicieux de réfléchir sur l'intérêt que cette expertise pourrait représenter pour la formation en médecine au Canada et pour la pratique des médecins canadiens à l'étranger, par exemple, dans les camps de réfugiés ou les zones de conflit.

La mise en place, de façon plus appropriée, de certaines politiques est une autre initiative qui peut aider à mieux combattre les barrières systémiques. À titre d'exemple, l'*Alberta Human Rights Act* fait en sorte que « [t]ous les Albertains [aient] un accès égal à l'emploi sans aucune discrimination et qu'ils [soient] tous traités d'une façon juste et équitable dans tous les processus de l'emploi » (Alberta Human Rights Commission, 2014). Cependant, comme le montrent les profils des participants à notre recherche et certaines autres études (Madibbo, 2009-2010 ; Manji, 2010), ce principe d'équité en matière d'emploi est loin d'être accompli en Alberta vu le manque de mise en pratique efficace de cette loi. Pour ces raisons, les objectifs d'apprentissage et d'échanges culturels réciproques et de mise en œuvre des lois albertaine « et canadienne » qui portent sur l'équité en matière d'emploi nécessitent une éducation et des mesures de suivi et de responsabilisation à grande échelle pour favoriser l'ouverture sur autrui et assurer l'égalité des chances pour tous.

Conclusion

Conformément aux études existantes qui portent sur la reconnaissance des acquis des immigrants au Canada, notre article a montré que le manque de connaissance de l'anglais et d'information sur les étapes de l'évaluation, la non-reconnaissance des acquis obtenus à l'étranger ainsi que le racisme systémique et institutionnel freinent l'intégration des immigrants francophones en Alberta. La dévalorisation du français est également un facteur qui nuit à la reconnaissance des acquis en question. En ce qui concerne les initiatives que le Gouvernement de l'Alberta a mises en place en 2008 pour aider à franchir ces barrières, celles qui portent sur l'information spécialisée à l'attention des immigrants et sur la mise à jour de leurs compétences, grâce à des cours d'anglais et des programmes de transition, réussissent à atteindre leurs objectifs. En revanche, les actions dont le but est de faire parvenir l'information spécialisée aux évaluateurs, de renforcer l'équité, de combattre la discrimination et les préjugés n'ont pas abouti aux résultats escomptés. Pour améliorer ces lacunes, nous avons proposé d'élargir le champ d'études qui porte sur les systèmes éducatifs de certains pays du monde et d'étendre les initiatives qui ont trait au suivi et à la gestion de la diversité à grande échelle.

En raison du manque d'études sur la reconnaissance des acquis des immigrants en Alberta, cet article nous a donné l'occasion de comprendre comment certains membres d'une nouvelle population dans la province, les immigrants francophones ressortissants de l'Afrique subsaharienne, traversent le processus de reconnaissance et de non-reconnaissance des acquis. Notre démarche, qui s'inscrit dans un cadre interprétatif qui cherche à enrichir et à augmenter la compréhension des phénomènes sociaux qui ne sont pas directement observables tels que le sujet que nous avons abordé dans cet article, met en lumière un échantillon ciblé composé de quatre individus dont les parcours présentent une certaine diversité d'éléments : pays d'origine, professions, dates d'arrivée en Alberta et dates d'évaluation des acquis. À cet effet, l'analyse de ces données nous a permis de confirmer certains résultats déjà parus dans la littérature et/ou les sites Internet du Gouvernement de l'Alberta et de certains ordres professionnels, mais aussi d'ajouter de nouvelles précisions. De plus, les trajectoires des participants ont été très enrichissantes dans la mesure où elles nous ont également permis de faire des recommandations susceptibles de renforcer l'équité et l'inclusion dans le processus d'évaluation et de reconnaissance des acquis.

Comme il a été évoqué au début de cet article, l'Alberta a reçu un nombre important d'immigrants et en accueillera davantage à l'avenir. Cependant, les pays dont les acquis sont dévalorisés sont en majorité des pays en voie de développement. À cet égard, la reconnaissance des acquis des immigrants est cruciale non seulement parce qu'elle permet d'éviter la perte de talents et la pauvreté, mais également parce qu'elle peut accroître les chances de l'Alberta de combler ses besoins en main-d'œuvre qualifiée, de profiter de l'expertise qu'apportent les immigrants et de renforcer la motivation, la stabilité économique et le développement de nouveaux marchés diversifiés et compétitifs.

BIBLIOGRAPHIE

Alberta College of Pharmacists (ACF) [site Web] (2014). [https://pharmacists.ab.ca/].

Alberta. Gouvernement (2008). *A Foreign Qualification Recognition Plan for Alberta*, sur le site Gouvernement de l'Alberta, [http://work.alberta.ca/documents/foreign-qualification-recognition-plan-for-Alberta.pdf].

Alberta. Gouvernement (2014). *How to Work in Your Occupation*, 14 octobre, sur le site Alberta Canada, [www.albertacanada.com/immigration/working/occupations.aspx].

Alberta Human Rights Commission [site Web] (2014). [http://www.albertahumanrights.ab.ca/default.asp].

Association canadienne-française de l'Alberta (ACFA) (2011). *Stratégie 2030 : un plan d'engagement communautaire : l'immigration francophone en Alberta*, Edmonton, Secrétariat provincial de l'ACFA.

Association of Professional Engineers and Geoscientists of Alberta (APEGA) [site Web] (2014). [http://www.apega.ca].

Belkhodja, Chedly, et Éric Forgues, *et al.* (2009). *L'intégration des diplômés internationaux en santé francophones dans les communautés francophones en situation minoritaire : rapport final de recherche*, Moncton, Institut canadien de recherche sur les minorités linguistiques; Ottawa, Consortium national de formation en santé (CNFS).

Boyd, Monica, et Derrick Thomas (2002). « Skilled Immigrant Labour: Country of Origin and the Occupational Locations of Male Engineers », *Canadian Studies in Population*, « Special Issue on Migration and Globalization », vol. 29, n° 1, p. 71-99.

Bureau des examinateurs en pharmacie du Canada (BEPC) [site Web] ([s. d]). [http://www.pebc.ca/index.php/ci_id/3374/la_id/2.htm].

College of Physicians and Surgeons of Alberta (CPSA) [site Web] ([s. d.]). [http://www.cpsa.ab.ca].

Commission ontarienne des droits de la personne (2005). *Policy and Guidelines on Racism and Racial Discrimination*, [En ligne], [http://www.ohrc.on.ca/sites/default/files/attachments/Policy_and_guidelines_on_racism_and_racial_discrimination.pdf].

Das Gupta, Tania, *et al.* (dir.) (2007). *Race and Racialization: Essential Readings*, Toronto, Canadian Scholars' Press.

DeVoretz, Don, et Diane Coulombe (2005). « Labour Market Mobility between Canada and the United States: Quo vadis? », dans Richard G. Harris et Thomas Lemieux (dir.), *Social and Labour Market Aspects of North American Linkages*, Calgary, University of Calgary Press, p. 443-449.

Diversité artistique Montréal ([s. d.]). « Connaître la communauté haïtienne de Montréal : les chiffres de la communauté », sur le site DAM (Diversité artistique Montréal), *Guide des publics : communauté haïtienne de Montréal*, [En ligne], [http://www.guidedespublics.com/haiti/guide_II_2.html].

Galarneau, Diane, et René Morissette (2008). « Immigrants' Education and Required Job Skills », *Perspectives on Labour and Income = L'emploi et le revenu en perspective*, vol. 9, n° 12 (décembre), p. 5-18. Statistics Canada, catalogue n° 75-001-X.

Girard, Magali, Michael R. Smith et Jean Renaud (2008). « Intégration économique des nouveaux immigrants : adéquation entre l'emploi occupé avant l'arrivée au Québec et les emplois occupés depuis l'immigration », *Canadian Journal of Sociology = Cahiers canadiens de sociologie*, vol. 33, n° 4, p. 791-814, [En ligne], [https://ejournals.library.ualberta.ca/index.php/CJS/article/view/4519/3649].

Houle, René, et Lahouaria Yssaad (2010). « Recognition of Newcomers' Foreign Credentials and Work Experience », *Perspectives on Labour and Income = L'emploi et le revenu en perspective*, vol. 11, n° 9 (septembre), p. 18-33. Statistics Canada, catalogue n° 75-001-X.

INSTITUTE OF CHARTERED ACCOUNTANTS OF ALBERTA (ICAA) [site Web] (2009). [http://www.albertacas.ca].

INTERNATIONAL QUALIFICATIONS ASSESSMENT SERVICE (IQAS) (2007). *Assessment Services Study, Alberta Employment, Immigration and Industry*, Edmonton.

KHAN, Candy (2007). « The Closed Door: Credentialized Society and Immigrant Experiences », *Canadian Issues = Thèmes canadiens*, printemps, p. 63-68.

LAFONTANT, Jean (2007). « L'intégration en emploi à Winnipeg, des immigrants francophones racisés : une étude exploratoire », *Les cahiers du CRIEC* (Centre de recherche sur l'immigration, l'ethnicité et la citoyenneté), n° 32 (novembre), Montréal, Université du Québec à Montréal, rapport de recherche, [En ligne], [https://criec.uqam.ca/upload/files/cahier/032.pdf].

LI, Peter S. (2003). *Destination Canada: Immigration Debates and Issues*, Toronto, Oxford University Press.

MADIBBO, Amal (2009-2010). « Pratiques identitaires et racialisation des immigrants africains francophones en Alberta », *Canadian Ethnic Studies = Études ethniques au Canada*, vol. 41-42. n° 3-1, p. 175-189.

MANJI, Raheela (2010). *The Ineffectiveness of Employment Equity Programs in Canada*, thèse de maîtrise (sociologie), Calgary, Université de Calgary.

NGWAKONGNWI, Emmanuel (2010). « La perception du bien-être et l'accès aux soins de santé dans les communautés francophones en situation minoritaire de Calgary », *Cahier de la recherche actuelle sur l'immigration francophone au Canada*, Montréal, Métropolis, Capsule Recherche 8, p. 35-37. Cahier publié à l'occasion du Quatrième Pré-congrès national de Metropolis sur l'immigration francophone au Canada, tenu lors du 12e Congrès national de Metropolis à Montréal du 18 au 21 mars 2010, [En ligne], [http://publications.gc.ca/collections/collection_2010/cic/Ci64-3-2010-fra.pdf].

OREOPOULOS, Philip (2009). *Why Do Skilled Immigrants Struggle in the Labour Market? A Field Experiment with Six Thousand Resumes, NBER Working Paper*, n° 15036 (juin), Cambridge, National Bureau of Economic Research, [En ligne], [http://www.nber.org/papers/w15036.pdf].

PICOT, Garnett (2008). *Situation économique et sociale des immigrants au Canada : recherche et élaboration de données à Statistique Canada*, Ottawa, Statistique Canada, [En ligne], [http://www.publications.gc.ca/collections/collection_2008/statcan/11F0019M/11f0019m2008319-fra.pdf].

REITZ, Jeffrey G. (2007). « Immigrant Employment Success in Canada, Part II: Understanding the Decline », *Journal of International Migration and Integration = Revue de l'intégration et de la migration internationale*, vol. 8, n° 1 (mars), p. 37-62.

SAMUEL, John, et Kogalur BASAVARAJAPPA (2006). « The Visible Minority Population in Canada: A Review of Numbers, Growth and Labour Force Issues », *Canadian Studies in Population*, vol. 33, n° 2, p. 241-269.

Les mots pour se / le dire : trois temps forts dans l'Acadie au féminin : Antonine Maillet, Dyane Léger, France Daigle

Monika Boehringer
Université Mount Allison

[T]out écrivain est d'abord, ne l'oublions pas, un trouveur de langue.
LISE GAUVIN

L'ACADIE N'EXISTE PLUS, politiquement parlant[1]. Mais l'Acadie perdure, le pays est bel et bien vivant dans l'imaginaire de ses auteur(e)s. Réinventée et réactualisée maintes fois, l'Acadie foisonne, du moins comme fait littéraire : ses représentations changent selon l'époque, le genre littéraire et l'auteur(e) signant telle ou telle œuvre. Dans cet article, nous verrons comment certaines auteures marquantes – Antonine Maillet, Dyane Léger et France Daigle – ont, chacune à sa manière, tenté de dire l'Acadie. Chacune la perçoit différemment, chacune va jusqu'à forger de nouveaux mots et de nouvelles images pour exprimer sa vision car, comme l'affirme Lise Gauvin, « tout écrivain est d'abord [...] un trouveur de langue » (2010 : 15). Rechercher les mots pour transmettre ce qu'on entrevoit dans son imagination, trouver « les mots pour le dire[2] », ce sont là les préoccupations de tout écrivain. Mais dans le contexte d'une « petite » littérature qui, comme l'a montré François Paré ([1992] 2001), doit construire, voire conquérir l'exiguïté de son espace, ce travail est crucial : les auteurs doivent s'affirmer en tant qu'écrivains, ils ont besoin de créer leur propre espace de création. Puisque la contribution des femmes à la littérature acadienne est un fait incontournable, je me concentrerai dans cet article sur quelques textes emblématiques de trois auteures qui, entre la fin des années 1970 et ces dernières années, ont joué et continuent de jouer un rôle prépondérant comme trouveuses de mots et de langue.

[1] Le traité de Paris (1763), par lequel la France cède le territoire de la Nouvelle-France aux Anglais, met définitivement fin à l'expansion coloniale de la France en Amérique du Nord.

[2] Le titre de cet article est emprunté à Marie Cardinal (1975).

Francophonies d'Amérique, n° 37 (printemps 2014), p. 173-201

Une modernité littéraire féminine en trois temps

Si l'on s'en tient à Herménégilde Chiasson, « il y a deux sources à la modernité acadienne » (1998 : 81). Du côté littéraire, « l'origine remonte à Antonine Maillet, dont l'œuvre majeure reste d'avoir fait le passage de l'oral à l'écrit », alors que, en ce qui concerne le domaine des arts visuels, c'est Claude Roussel qui, dans les années 1960, introduit l'esthétique de l'avant-garde dans son enseignement à l'Université de Moncton (Chiasson, 1998 : 81). Cette période marque l'Acadie de manière décisive : suite aux révoltes de 1968, lors desquelles les étudiants se radicalisent au sujet des droits de scolarité à l'université et de la question du français comme langue administrative à Moncton, l'esprit contestataire des jeunes trouvera son expression non seulement dans le film *L'Acadie l'Acadie?!?* de Michel Brault et Pierre Perrault (1971), mais aussi dans des poèmes en pleine rupture avec tout modèle littéraire. S'attaquant à l'attitude, qu'ils considèrent typique des Acadiens, de peur, de résignation, voire de soumission au destin, les jeunes poètes déclarent l'Acadie traditionnelle moribonde. Aussi les Raymond Guy LeBlanc, Gérald Leblanc, Guy Arsenault et Herménégilde Chiasson dénoncent-ils le repli sur soi, crient leur statut de sujet minorisé aux quatre vents en espérant que, peut-être, il existe une autre façon d'être dans le monde, qu'ils pourraient accéder à autre chose qu'au *statu quo*. Leur pas vers la modernité, les jeunes poètes radicalisés le font dans une prise de conscience commune, dans un « projet de réconcilier Acadie et modernité, un travail surhumain, une contradiction aussi nébuleuse que les termes qui la composent » (Chiasson, 1998 : 81). Toutefois, ce récit bien connu de l'avènement de la modernité littéraire en Acadie ne suffit pas à conférer tout leur sens aux cinquante dernières années. En effet, pour que la modernité advienne réellement et qu'elle s'installe de façon définitive en Acadie, il faut considérer un autre moment décisif, celui de la prise de parole des femmes, des Dyane Léger, Rose Després, France Daigle, Hélène Harbec et Huguette Bourgeois, pour ne nommer que celles qui commencent à publier dans les années 1980[3]. Sans leurs voix distinctes qui enrichissaient autrement la littérature acadienne, la poésie contestataire se serait bientôt essoufflée[4]. Mais ces

---

[3] Cette énumération comprend seulement les auteures qui, après avoir fait paraître leurs premiers poèmes dans la revue littéraire *Éloizes*, ont par la suite publié des livres.

[4] Pour le désillusionnement qui risquait d'étouffer les poètes après leurs cris de révolte, voir Hans R. Runte (1997 : 110-124).

auteures-là ont apporté des formes de textualité inédites en Acadie, un pays pourtant profondément marqué par des mythes féminins, celui de l'Arcadie de Giovanni de Verrazzano, réinterprété par Marc Lescarbot et, surtout, cette omniprésente figure d'Évangéline, popularisée par le poète américain Henry Wadsworth Longfellow dans un poème traduit par Pamphile Le May.

Ce personnage romantique qui, au moment de la déportation, perd son fiancé et qui parcourt l'espace américain à sa recherche pour le retrouver à la fin malade, sur son lit de mort, deviendra, comme le propose Jean Morency, « la représentation métonymique des malheurs vécus par les Acadiens exilés » ; elle incarnera, certes, « leur courage et [...] leur ténacité », mais surtout « leur douceur et [...] leur résignation » (2011-2012 : 107). Ainsi le mythe de la terre-mère, qui nourrit abondamment ses enfants dans l'Acadie de Marc Lescarbot, est supplanté par celui de la fille vierge, innocente, fidèle et courageuse, mais résignée à son sort. Si tant est qu'un peuple souscrive successivement à de tels mythes fondateurs, qu'Évangéline « occup[e] une place importante dans le discours de la Renaissance acadienne et des grandes conventions nationales qui vont se succéder à partir de 1880 » (Morency, 2011-2012 : 107), il n'est pas étonnant que, sur le plan littéraire, la représentation des femmes se trouve passablement limitée. Car on sait que la mère qui, symboliquement parlant, nourrit trop bien ses enfants, risque de les étouffer, de les paralyser[5]. Et quant à la vierge, cette figure féminine est encore plus difficile à investir. En Acadie, elle prend la double forme d'Évangéline, jeune fille déportée et à la recherche de son amour perdu, et de la Sainte Vierge, *mater intemerata*. Cette mère sans tache est pure au point d'être désincarnée, comme le veut le discours religieux. Mais on n'avance pas loin en littérature si l'on ne fait que ressasser ces figures stéréotypées : le mythe d'une mère trop généreuse, éclipsé par celui d'Évangéline et celui de la Vierge Marie, figure omniprésente dans l'Acadie catholique.

Certes, on peut en faire de la poésie religieuse, comme Athela Cyr qui, s'adressant entre autres à la « *Mater Inviolata* – Mère toujours Vierge », a écrit en 1980 une série de poèmes, inspirés des verrières

[5] Voir Luce Irigaray (1979 : 7) : « Avec ton lait, ma mère, j'ai bu la glace. [...] Tu as coulé en moi, et ce liquide chaud est devenu poison qui me paralyse. Mon sang ne circule plus [...]. Il s'immobilise, gêné par le froid. »

de la cathédrale Immaculée-Conception à Edmundston (Cyr, [s. d.]). Ou créer, telle Joséphine Duguay, un petit poème plein d'humour qui raconte comment la Vierge, après avoir fait disparaître une étoile du ciel nocturne, la donne aux Acadiens : « Mais tout à coup dans un drapeau / On vit poindre l'heureuse étoile, / La Vierge en faisait cadeau / Au peuple remis à sa voile[6]. » Or le monde du roman et du théâtre ne permet guère de développer de telles figures, immobilisées dans leur carcan archétypal, voire essentialiste. Évangéline et la Vierge incarnent toutes les deux ce qui est censé être l'essence de l'identité féminine : la pureté, la grâce, la douceur, la bonté, la fidélité. Afin de pouvoir innover et accéder à une littérature qui dépasse l'essentialisme des œuvres pieuses aux idées bienséantes, il fallait déconstruire ces mythes et déloger de leur socle la douce mère sans tache et la jeune fiancée éternellement fidèle, il fallait sortir de l'église et des maisons, espaces traditionnellement associés aux mères, épouses et jeunes filles. Cette déconstruction, au cœur d'une modernité littéraire qui se poursuit aujourd'hui dans des publications de très grande envergure, sera le geste d'écrivaines dont l'influence sur la littérature acadienne ne saurait être sous-estimée. À l'exemple de ce mouvement laissé trop souvent en marge de l'historiographie littéraire acadienne, trois auteures, trois genres et trois époques distinctes nous occuperont dans notre repérage de tendances thématiques et formelles qui s'étendent de la publication de quelques œuvres d'Antonine Maillet dans les années 1970 jusqu'à *Pour sûr*, le roman magistral de France Daigle publié en 2011.

Antonine Maillet : écrire « contre »

Antonine Maillet publie depuis plus de cinquante ans. Son œuvre[7], d'une grande variété, comprend de multiples pièces de théâtre et romans, un guide humoristique (1973) ainsi que la thèse de doctorat que Maillet a

[6] Glaneuse [pseudonyme de sœur Marie-Augustine, ndsc, ou Joséphine Duguay], [s. d.], « Notre étoile », feuille volante. Je tiens à remercier la congrégation Notre-Dame-du-Sacré-Cœur de m'avoir permis de consulter tous les textes et les poèmes de Joséphine Duguay dans leurs archives à Moncton. On sait qu'une autre étoile, « Ave Maris Stella », est devenue l'hymne national des Acadiens lors de la deuxième convention nationale, tenue en 1884 à Miscouche. Que l'hymne ait été proposé ou non par l'Église catholique reste une question controversée.

[7] Pour la bibliographie de l'œuvre mailletienne, voir « Annexe : l'œuvre d'Antonine Maillet », dans Marie-Linda Lord (dir.), (2010a : 179-185).

consacrée à Rabelais (1971a), son auteur de prédilection[8]. Le ton dominant de ses textes est railleur ou sérieux, drôle ou moqueur, enjoué ou franchement satirique, et ses livres évoquent aussi bien le monde de l'enfance que celui des adultes. Ils se situent, pour la plupart, dans un passé relativement récent où il fallait s'exposer aux dangers de la mer, défricher les terres, faire de la contrebande ou « forbir » chez les mieux nantis afin de survivre. Dans certains de ses textes, Maillet recrée, par un astucieux mélange de fiction et de vérité, la vie de personnes réelles, telles que l'écrivaine elle-même[9], mère Jeanne de Valois de la congrégation de Notre-Dame-du-Sacré-Cœur (1992) ou une femme de ménage espagnole, immortalisée dans *Madame Perfecta* (2001). D'autres personnages sont purement fictifs. Parmi les plus mémorables se trouvent des femmes qui, loin d'incarner une quelconque essence féminine, sont, dans de multiples contextes fictionnels et malgré les limitations imposées à leur sexe, agentes de leur sort. Tandis que certaines figures, surtout au début de sa carrière, ont été conçues « contre », notamment contre le mythe d'Évangéline, la plupart sont créées « pour » : pour donner à l'Acadie une voix forte ; pour réclamer que le discours historiographique objectif et objectivant s'intéresse à son histoire ; pour dire l'Acadie – y compris l'époque la plus noire de la déportation – d'un point de vue féminin et personnel, celui de *Pélagie-la-Charrette* (1979) ; pour exprimer le statut marginalisé de son peuple ; pour revendiquer et valoriser la riche histoire du parler acadien, langue considérée « défectueuse » par rapport au français hexagonal d'aujourd'hui. La plupart de ces héroïnes permettent aussi, comme le soutient Marie-Linda Lord, de retracer la trajectoire qu'a effectuée l'Acadie, qui est passée de société rurale marquée par l'Église catholique et les mœurs du passé à une société urbaine et moderne (2010b : 21). On n'a qu'à penser à la trajectoire qui va de *La Sagouine* (1971b) jusqu'à mère Jeanne de Valois ou à *Madame Perfecta*. L'attaque d'un des grands mythes de l'Acadie sera au centre d'*Évangéline Deusse* (1975), œuvre dramatique publiée par Maillet quatre ans après sa célèbre *Sagouine*.

---

[8] Les autres intertextes dont se nourrit l'œuvre mailletienne sont le théâtre de Shakespeare, les fabliaux, les contes ainsi que le monde du carnavalesque et de l'oralité, riche en couleurs et en personnages, telle la « Mailletsphère » elle-même. L'expression « Mailletsphère » vient de Lord (2010b : 22).

[9] Voir la trilogie partiellement autobiographique de Maillet, *On a mangé la dune* ([1962] 1977), *Le chemin Saint-Jacques* (1996), *Le temps me dure* (2003).

Comme l'indique le titre de la pièce *Évangéline Deusse*[10], la protagoniste tient son nom de la première Évangéline, celle du mythe, mais là s'arrête toute ressemblance avec le récit fondateur. Si celle-ci renvoie à l'image romantique de la jeune fille innocente, l'autre, en dépit du fait qu'elle est octogénaire, est fermement ancrée dans la vie. Si la première Évangéline passe à côté de la vie pendant qu'elle cherche son fiancé, de la Louisiane au Michigan jusqu'en Pennsylvanie où, devenue une sœur de la Charité, elle le retrouve mourant[11], la seconde assume les choix qu'elle a faits : lorsqu'elle arrive à Montréal, déracinée après de longues années passées en Acadie, elle ne désespère pas. Elle plante symboliquement un sapin dans un petit parc pour souligner sa condition de transplantée et établit de nouveaux contacts avec d'autres exilés : le Breton, le Stop et le Rabbin. Le Breton, qui relate des bribes du poème de Longfellow, est corrigé point par point par Évangéline Deusse, qui refuse de croire que les Acadiens se seraient simplement laissé enfermer dans leur église avant d'être déportés. Et lorsque le Breton précise que seuls les hommes furent enfermés, Évangéline réplique, avec sa verve coutumière : « Il leu manquait une femme ou deux dans l'église à nos houmes, pour les organiser, pis les fouetter, pis leu faire honte… » (*ED* : 45). Son courage, sa débrouillardise, son faible pour les *bootleggers,* dont plusieurs comptent parmi les onze garçons qu'elle a élevés (*ED* : 44-45, 62), se révèlent tout au long de la pièce. Ses interactions avec les trois protagonistes masculins montrent que ceux-ci constituent en fait des facettes d'elle-même, mais comme ces personnages sont extériorisés et distincts, ils rendent la pièce plus intéressante. Le Stop, originaire du Lac-Saint-Jean, est un « travorsier à pied » qui fait « travarse[r] le monde » (*ED* : 27), rôle hautement symbolique que joue aussi Évangéline Deusse puisqu'elle met les autres en contact et leur fait comprendre ce qu'ils ont en commun. Le Rabbin apprendra ainsi qu'il y a, en plus du peuple juif, d'autres déportés qui errent à travers le monde (*ED* : 101)[12], et le Breton, féru de mer,

[10] Désormais, les références à cet ouvrage seront indiquées par le sigle *ED*, suivi du folio, et placées entre parenthèses dans le texte.

[11] Malgré le long périple d'Évangéline à travers plusieurs États américains, du sud vers le nord et à l'est, le lecteur n'apprend pas grand-chose au sujet de ces voyages ni de la manière dont Évangéline les a menés : il n'y a que regrets, souvenirs et pleurs de l'amour perdu.

[12] Il est intéressant de noter que la figure du Juif n'est pas exclusive à la pièce de Maillet ; elle traverse beaucoup de textes acadiens dont *Les anges en transit* de Dyane Léger, et *Pas pire* de France Daigle.

d'histoire et de langues, partage ces passions avec Évangéline Deusse. De fait, ce sont les échanges entre ces deux personnages qui révèlent le mieux les préoccupations langagières de Maillet : au moment où Évangéline prononce certains mots, par exemple « houquer » ou « coques » (*ED* : 32 et 57), le Breton se souvient de ces mots archaïques, utilisés aussi dans son pays natal. Du coup, la langue que parle Évangéline, qui n'a « point appris à parler en grandeur » (*ED* : 25), est revalorisée.

Pour tous ses mérites, la pièce reste dans son ensemble largement didactique : aux spectateurs et aux lecteurs non acadiens, elle présente une introduction, succincte et animée, de certains détails de l'histoire, de la langue et de la culture acadiennes dont Évangéline Deusse est la passeuse. Mais la plus grande valeur de la pièce, surtout au moment de sa parution, réside dans le fait que la protagoniste est résolument une anti-Évangéline qui montre, par la mise en abyme des deux Évangélines (au deuxième tableau du premier acte; *ED* : 37-50), le gouffre qui sépare les deux conceptions de ce personnage féminin[13]. Toutefois, écrire contre les mythes acadiens et contre Longfellow ne suffit pas à Maillet. Elle dépassera la simple mise en opposition entre la première Évangéline, mélancolique, et la seconde, qui ne perd pas sa passion pour la vie, malgré sa transplantation en ville et la mort d'êtres chers à laquelle elle doit faire face. Tout au long de sa carrière, Maillet créera des figures féminines d'envergure qui diront l'Acadie – sans ambages, sans fioritures – avec des mots « de gorge, puis de gueule, puis de cette langue française, qui est venue se transplanter dans mes sables de dune à l'aube des Temps modernes » (Maillet, 2012), comme le formule l'auteure, mots avec lesquels elle continue de chanter l'Acadie telle qu'elle la voit. Mais il existe d'autres visions de l'Acadie, d'autres voix qui se font entendre, même si Maillet, du moins au moment du prix Goncourt, en 1979, était « peut-être l'arbre qui cache la forêt » (Boudreau, 1998 : 9) en littérature acadienne. Pendant les années 1970, on remarque aussi l'essor collectif des poètes masculins qui revendiquent une Acadie non traditionnelle et, à partir des années 1980, de jeunes femmes commencent à publier des livres. Or leur entrée en littérature s'est faite, comme le rappelle Paré, fort

[13] Morency soutient également que la figure d'Évangéline de Longfellow a été contestée par Maillet, « notamment [dans] ses pièces de théâtre intitulées *La Sagouine* (1972) et *Évangéline Deusse* (1975), ainsi que son roman *Pélagie-la-Charrette* (1979), œuvres qui [...] [sont] à mille lieues de l'idéalisation qui caractérise l'ouvrage de Longfellow » (2011-2012 : 108).

différemment, car leur « modernité reposait sur des formes d'élucidation identitaire, où [contrairement aux poètes masculins] était esquivée la question du destin national » (2003 : 205).

Dyane Léger : se dire en Acadie moderne

Les jeunes poètes – Dyane Léger, Rose Després, France Daigle, Hélène Harbec, Huguette Bourgeois et Huguette Légaré – commencent à publier plus ou moins au même moment dans la revue littéraire *Éloizes*. Or, d'un point de vue rétrospectif, leur cheminement se révèle bien distinct. Parmi leur production impressionnante en nombre, en envergure et en qualité, le premier recueil de Dyane Léger joue un rôle particulier : on y découvre une jeune auteure qui, prenant conscience de sa condition de femme, réussit à s'exprimer grâce à des images et à des mots surprenants et à se forger ainsi une identité de poète distincte.

Léger est la première des auteures de sa génération à publier un livre : *Graines de fées* paraît en 1980, suivi de *Sorcière de vent!* en 1983[14]. *Graines de fées* marque un événement décisif en littérature acadienne : jamais auparavant n'avait-on observé une telle fureur dans l'écriture d'une femme. En effet, les « propos [du recueil] dérangeaient et juraient avec l'image d'une Acadie comme il faut » à tel point que, au dire de son auteure, son manuscrit a été refusé par les Éditions d'Acadie, la seule maison d'édition en Acadie à l'époque (Savoie, 2006 : 95). Denise Paquette, lectrice plus astucieuse que les lecteurs professionnels des Éditions d'Acadie, décrit sa réaction initiale à la lecture du recueil dans la préface d'une nouvelle édition de l'œuvre; elle y constate que la « violence du verbe » et la « coexistence du beau et de l'excessif » lui ont « donné l'impression soudaine d'avoir entre les mains un ouvrage nouveau » (Paquette, 1987 : 11). Par ailleurs, Paré souligne le caractère tantôt insolent, tantôt ardent, tantôt ludique du premier livre de Léger (2003 : 205 et 207), et Voichita-Maria Sasu (2003 : 67) ainsi que Paquette (1987 : 11) ne manquent pas de noter que la poésie de Léger s'inspire de l'enfance, voire du climat des contes pour enfants sans pour autant constituer un recueil de contes de fées. Or peu

[14] Dyane Léger ([1980] 1987), *Graines de fées*, avec une préface par Denise Paquette, nouvelle édition revue et corrigée, et *Sorcière de vent!* (1983). Désormais, les références à ces ouvrages seront indiquées par les sigles *GF* et *SV*, suivis du folio, et placées entre parenthèses dans le texte.

de critiques ont relevé que l'écriture de Léger, tout excessive et inventive qu'elle soit, est non seulement fermement ancrée dans la subjectivité de son auteure qui cherche la parole poétique, mais aussi dans le domaine des arts et de la littérature. En effet, le *je* poétique de *Graines de fées*, situé dans une vie aux « rêve[s] castré[s] » (*GF* : 69), hanté par le temps, cette « absurde guillotine qui décapite toutes [s]es illusions » (*GF* : 57), et déchiré entre le savoir, « la plus mal heureuse des ignorances » (*GF* : 63), et l'imaginaire, « le plus pur du réel » (*GF* : 85), n'est pas tellement le *je* d'une femme qui relate ses expériences personnelles, quand bien même elle ferait cela aussi, possiblement. C'est un *je* qui, cherchant à se constituer en tant que sujet scriptural, se construit par rapport à la littérature, à la peinture et au cinéma. Ce sujet ne puise pas que dans les contes comme celui de Cendrillon, facile à déceler puisque nommé (*GF* : 38 et 61) ; non, il doit passer par un véritable « [s]uicide littéraire[15] » afin d'accéder à la poésie. Pour que naisse ce *je* poétique, il faut que la poète assimile toutes ses connaissances du monde des arts et les transforme pour les faire siennes. Qui plus est, le sujet féminin doit fracasser tous les miroirs (*GF* : 33), il doit même plonger à travers le miroir (*GF* : 76)[16] et laisser derrière lui les simples reflets d'une réalité considérée trop plate afin que Léger puisse pleinement investir une instance énonciative qui saura déclarer, sans la moindre hésitation : « Je suis le poème écrit » (*GF* : 83). À

15 C'est ainsi qu'est intitulée la dernière section du recueil ; elle est explicitement dédiée à Émile Nelligan (*GF* : 83) et on y trouve maintes allusions à son œuvre, en particulier à la neige (*GF* : 61) ; voir aussi cette citation, adressée à « Émile » : « Tu étais [...] un paysâge câlin, givré dans un *étant* étrange » (*GF* : 80). L'italique du texte original signale l'intertexte sous-jacent, « Soir d'hiver » de Nelligan, dont les termes clés « givre » et « étang » sont repris sous forme de jeux de mots. Par ailleurs, le recueil de Léger inclut aussi plusieurs références à la folie. Voir, par exemple, le jeu de mots dans le titre de l'avant-dernière partie, « Sept folles-lits d'hôpital » (*GF* : 71), dans laquelle le *je* poétique entremêle ironiquement la folie typiquement féminine, l'hystérie, à son propre état : « Dans une hystérie de poète, j'ai attaqué avec un couteau ce mur aussitôt disparu » (*GF* : 73).

16 L'image du miroir cassé revient dans son recueil *Les anges en transit* (1992 : 12). Sur la quatrième de couverture de ce livre, on trouve un paragraphe qui, signé par l'auteure, va jusqu'à exhorter les lecteurs à « passer à travers le miroir... sans avoir peur ni du bruit qu'il fait en éclatant, ni des éclats de verre qui revolent partout ». Pour une réflexion pertinente sur le *topos* de la traversée du miroir, laquelle semble nécessaire pour qu'une femme puisse devenir auteure, voir Sandra M. Gilbert et Susan Gubar (1979). Bien que leur livre soit surtout consacré aux auteur(e)s du XIXe siècle, leur introduction se révèle très utile pour une lecture approfondie d'*Anges en transit*.

ce moment seul, la poète, qui dit écrire la nuit devant une fenêtre-miroir reflétant le soi qui est en même temps « l'autre[17] », parviendra à dépasser la surface des choses. C'est ainsi qu'elle pourra aller plus loin, exploiter la multitude des signifiants dans sa « boîte de mots » (*GF* : 19)[18], signifiants qui déploieront ensuite leurs forces évocatrices pour suggérer à la fois, dans des jeux polysémiques, le réel, le surréel et l'irréel, toute la sur/réalité des choses, par exemple, « la bouteille d'éternelle » avec ses « couleheures de paradis » (*GF* : 21), ou « [l]'amour… / [cette] doux l'heure atroce » (*GF* : 51), néologisme qui fait voir le caractère paradoxal du sentiment amoureux dans lequel s'entrelacent à jamais douceur et douleur.

Or le seul jeu avec les mots ne suffit pas au *je* poétique : il faut les partager, il faut les faire circuler, il faut inventer des contextes dans lesquels ils peuvent manifester leur magie. Ainsi, la poésie de Léger ne se limite pas au cadre des poèmes proprement dit, elle déborde de la forme strophique traditionnelle pour s'étaler dans des fragments d'une tonalité poétique intense dont la métamorphose (*GF* : 34 et 41) est la figure dominante[19]. Dans un tourbillon de scènes, la « petite fille qui aimait beaucoup écrire » (*GF* : texte liminaire), et qui cherche à jouer avec les autres en mettant ses « costumes d'enfants » (*GF* : 19), cède la place à une femme orgasmique (*GF* : 23), à une Sibelle aux « seins voluptueux » (*GF* : 22), mais hantée par les « morts atroces qu'inflige l'âge » (*GF* : 28), à une « femme de papier » (*GF* : 31), aux putains et religieuses (*passim*), aux poupées de porcelaine (*GF* : 32) et de celluloïd (*GF* : 79), aux ballerines et marionnettes (*GF* : 27, 28, 72, 73) – à tout un monde dans lequel la

17 Voir l'entretien de Monika Boehringer et Hans R. Runte avec Dyane Léger (2007 : 155 et 157) au cours duquel Léger évoque aussi le rôle qu'ont joué pour elle les surréalistes, le temps, les contes et les rêves.

18 Voici un autre intertexte littéraire, le poème « Le jeu » de Saint-Denys Garneau dont je ne cite que les extraits pertinents pour mon propos : « Voilà ma boîte à jouets / Pleine de mots pour faire de merveilleux / enlacements […] Il vous arrange les mots comme si c'étaient de / simples chansons / Et dans ses yeux on peut lire son espiègle plaisir / À voir que sous les mots il déplace toutes choses […] » (1971 : 10-11). Chez Léger, on trouvera l'expression « coffre à jouets » (*GF* : 34), transposition de la boîte à jouets du poète québécois.

19 Voir aussi Léger (1983 : 55) : « Sur ces entrefaites, un dictionnaire tomba du ciel et j'y lus la définition du mot souligné en rose : “Métamorphose : n. f. Changement d'une forme, de nature ou de structure; changement complet d'une personne ou d'une chose, dans son état, ses caractères”. Cette définition m'ouvrit les yeux et l'esprit… »

beauté féminine est à jamais menacée, voire ruinée par le temps, la grande Horloge à laquelle personne n'échappe (*GF* : 37, 39, 53, 55, 75) et à laquelle le meilleur « maquille-âge » (*GF* : 23, 72) ne peut résister. Dans ce monde drôle et dangereux, fantaisiste, voire fantastique et dont le sujet féminin investit successivement tous les rôles, rien ne semble tout à fait réel : y surgissent des images surréalistes telles qu'un « parasol suicidé » (*GF* : 23), des « paupières des portes » (*GF* : 31), un « pénis excité [qui] cache sa carte de crédit expirée » (*GF* : 32), des « glaçons de feux » (*GF* : 47), une « carcasse de corpsbeau » (*GF* : 59), des « Christs sur des croix brûlées » (*GF* : 67) ainsi que l'œil du *je* poétique dans lequel une rose « crache son épine » (*GF* : 74). Ces images rappellent les peintures de Salvador Dali[20] avec ses ballerines, ses Christs crucifiés et ses nombreuses représentations d'horloges[21]. Une autre image – celle de la rose, qui est depuis toujours symbole de beauté mais qui, chez Léger, propulse violemment son épine dans l'œil de l'observatrice – n'est pas sans évoquer la scène d'ouverture cauchemardesque du film *Un chien andalou* de Luis Buñuel et Dali (1929) dans lequel un personnage masculin (joué par Buñuel) passe un rasoir à travers l'œil d'une femme (Simone Mareuil) : les perceptions, les rêves et les hallucinations surgissant de telles blessures ne peuvent qu'être dérangeants. Les scènes sans fil conducteur logique des fragments poétiques de Léger ressemblent, en effet, au montage filmique des images disjointes et oniriques, sans intrigue discernable du *Chien andalou*. Ce film n'est pourtant pas le seul écho lointain des songes et du « mon-songe » du « cinéma » légérien (*GF* : 35). Puisque Léger, une poète / peintre dont le vif intérêt pour les arts visuels est bien connu, s'inspire souvent du monde des contes, il n'est pas interdit de

20 Voir aussi Léger ([1980] 1987 : 20; en italique dans le texte) : « Ces peintres surréalistes, ils peignent tout sur la réalité. Ils s'en foutent que ce que tu sais *est*. Ils peignent ce qu'ils croient *être*. »

21 Dans un passage intitulé « Intertexte », inséré dans un long article de Gérard Étienne, Dyane Léger relate ses premières rencontres avec le monde des arts et de la littérature. Elle y mentionne l'importance capitale qu'ont eue pour elle le cinéma (Orson Welles, Fellini), la photographie (Robert Frank, Diane Arbus) et la peinture (Salvador Dali, Vincent van Gogh, Henri Matisse). Il est peu probable que l'énumération soit exhaustive (2004 : 240-249). Voir l'article en anglais de Monika Boehringer (2005) consacré à *Anges en transit* et le chapitre du livre de René Plantier (1996 : 59-97) portant surtout sur le rythme, les jeux verbaux et la présence du corps dans les premier et deuxième recueils de Léger.

penser qu'elle fait aussi allusion au film britannique *The Red Shoes*[22], ou *Les chaussons rouges*, d'autant plus que deux scènes clés, celles des souliers et de l'œil traversé par l'épine, se succèdent dans *Graines de fées* :

> Oh ! et la musique de jadis s'extasie ! Mes mains chaussent mes souliers de ballet. Ils me pirouettent sur une scène d'Antan : des entrechats, quelques culbutes, deux ou trois cabrioles, puis… patapouf!!! Le grand Arbre écrase dans ses mains ses feuilles de rires qui dégoulinent sur scène… un cristal fracassé. Mes pieds se sont coupés sur ces éclats de verre néfastes (*GF* : 73-74).

Ce passage qui commence sur un ton plutôt humoristique montre que la mort de la ballerine est néanmoins inévitable. Comme dans *Les chaussons rouges*, l'extrait évoque le fracas de glace cassée et de pieds blessés : élégance et laideur, innocence et viols, musique et cacophonie cohabitent dans ce mélange insolite de tonalités qui grincent, s'entrechoquent et se réconcilient pour créer les effets spéciaux de la poésie légérienne dont une des spécificités consiste à présenter, comme dans une photo de plateau, des images frappantes (sur)prises dans leurs « mouvements fixes » (*GF* : 45 et 72), oxymores qui caractérisent son texte.

En plus de ces échos intertextuels dans *Graines de fées,* il en existe un autre, très important : *Alice au pays des merveilles* ou *Alice's Adventures in Wonderland* de Lewis Carroll ([1865] 1971). Plusieurs personnages du livre de Carroll se trouvent transposés dans le recueil de Léger. La scriptrice se compare même explicitement au spectre d'Alice en marquant en italique un passage de l'intertexte : « Je le suis [le spectre], *comme Alice qui soudainement se dressa d'un bond, car l'idée lui était tout à coup venue qu'elle n'avait jamais vu de lapin pourvu d'un gousset, ou d'une montre à tirer de celui-ci…* » (*GF* : 81 ; Carroll, [1865] 1971 : 10). Loin de constituer une comparaison fortuite survenant à la toute fin de *Graines de fées*, l'intertexte carrollien est mis en évidence dans l'œuvre de Léger par la présence de bien d'autres personnages, tel le Lapin blanc (*GF* : 45) qui consulte sa montre (*GF* : 61) et déclenche l'intrigue chez Carroll puisqu'Alice se met à sa poursuite, ou la Reine qui, comme dans le récit de Carroll, a l'idée fixe de faire couper la tête à ceux et celles qui lui déplaisent (*GF* : 48-49, 75). Même un aphorisme situé au bas d'une page et qui divise les deux

[22] Michael Powell et Emeric Pressburger (réalisation), *The Red Shoes* (1948). Au cas où Léger n'aurait pas vu le film dans sa première version, il est inconcevable qu'elle ne connaisse pas le conte éponyme de Hans Christian Andersen sur lequel est basé le scénario.

parties du recueil de Léger – « Le temps… absurde guillotine qui décapite toutes mes illusions » (*GF* : 57) – semble être motivé, malgré son ton plus sombre, par les décapitations fréquentes et farfelues que la Reine provoque par son cri : « *Off with their heads!* » chez Carroll[23].

Tout cet assemblage d'éléments intertextuels, puisés dans des sources aussi diverses que des contes, des (faux) récits pour enfants, des films, de la poésie québécoise, entre autres, montre à quel point le recueil de Léger est étayé par un réseau d'intertextes passablement éclaté et provenant d'œuvres reconnues et célébrées. N'est-il pas ironique alors que ce premier recueil, refusé d'abord par les Éditions d'Acadie et publié aux Éditions Perce-Neige, ait été par la suite couronné par le Prix littéraire France-Acadie ? Peut-on recevoir plus belle reconnaissance que de voir l'inventivité de *Graines de fées* célébrée par le prix dont le nom réunit les deux continents dont s'inspire la poésie de Léger ? Car cette poésie est, malgré les nombreux échos hexagonaux et européens, bel et bien ancrée en Acadie, comme l'atteste l'allusion ironique à Évangéline dont on chante le « noble nom » (*GF* : 38) ou aux toponymes tels que Parlee Beach (*GF* : 19) et Richibouctou (*SV* : 19 et 20), deux endroits situés près de Moncton. Embrassant l'héritage culturel européen et canadien-français et le faisant sien, « la petite fille qui aimait beaucoup écrire » est devenue la scriptrice qui, ayant « changé énormément » depuis le début du recueil, ne répudie point son écriture désinvolte : « J'ai poussé des mots : des beaux des laids, des grands des petits. J'ai poussé des fautes de français, des participes mal accordés, des comparaisons exagérées et les fantaisies d'une poète folle » (*GF* : 82), folle seulement dans la mesure où le sujet poétique doit l'être pour se transformer en ce « trouveur de langue » que doit être chaque véritable écrivain(e), selon Lise Gauvin. Après ces deux premiers recueils publiés par Léger, la poésie au féminin prend son envol en Acadie[24] et les œuvres en prose, écrites par les contemporaines de

[23] Voir Carroll, chapitre 8, intitulé « The Queen's Croquet-Ground » (1971 : 69-78). Le responsable de l'édition du livre de Carroll, Roger Lancelyn Green, fait d'ailleurs remarquer que l'exclamation elle-même est un effet intertextuel venant de la pièce *Richard III* de Shakespeare (1971 : 260, note relative à la p. 72).

[24] Mentionnons également d'autres recueils importants de Léger dont *Comme un boxeur dans une cathédrale* (1996) et *Le dragon de la dernière heure* (1999). Pour une présentation de ses textes – surtout des poèmes parus dans des revues et des anthologies – voir l'article de Gérard Étienne (2004 : 250-257). Pour les recueils plus récents de Léger et ceux d'autres poètes telles Rose Després, Hélène Harbec, etc., voir

Léger, suivent la poésie de près : des années 1980 jusqu'à aujourd'hui, France Daigle sera l'écrivaine la plus importante de sa génération. Son œuvre fait le pont entre l'ère moderne et l'ère postmoderne.

France Daigle : écrire l'Acadie postmoderne

Couvrant presque toute la période considérée dans cette étude, le parcours littéraire de Daigle est remarquable. Dans ses premiers textes, de facture expérimentale, l'auteure se forge une langue qui lui est propre, une langue épurée qui privilégie le fragmentaire et dont le verbiage superflu est banni. Son écriture impose ses propres lois aux mots, à la syntaxe, au contexte et au sens, même si le français qu'elle emploie semble être conforme au français standard. Ce dernier n'est pas censé trahir le lieu d'ancrage spécifique de son énonciation ou son appartenance à un espace particulier. Il cherche plutôt à transcender les particularités locales afin de se situer dans l'espace consacré de la littérature « universelle », espace mythique comme on le sait depuis que Pascale Casanova (1999) a montré les rapports de force qui se jouent entre les littératures dominantes et dominées, entre le centre hexagonal et la périphérie, pour ce qui est de la littérature française. Les premiers textes de Daigle, « franchement avant-gardistes, à la frontière du récit et de la prose poétique » semblent si bien correspondre à la vision idéalisée de l'universel que Boudreau et Maillet, auteurs de la citation précédente, résument leur appréciation des livres daigliens parus jusqu'en 1986 en affirmant que « l'œuvre de France Daigle [...] représente pour l'instant le meilleur exemple de l'ouverture de la littérature acadienne vers la diversité et l'universalité » (1993 : 738).

Une relecture de ces textes révèle toutefois que Daigle ne vise pas nécessairement l'universalité, elle travaille dès ses débuts sur la matérialité des signifiants pour en tirer des effets inattendus, elle fouille le « creux » de la langue, comme elle le dit dans son premier roman *Sans jamais parler du vent* ([1983] 2012 : 63) et, ce faisant, elle se situe déjà de plain-pied dans ce que Robert Majzels nomme l'« inconfort langagier » qui caractérise les auteurs non pas de l'universel, mais ceux qui appartiennent à « un territoire où les langues se négocient laborieusement, se légifèrent

le site Web de Monika Boehringer, *Auteures acadiennes*, [http://www.mta.ca/awlw/] (5 mars 2015).

même[25] », comme au Québec et en Acadie. Qui plus est, Daigle écrit souvent à l'encontre de la grammaire du français standard, elle cherche à imposer ses propres lois linguistiques : au lieu d'accepter, dans *Sans jamais parler du vent*, l'empreinte du masculin – genre qui domine tout texte français – elle vise à « *écrire au neutre* », comme elle l'a dit (1986 : 37; en italique dans le texte), elle cherche à déjouer les effets de la sexuation véhiculée par le français[26]. L'imposition de ses propres contraintes langagières et textuelles restera d'ailleurs un des principes organisateurs les plus importants de l'œuvre daiglienne. Que Daigle choisisse d'écrire un livre qui met en relief les lettres B et K (*Variations en B et K : plans, devis et contrat pour l'infrastructure d'un pont*, 1985) ou d'autres textes structurés par les jours de la semaine (*Un fin passage*, 2001), par la consultation du Yi King (*Petites difficultés d'existence*, 2002) ou, encore, régis par des chiffres[27], pour ne donner que quelques exemples, les contraintes ne sont jamais absente de son écriture. Son dernier roman, *Pour sûr* (2011), est le plus ambitieux à cet égard : il est basé sur le nombre 12^3 ou 144 sujets narratifs multipliés par 12 fragments, une construction méticuleuse patiemment ouvragée pendant dix ans. Considéré par *La Presse* dès sa parution comme une « œuvre ouverte », un « labyrinthe rigoureusement organisé » (Fortin, 2011), *Pour sûr* a remporté tour à tour le prix Champlain et le Prix du Lieutenant-Gouverneur pour l'excellence dans les arts littéraires en 2011. En 2012, Daigle est la lauréate des prix littéraires Antonine-Maillet-Acadie Vie et du Gouverneur général. Qu'en est-il de ce roman que le jury du prix du Gouverneur général qualifie de « magistral », voire de « monumental » (La Presse canadienne, 2012), superlatifs peu habituels dans le monde de la critique littéraire?

Pour sûr est, à première vue, un texte passablement éclaté et même intimidant : toutes sortes de chiffres et de noyaux narratifs fourmillent dans ses 752 pages. Parmi la multitude de sujets traités se trouvent outils, techniques, projets et travail; histoire, amour et vie des saints; statistiques, détails intéressants, utiles ou plus ou moins utiles; divers

---

25 La citation de Majzels est tirée du livre de Catherine Leclerc, *Des langues en partage?* (2010 : 194).

26 Voir, à ce sujet, l'introduction à l'édition critique de *Sans jamais parler du vent* établie par Monika Boehringer (2012 : xxxvi-xli).

27 Daigle, *La vraie vie* (1993), roman basé sur le nombre 10^2; *Pas pire* (1998), basé sur 12^2.

personnages, dont Freud et Lacan, mais aussi ceux appelés « L'Autre » et « Le poète » ; rêves, couleurs, chiffres et nombres ; *La Bibliothèque idéale* et les ajouts à cette bibliothèque ; étrangetés, nécessités ainsi que rumeurs, etc. Très nombreux sont les sujets consacrés à la langue, répertoriés sous diverses entrées telles que langues, expressions, proverbes, mots croisés, le *Scrabble*, typo[graphie] et le fabuleux « Fictionnaire », ce dictionnaire fictif qui contient des entrées en bonne et due forme – avec définition, emploi et exemples, ces derniers signés par « (Daigle) ». Et le chiac, sujet de prédilection de Daigle depuis *Pas pire*, traité avec brio ici, prend aussi une place importante dans la question globale des langues. Nulle part ailleurs Daigle n'a encore entamé une réflexion aussi systématique sur les langues comme elle le fait dans *Pour sûr*. Aussi le texte est-il beaucoup plus qu'un roman, c'est une véritable somme encyclopédique où le sérieux est juxtaposé au ludique, voire au loufoque, où des propos posés et réfléchis côtoient des bribes textuelles jouissives au sens barthésien[28]. De fait, la somme de Daigle peut être comprise comme une « défense et illustration » du chiac à la manière de Du Bellay ([1549] 1972). Tel le fondateur de la Pléiade, qui revendiquait le français comme langue de la poésie par rapport à la *lingua franca* de son époque – le latin –, Daigle défend et illustre une variante du français, le chiac, « dénoncé comme modèle suprême de médiocrité, une déviation magistrale par rapport au français normatif[29] ». Ce faisant – sérieusement comme Du Bellay, mais aussi avec l'humour typiquement daiglien – la question des langues est abordée de divers angles. Voyons quelques-unes des étapes de cette démarche.

[28] L'évocation de Roland Barthes n'est pas gratuite, car celui-ci est mentionné à plusieurs reprises dans *Pour sûr*. « Jouissance et couleur » de Daigle constitue son 83e sujet, traité en 12 fragments. Pour le double concept de plaisir et de jouissance du texte, voir Barthes (1973). Par ailleurs, la construction rigoureuse du livre daiglien n'est pas sans rappeler celle de *Roland Barthes par Roland Barthes* (1975), texte construit à partir de l'alphabet, lequel joue aussi un rôle important dans le roman de Daigle.

[29] Daigle, *Pour sûr* (2011 : 240, 565.33.6). Désormais, les références à cet ouvrage seront indiquées par le sigle *PS*, suivi du folio et des chiffres identifiant le fragment précis, et placées entre parenthèses dans le texte.

Questions de langue(s)

Dans une longue entrée, le narrateur[30] présente les « 8 grandes familles de langue » ainsi que leur nombre respectif de locuteurs : de la grande famille indo-européenne comprenant environ 1 000 langues parlées par 3 milliards de personnes, on passe par tous les continents pour terminer par les langues que se partage une population défavorisée et souvent oubliée, la famille des langues amérindiennes (1 100 langues) et ses 25 millions de locuteurs (*PS* : 487, 1133.112.7). La problématique du chiac, de l'anglais et du français dit standard, s'inscrit donc dans un cadre plus vaste qui regroupe toutes les langues et leurs locuteurs, ce qui suggère que les obsessions langagières d'un groupe particulier sont, tout compte fait, relatives. Cette relativité de la valeur des langues est clairement évoquée dans un des 144 sujets qui traversent le roman, le *Scrabble* : énumérant la trentaine de langues dans lesquelles on joue à ce jeu en plus de l'anglais et du français (parmi d'autres sont mentionnés l'anglais chinois et l'anglais japonais !), le narrateur souligne que « la quantité de tuiles ainsi que la valeur des lettres varient d'une langue à l'autre » (*PS* : 40, 85.112.1). Dès lors, il n'est pas difficile de comprendre que, dans un contexte où toute langue a une valeur relative, on arrive à un certain nivellement des langues, même des plus importantes : l'anglais perd son statut de langue monolithique qui régit le monde entier, étant donné qu'il en existe des variantes – l'anglais chinois et japonais –, qu'elles soient purement imaginaires ou la simple translittération du chinois et du japonais en alphabet « anglais ». Le même nivellement atteint le français dont le statut glorieux de langue tutélaire dans sa version dite « standard » se trouve ébranlé, non seulement par la réalité du chiac et d'autres variétés illustrées

---

30 Le choix d'un narrateur neutre et quasi omniscient qui régit l'ensemble du roman s'impose étant donné que, dans un des fragments, la question du genre (sexuel) est explicitement soulevée : « Vrai ou faux : le personnage *je* du roman *Pour sûr* de France Daigle est un avatar de l'auteure, c'est-à-dire une figuration de France Daigle » (*PS* : 571, 1323.96.7). Si l'on a tendance à donner une réponse affirmative pour ce qui est des 12 fragments où ce *je* rencontre les personnages qu'il a créés (fragments intitulés « Duo », # 101), il est moins sûr que la même « figuration » soit aussi prise en charge par tous les autres sujets, d'où le choix d'un narrateur (au lieu d'opter pour une narratrice qui suggérerait un lien plus étroit entre les diverses instances narratives). La question des diverses instances énonciatives du roman mériterait un développement important qui dépasse le cadre de cet article.

par les québécismes, les helvétismes, les belgicismes et les africanismes[31], mais aussi par le rappel de son ancien statut de langue « inférieure » : « À l'époque où dominait le latin, la langue française était une langue vulgaire, c'est-à-dire une langue parlée par le peuple » (*PS* : 492, 1143.112.8). Ainsi est souligné le fait que le français n'échappe pas à une évolution qui est, par ailleurs, caractéristique de toute langue. L'Académie française elle-même en est consciente, car elle a approuvé la nouvelle orthographe, recommandée par le Conseil supérieur de la langue française[32]. Si tant est que la nouvelle orthographe puisse remplacer l'orthographe traditionnelle – les graphies bonhommie, combattivité, charriot, joailler et ognon, citées parmi d'autres dans *Pour sûr*, sont désormais correctes (*PS* : 416, 967.77.8) –, il appert que le terrain est bien préparé pour traiter du chiac qui, en dépit des réticences et des commentaires négatifs à son égard[33], est désormais considéré comme une variante langagière parmi d'autres. La discussion à ce sujet se fait de manière typiquement daiglienne, de façon tantôt raisonnée, tantôt enjouée.

Question de chiac : prise 1

Constatant qu'à Moncton, la « langue est une obsession [...] pour sûr! [...] à cause de la wé que t'es supposé de parler! » (*PS* : 464, 1080.124.9), le narrateur met en contraste l'attitude complexe, voire complexée, des locuteurs monctoniens vis-à-vis de leur parler avec un petit fait du Soudan : de la trentaine de langues de la famille nigéro-kordofanienne que parlent environ 100 000 locuteurs, il existe « une moyenne de 3 300 locuteurs par langue ». Et le narrateur d'enchaîner : « Ces gens ont-ils le sentiment que leur ethnie va disparaître? S'en préoccupent-ils? » (*PS* : 482, 1119.112.11) Question pertinente d'autant plus que, comme le rappelle le narrateur, la « population de la grande région de Moncton est d'environ 100 000 habitants » (*PS* : 482, 1122.143.4). Comment alors représenter

31 Ces variantes sont évoquées dans au moins deux fragments traitant du *Scrabble* (*PS* : 282-283, 641.20.11 et 285, 649.19.7).

32 Voir le site Web *La nouvelle orthographe*, [http://www.nouvelleorthographe.info/] (5 mars 2015).

33 Dans ce contexte, il est assez ironique de constater que, à peine un mois avant que *Pour sûr* ne gagne le Prix du Gouverneur général, le chroniqueur Christian Rioux a déclenché un débat houleux dans *Le Devoir* du 26 octobre 2012, alors qu'il déplorait l'emploi du chiac que faisaient Radio-Radio et Lisa LeBlanc dans leurs chansons (Rioux, 2012). Pour des réactions à cet article, voir Marc-André Villard (2012).

le chiac dans le roman ? Adopter simplement cette langue et l'utiliser sans ambages, sans se poser de questions à son sujet ? Faire perdurer le complexe d'infériorité dont souffrent certains locuteurs du chiac puisqu'ils parlent « mal » le français ? Célébrer le chiac et modifier son statut de langage oral en le transposant dans la forme écrite, l'employer à des fins littéraires ? Éviter d'utiliser le chiac et prétendre qu'il n'y a pas de particularités locales au français que parlent les personnages de Moncton – bref, leur faire utiliser le français standard ? Ou consciemment placer les personnages de diverses origines au croisement de différentes variantes du français, se servir de ce carrefour de langues afin de sensibiliser les personnages (ainsi que les lecteurs) aux périls ainsi qu'aux richesses des faits langagiers ? Le narrateur met en œuvre presque toutes ces possibilités et d'autres encore : certains personnages anonymes de Moncton n'utilisent souvent que le chiac ; le personnage de Carmen reprend son conjoint Terry de temps à autre pour limiter son emploi du chiac devant les enfants, tandis que les échanges entre Terry et son ami Zed se font en chiac, mais puisqu'ils sont tous les deux sensibilisés à la question de la langue, celle-ci devient parfois le sujet explicite de leurs dialogues ; d'autres interlocuteurs – rencontrés en route vers Caraquet, par exemple – rappellent les différences entre le français local de Moncton et celui du nord-est de la province ; souvent, les amis monctoniens font appel à Étienne et Ludmilla Zablonski, qui parlent un français international, pour résoudre des problèmes de « traduction » de mots acadiens ou d'expressions en chiac. Le roman fait aussi une large part au développement de la langue par l'intermédiaire de la petite Marianne et de son frère Étienne : la prononciation imparfaite de la fille est corrigée par la simple répétition d'un mot prononcé comme il faut, sans plus. Toujours est-il que la transcription de la production langagière de la petite fait sourire les lecteurs, tout en élargissant leur prise de conscience quant aux multiples formes et états de la langue. Étienne, qui est un peu plus âgé, pose beaucoup de questions sur les mots qui sont à la source de malentendus ou de jeux de mots, parfois les deux à la fois[34].

[34] Tel est le cas du mystère de la « tante à Sillan », construction qui suit de près une formule acadienne bien connue, que tente à maintes reprises de percer le petit Étienne sans, toutefois, obtenir de réponse (*PS* : 442, 446, 447). Le mystère est résolu dès qu'on apprend que cette tante est mentionnée dans le « Notre père » : « et ne nous soumets pas à la tentation » ou, selon Étienne, « Nounou soumettez pas à la tante à Sillan » (*PS* : 448, 1040.124.5).

Parallèlement à tous ces emplois est menée une réflexion soutenue sur le chiac : le moment serait-il venu de « créer une langue acadienne moderne à partir de ses composantes actuelles » (*PS* : 442, 1024.73.4) ? Comment alors procéder : « On va-t-y juste parler, pis là quante qu'on va fesser un mot acadien on va arrêter pour ouère quoisse qu'on va faire avec, ou ben don on va-t-y commencer par *a* pis faire tous les mots du dictionnaire jusqu'à *z*? » *(PS* : 445, 1032.103.7) À côté de ce questionnement désinvolte, qui a toutefois pour corollaire bien réel deux dictionnaires du parler acadien traditionnel[35] souvent cités dans *Pour sûr,* se trouve aussi le souhait de « créer de nouveaux mots lexicaux pour répondre au besoin de notre société en constante évolution », un souhait dont la réalisation possible est confirmée par nulle autre source que le « tome trois du Bescherelle, *La Grammaire pour tous* » (*PS* : 379, 871.77.1). Et si les termes acadiens traditionnels devaient être standardisés, ce que le narrateur montre par l'exemple de « yoùsque » – transcrit aussi « Yoù c'est, ayoù c'que » (*PS* : 471, 1098.143.3) et qui, dans *Le glossaire* de Pascal Poirier, est écrit « yousque » –, le nouveau lexique, celui qui correspondrait davantage à l'Acadie moderne, devrait lui aussi être établi sur de nouvelles règles. Le narrateur réfléchit alors à la « tentation, voire la nécessité d'élargir le rôle des accents », notamment de l'accent aigu, qui aurait la fonction d'« indiquer [dans certains verbes] qu'il s'agit de mots anglais dont la terminaison se prononce en français » (*PS* : 63, 137.35.3). Les exemples donnés sont « bãnkér, clãmpér, drĩvér, flũnkér, lẽakér, mãnagér » (*Ibid.*). Or une telle démarche n'est pas sans susciter des questions. Dans un fragment consacré justement à la création de « nouveaux mots anciens » en acadien – ou plutôt, d'une nouvelle graphie de mots anciens –, fragment où l'on fait aussi amplement appel aux dictionnaires de Cormier et de Poirier, dont les transcriptions laissent parfois à désirer, selon le narrateur, cette inquiétude est exprimée par deux interlocuteurs anonymes : « Pis quisqui va faire sûr que toutte ça fait du sens ? », question renforcée par l'inquiétude du second : « On a-t-y ẽven le droit de frĩggér avec le français comme ça ? » (*PS* : 58-59, 128.30.10) Le questionnement ne s'arrête pas là : comme le chiac est une variante langagière dans laquelle s'amalgament des éléments du (vieux) français, du parler acadien et de l'anglais, et dans laquelle les emprunts au lexique anglais subissent les règles de la grammaire française (surtout en ce qui

[35] Ceux d'Yves Cormier (1999) et de Pascal Poirier (1993).

concerne la conjugaison des verbes), il s'ensuit que non seulement le français se trouve « déformé » par rapport à son usage normatif, mais aussi l'anglais. Les effets de cette « déformation » sur l'anglais, considéré comme la langue la plus importante à l'échelle mondiale, sont considérables.

Question de chiac, prise 2 : « Ostranenie » *ou la défamiliarisation de l'anglais*

L'anglais, redouté pour sa force assimilatrice par tant de francophones minoritaires vivant dans un contexte anglophone comme les Acadiens, subit un traitement assez radical dans *Pour sûr*. Son emploi ne s'arrête pas aux simples calques (« faire sûr ») ou aux anglicismes bien connus, tels qu'affichés dans le titre, par exemple. Daigle n'adopte pas non plus le procédé utilisé dans *Pas pire* ou *Petites difficultés d'existence*, où l'emploi des expressions en anglais aussi bien que celles en parler acadien et en chiac est signalé par l'italique[36], procédé qui met en relief le *code-switching* entre les langues et qui, par ce démarquage, permet une lecture relativement aisée, pourvu que ces réalités linguistiques nous soient familières. Dans *Pour sûr*, Daigle adopte une autre stratégie, comparable à celle que les formalistes russes appellent l'*ostranenie* ou la défamiliarisation[37] : l'auteure intervient dans la graphie même de l'anglais, elle la modifie et crée ainsi des obstacles qui rendent la lecture un peu plus ardue. La graphie insolite produit une nouvelle perception de l'anglais qui dérange, voire provoque les lecteurs, car elle ne se laisse pas déchiffrer automatiquement, selon les habitudes. D'aucuns trouveront ce traitement de l'anglais sans doute abusif, vu qu'il ajoute un autre niveau de complexité à une lecture déjà difficile pour ceux qui ne connaissent pas le chiac. Quitte à perdre certains lecteurs, le procédé qu'emploie Daigle est pourtant logique et ne fait que souligner son argument central, à savoir que toute langue exposée à une autre est modifiée par la force du contact. Ainsi l'anglais que parlent les locuteurs

---

[36] Dans un article consacré à la plurivocité de *Pas pire*, Boudreau montre que ce roman de Daigle « présente une palette assez variée d'idiomes contrastés », qu'il s'y trouve en fait plusieurs variétés de français et que l'emploi de l'italique pour accentuer le démarcage n'est pas toujours systématique (2000 : 51-63).

[37] Le concept d'*ostranenie* ou de la défamiliarisation a été formulé par Viktor Borisovich Shlovskii. Il est basé sur l'opposition entre une réponse habituelle et une nouvelle perception. Dans la vie quotidienne, on perçoit les choses de façon automatique, tandis que l'art vise à rompre cet automatisme afin de créer des effets esthétiques différents. Je résume ici l'entrée sur la « défamiliarisation », signée par Nina Kolesnikoff (1993a : 54). Voir aussi l'entrée sur Shlovskii (également signée par Kolesnikoff, 1993b : 471-473).

français dans le sud-est du Nouveau-Brunswick n'est évidemment pas celui que parlent les Québécois, par exemple. Et même l'anglais employé par les locuteurs anglophones du Nouveau-Brunswick se distingue de celui qu'on entend à Terre-Neuve et en Alberta, pour ne pas parler de celui de la Grande-Bretagne, ou encore de celui de l'Inde, du Pakistan et de l'Afrique du Sud, pays où l'anglais joue, à côté d'autres langues, un rôle de premier plan pour des raisons historiques. Chaque fois qu'il y a une telle cohabitation de langues ou « des langues en partage », selon le beau titre du livre de Catherine Leclerc[38], les langues en contact changent nécessairement.

Ce fait est mis en relief dans *Pour sûr*. Au lieu d'utiliser les seules lettres françaises pour reproduire l'anglais ou pour imiter l'accent français, comme le fait Raymond Queneau dans son amusant *Exercices de style* (1947)[39], Daigle ajoute des signes diacritiques – surtout le tilde et parfois le tréma – à l'anglais. Ces marqueurs sont censés souligner que, en chiac, le mot est véritablement prononcé comme en anglais, pas francisé ou avec un accent français. Cette « forme fréquente de chiaquisation » transforme l'anglais, il le « latinise » (*PS* : 438, 1011.7.1). Du coup, l'anglais devient « autre », différent : arraché à son contexte habituel et implanté dans une autre langue, il perd son statut de langue majoritaire pour subir à son tour la minorisation, ce qui ne fait que refléter la réalité quotidienne des locuteurs francophones ou, comme le formule Leclerc, « l'appel du colinguisme est [...] un appel à une redéfinition des espaces littéraires et sociaux, un appel à la création d'espaces d'énonciation qui fassent place à la pluralité des langues » (2010 : 382).

Dans *Pour sûr*, les exemples de colinguisme sont très nombreux, le moindre étant probablement le « Sõ » auquel se joint le commentaire à l'effet que le tilde indique la « prononciation allongée du *so* anglais

---

38 Partant du constat que « [l]e monde est plurilingue » (2010 : 21-24), Leclerc étudie, après une mise en place de ses assises théoriques, les effets du plurilinguisme et du colinguisme dans un corpus littéraire issu surtout du Canada (Gail Scott, Robert Majzels, Patrice Desbiens, Jean Babineau, de même que Christine Brooke-Rose de la Grande-Bretagne).

39 Voici la première phrase du fragment intitulé « Anglicismes » : « Un dai vers middai, je tèque le beusse et je sie un jeugne manne avec une grète nèque et un hatte avec une quainnde de lèsse tressée » (Queneau, 1947 : 113). Chez Daigle, on trouvera également un anglophone de Moncton qui s'exprime en français avec un fort accent anglais (*PS* : 116, 264.18.7).

(signifiant *alors, par conséquent*) » (*PS* : 226, 534.142.12 ; en italique dans le texte). D'autres exemples comme « pis après y a hãngné ũp » (*PS* : 93, 208.22.7) sont accompagnés de remarques telles que « [l]'orthographe de ces mots est en flottement » (*PS* : 93, 212.142.5). D'autres signalent que cette chiaquisation de l'anglais est même apte à « corriger l'orthographe douteuse de mots anglais qui ne se prononcent pas comme ils s'écrivent » (*PS* : 440, 1016.143.7), comme c'est le cas du mot « grôwse » (« *gross* » en anglais standard) (*PS* : 440, 1014.141.8). Et lorsque le narrateur laisse libre cours à son imagination et entrevoit que « [b]eaucoup d'autres signes graphiques pourraient servir à identifier les mots proprement acadiens ou importés de l'anglais », il constate de plus, après avoir donné des exemples plus loufoques les uns que les autres, que « les possibilités sont innombrables, l'univers regorge de signes et d'accents » (*PS* : 531, 1229.90.7). Il n'est pas impossible que les lecteurs, à l'instar de certains personnages, aient un étourdissement devant tant de liberté – ou tant d'anarchie potentielle – dans l'usage des signes diacritiques et qu'ils s'écrient, après avoir été avertis du fait qu'il « [f]audrait faire sûr que ça mãtch, qu'y aïye une logique » : « Heille, c'est tõo mũch ! » (*PS* : 536, 1244.88.8) Si le roman expose ainsi toutes sortes d'inquiétudes vis-à-vis de ce Babel, il offre aussi sa contrepartie : la jubilation langagière.

Pour sûr n'est d'ailleurs pas le roman qui va le plus loin dans la cohabitation des langues et des graphies dans un seul texte. James Joyce est bien connu pour la place qu'il réserve dans son œuvre à l'inventivité langagière, au démontage et à la recréation de la langue, et le roman monumental de l'écrivain allemand Arno Schmidt, *Zettel's Traum,* qui a dû attendre sa publication sous forme de livre jusqu'en 2010 en raison des multiples défis de mise en pages qu'il a posés[40], dépasse de loin la liberté que prend le narrateur de *Pour sûr* avec la graphie des mots, la multiplicité des signes diacritiques et la typographie. Certes, on pourrait dire que

[40] Schmidt (*Le rêve de Zettel*, 2010). Le texte original de plus de 1 300 pages qui, en 1970, n'a été publié que sous forme de fac-similé, est imprimé en trois colonnes où se côtoient l'anglais, le français et l'allemand dont l'orthographe est, le plus souvent, très libre, voire inventée. Dans le roman, il est question, entre autres, de problèmes de traduction en allemand de l'œuvre d'Edgar Allan Poe et, en arrière-plan, de la psychanalyse freudienne et d'une histoire de béguin qu'éprouve le personnage principal, un traducteur âgé, pour l'adolescente d'un couple de traducteurs. Un échantillon des vingt premières pages du roman est reproduit en ligne, [http://www.suhrkamp.de/download/Blickinsbuch/9783518803004.pdf] (5 mars 2015).

le phénomène n'est pas le même, que ni l'anglais ni l'allemand ne sont des langues minorisées et que les déformations créatrices qu'apportent Joyce et Schmidt à la langue ne menacent pas son emploi dans leur société respective. Or, malgré le fait que l'assimilation, la marginalité et la fragilité culturelle sont des problèmes réels qui continuent à guetter les minorités telles que les Acadiens ou les Franco-Ontariens, il ne s'agit pas, dans le roman de Daigle, d'une « esthétique de la faiblesse » (Simon, 1994 : 112)[41]. Plus de vingt ans après la publication de *Trafic des langues* de Sherry Simon, et de *Théories de la fragilité* de François Paré (1994), qui soulèvent les problèmes de l'insécurité linguistique dans les littératures « de l'exiguïté » (Paré, [1992] 2001), on est arrivé à une époque où le chiac est pleinement assumé, du moins en ce qui a trait à son emploi littéraire chez Daigle, non seulement dans le déploiement de sa virtuosité ludique, dans sa contribution aux constructions identitaires des personnages, mais aussi dans la problématisation et les difficultés complexes que pose le vernaculaire s'il est le seul code que détiennent ses locuteurs.

Dès lors, le narrateur de *Pour sûr* peut formuler ce constat, légèrement déguisé sous sa forme interrogative :

> Mais où commence, où finit une langue? Quand une langue devient-elle une autre langue? Toute parole n'est-elle pas qu'une interprétation de la réalité, donc une sorte de traduction, de tentative fugace de langage, une lalangue? Et puis, que le français soit ancien ou actuel ou standard ou hybride, la langue, comme la vie, n'est-elle pas qu'un long processus d'hybridation ininterrompu? (*PS* : 504, 1161.112.9)

Pour sûr représente un tel espace où les langues se confrontent, se déconstruisent et se reconstruisent, où le roman, les mots et la graphie sont retournés, détournés et réinventés. Même le mode de la réception en est ébranlé : certes, la lecture linéaire reste possible, mais elle peut être remplacée par un parcours discontinu, choisi librement par le lecteur qui suit tel ou tel sujet, aux goûts et aux dés/ordres qu'il impose au texte.

Ainsi, les auteures acadiennes ont fait beaucoup de chemin depuis les années 1970, quand Antonine Maillet a commencé à publier ses œuvres à un rythme soutenu : d'une Acadie qui se libère des contraintes mythiques imposées de l'extérieur et de l'intérieur, à une Acadie où les femmes n'hésitent plus à se dire telles qu'elles se voient, jusqu'à une Acadie qui se crée et s'écrit selon ses propres codes, dont le défrichement / déchiffrement

---

[41] Voir aussi la section « Une esthétique de la faiblesse » dans Leclerc (2010 : 295-297).

fait le plaisir des lectrices. Et tant qu'il y aura de jeunes auteures, telles qu'Emma Haché et Georgette LeBlanc, l'Acadie au féminin continuera, par son renouvellement des thèmes et des formes littéraires, à s'inscrire dans le vaste tissu de ce que Pascale Casanova appelle la « république mondiale des lettres ».

BIBLIOGRAPHIE

Archives

Archives de la Congrégation Notre-Dame-du-Sacré-Cœur, Moncton
Fonds Joséphine-Duguay

Livres et articles

BARTHES, Roland (1973). *Le plaisir du texte*, Paris, Seuil.

BARTHES, Roland (1975). *Roland Barthes par Roland Barthes*, Paris, Seuil.

BOEHRINGER, Monika (2001-2015). *Auteures acadiennes / Acadian Women's (Life) Writing*, [site Web], [http://www.mta.ca/awlw] (5 mars 2015).

BOEHRINGER, Monika (2005). « Entre errance et appartenance : Dyane Léger's Coming to Writing », *The French Review*, vol. 78, n° 6, p. 1148-1159.

BOEHRINGER, Monika (2012). « Introduction », dans France Daigle, *Sans jamais parler du vent : roman de crainte et d'espoir que la mort arrive à temps* [1983], édition critique établie par Monika Boehringer, Moncton, Institut d'études acadiennes, Université de Moncton, p. xi-xliv.

BOEHRINGER, Monika, et Hans R. RUNTE (2007). « Il était une fois une petite fille qui aimait beaucoup écrire : entretien avec Dyane Léger », *Dalhousie French Studies*, vol. 80 (automne), p. 151-166.

BOUDREAU, Raoul (1998). « L'actualité de la littérature acadienne », *Tangence*, n° 58 (octobre), p. 8-18.

BOUDREAU, Raoul (2000). « Les français de *Pas pire* de France Daigle », dans Robert Viau (dir.), *La création littéraire dans le contexte de l'exiguïté : 9e colloque de l'APLAQA*, Beauport, MNH, p. 51-63.

BOUDREAU, Raoul, et Marguerite MAILLET (1993). « Littérature acadienne », dans Jean Daigle (dir.), *L'Acadie des Maritimes : études thématiques des débuts à nos jours*, Moncton, Chaire d'études acadiennes, Université de Moncton, p. 707-748.

BRAULT, Michel, et Pierre PERRAULT (1971). *L'Acadie, l'Acadie?!?*, Montréal, Office national du film du Canada, 117 min 51 s (film documentaire).

Buñuel, Luis (réalisation et scénario), et Salvador Dali (scénario) (1929). *Un chien andalou*, film muet en noir et blanc, sonorisé en 1960, 16 min.

Cardinal, Marie (1975). *Les mots pour le dire*, Paris, Grasset.

Carroll, Lewis ([1865] 1971). *Alice's Adventures in Wonderland* and *Through the Looking Glass and What Alice Found There*, avec les illustrations de John Tenniel ; introduction et annotations par Roger Lancelyn Green, Londres, Oxford University Press.

Casanova, Pascale (1999). *La république mondiale des lettres*, Paris, Seuil.

Chiasson, Herménégilde (1998). « Traversée », *Tangence*, n° 58 (octobre), p. 77-92.

Cormier, Yves (1999). *Dictionnaire du français acadien*, Montréal, Éditions Fides.

Cyr, Athela ([s. d.]). *Les verrières : litanies de Marie, mère de Jésus*, sur le site Web du Diocèse d'Edmundston, [http://www.diocese-edmundston.ca/fr/docs/cath_verrieres-litanies_de_marie.pdf] (5 mars 2015).

Daigle, France ([1983] 2012). *Sans jamais parler du vent : roman de crainte et d'espoir que la mort arrive à temps*, édition critique établie par Monika Boehringer, Moncton, Institut d'études acadiennes, Université de Moncton.

Daigle, France (1985). *Variations en B et K : plans, devis et contrat pour l'infrastructure d'un pont*, Outremont, La Nouvelle Barre du jour.

Daigle, France (1986). « En me rapprochant sans cesse du texte : à propos de *Sans jamais parler du vent* », *La Nouvelle Barre du jour*, n° 182, p. 31-45.

Daigle, France (1993). *La vraie vie*, Montréal, Éditions de L'Hexagone ; Moncton, Éditions d'Acadie.

Daigle, France (1998). *Pas pire*, Moncton, Éditions d'Acadie.

Daigle, France (2001). *Un fin passage*, Montréal, Éditions du Boréal.

Daigle, France (2002). *Petites difficultés d'existence*, Montréal, Éditions du Boréal.

Daigle, France (2011). *Pour sûr*, Montréal, Éditions du Boréal.

Du Bellay, Joachim ([1549] 1972). *Défense et illustration du français*, texte original présenté et commenté par Louis Terreaux, Paris, Bordas.

Étienne, Gérard (2004). « Dyane Léger : *Les anges en transit : essai littéraire* », *Neue Romania 29 : Acadie 1604-2004*, sous la dir. de Peter Klaus, p. 201-279.

Fortin, Marie-Claude (2011). « *Pour sûr* de France Daigle : l'œuvre ouverte », *La Presse*, 16 septembre, [En ligne], [http://www.lapresse.ca/arts/livres/201109/16/01-4448337-pour-sur-de-france-daigle-loeuvre-ouverte.php] (5 mars 2015).

Gauvin, Lise (2010). « Préface : Antonine Maillet, Montréalaise d'adoption », dans Marie-Linda Lord (dir.), *Lire Antonine Maillet à travers le temps et l'espace*, Moncton, Institut d'études acadiennes, Université de Moncton, p. 13-16.

Gilbert, Sandra M., et Susan Gubar (1979). « The Queen's Looking Glass: Female Creativity, Male Images of Women, and the Metaphor of Literary Paternity », *The Madwoman in the Attic: The Woman Writer and the Nineteenth-Century Literary Imagination*, New Haven, Yale University Press, p. 3-44.

Haché, Emma (2003). *L'intimité*, Carnières-Morlanwelz (Belgique), Lansman.

Haché, Emma (2010). *Trafiquée*, Carnières-Morlanwelz (Belgique), Lansman.

Irigaray, Luce (1979). *Et l'une ne bouge pas sans l'autre*, Paris, Éditions de Minuit.

Kolesnikoff, Nina (1993a). « Defamiliarization », dans Irena R. Makaryk (dir.), *Encyclopedia of Contemporary Literary Theory: Approaches, Scholars, Terms*, Toronto, University of Toronto Press, p. 54.

Kolesnikoff, Nina (1993b). « Shlovskii, Viktor Borisovitch », dans Irena R. Makaryk (dir.), *Encyclopedia of Contemporary Literary Theory: Approaches, Scholars, Terms*, Toronto, University of Toronto Press, p. 471-473.

LeBlanc, Georgette (2006). *Alma*, Moncton, Éditions Perce-Neige.

LeBlanc, Georgette (2010). *Amédé*, Moncton, Éditions Perce-Neige.

LeBlanc, Georgette (2013). *Prudent*, Moncton, Éditions Perce-Neige.

Leclerc, Catherine (2010). *Des langues en partage? Cohabitation du français et de l'anglais en littérature contemporaine*, Montréal, Éditions XYZ.

Léger, Dyane ([1980] 1987). *Graines de fées*, préface de Denise Paquette, nouvelle édition revue et corrigée par l'auteure, Moncton, Éditions Perce-Neige.

Léger, Dyane (1983). *Sorcière de vent!*, Moncton, Éditions d'Acadie.

Léger, Dyane (1992). *Les anges en transit*, Trois-Rivières, Écrits des Forges; Moncton, Éditions Perce-Neige.

Léger, Dyane (1996). *Comme un boxeur dans une cathédrale*, Moncton, Éditions Perce-Neige.

Léger, Dyane (1999). *Le dragon de la dernière heure*, Moncton, Éditions Perce-Neige.

Léger, Dyane (2004). « Intertexte », dans Gérard Étienne, « Dyane Léger : *Les anges en transit : essai littéraire* », *Neue Romania 29 : Acadie 1604-2004*, sous la dir. de Peter Klaus, p. 240-249.

Longfellow, Henry Wadsworth ([1847] 1951). *Evangeline: A Tale of Acadie*, avec une introduction par C. Bruce Fergusson, Halifax, Nimbus.

Lord, Marie-Linda (dir.) (2010a). *Lire Antonine Maillet à travers le temps et l'espace*, préface de Lise Gauvin, Moncton, Institut d'études acadiennes, Université de Moncton.

Lord, Marie-Linda (2010b). « Introduction : Antonine Maillet : un monde, une langue et une œuvre », dans Marie-Linda Lord (dir.), *Lire Antonine Maillet à travers le temps et l'espace*, Moncton, Institut d'études acadiennes, Université de Moncton, p. 17-34.

Maillet, Antonine ([1962] 1977). *On a mangé la dune*, Montréal, Leméac.

Maillet, Antonine (1971a). *Rabelais et les traditions populaires en Acadie*, Québec, Les Presses de l'Université Laval.

Maillet, Antonine (1971b). *La Sagouine*, Montréal, Leméac.

Maillet, Antonine (1973). *L'Acadie pour quasiment rien : guide historique, touristique et humoristique d'Acadie*, avec la collaboration de Rita Scalabrini, Montréal, Leméac.

MAILLET, Antonine (1975). *Évangéline Deusse*, Montréal, Leméac.

MAILLET, Antonine (1979). *Pélagie-la-Charrette*, Montréal, Leméac.

MAILLET, Antonine (1992). *Les confessions de Jeanne de Valois*, Montréal, Leméac.

MAILLET, Antonine (1996). *Le chemin Saint-Jacques*, Montréal, Leméac.

MAILLET, Antonine (2001). *Madame Perfecta*, Montréal, Leméac.

MAILLET, Antonine (2003). *Le temps me dure*, Montréal, Leméac; Arles, Actes Sud.

MAILLET, Antonine (2012). « Mots dans le vent », *Le Devoir*, 14 novembre, [En ligne], [http://www.ledevoir.com/culture/livres/363905/mots-dans-le-vent] (5 mars 2015).

MORENCY, Jean (2011-2012). « L'*Évangéline* de Longfellow traduit par Pamphile Le May, un classique acadien? », *Port Acadie : revue interdisciplinaire en études acadiennes*, nos 20-21 (automne-printemps), p. 99-109.

La nouvelle orthographe [site Web] ([s. d.]). [http://www.nouvelleorthographe.info/] (5 mars 2015).

PAQUETTE, Denise (1987). « Préface », dans Dyane Léger, *Graines de fées*, nouvelle édition revue et corrigée par l'auteure, Moncton, Éditions Perce-Neige, p. 11-14.

PARÉ, François ([1992] 2001). *Les littératures de l'exiguïté*, Ottawa, Le Nordir.

PARÉ, François (1994). *Théories de la fragilité*, Ottawa, Le Nordir.

PARÉ, François (2003). « La chatte et la toupie », *La distance habitée*, Ottawa, Le Nordir, p. 199-214.

PLANTIER, René (1996). « Dyane Léger », dans *Le corps du déduit : neuf études sur la poésie acadienne : 1980-1990*, Moncton, Éditions d'Acadie, p. 59-97.

POIRIER, Pascal ([1993] 1995). *Le glossaire acadien,* édition critique établie par Pierre M. Gérin, Moncton, Éditions d'Acadie et Centre d'études acadiennes, Université de Moncton.

POWELL, Michael, et Emeric PRESSBURGER (réalisation) (1948). *The Red Shoes*, Archers Film Productions, 133 min. Une version restaurée du film est disponible depuis 2010.

LA PRESSE CANADIENNE (2012). « France Daigle remporte le prix du Gouverneur général dans la catégorie " romans " », *Le Devoir*, 13 novembre, [En ligne], [http://www.ledevoir.com/culture/livres/363847/france-daigle-remporte-le-prix-du-gouverneur-general-dans-la-categorie-romans] (5 mars 2015).

QUENEAU, Raymond (1947). *Exercices de style*, Paris, Gallimard.

RIOUX, Christian (2012). « Radio-Radio », *Le Devoir*, 26 octobre, [En ligne], [http://www.ledevoir.com/societe/actualites-en-societe/362441/radio-radio] (5 mars 2015).

RUNTE, Hans R. (1997). *Writing Acadia: The Emergence of Acadian Literature 1970-1990*, Amsterdam, Rodopi.

Saint-Denys Garneau, Hector de (1971). « Le jeu », dans *Regards et jeux dans l'espace* [1937], *Œuvres*, édition critique établie par Jacques Brault et Benoît Lacroix, Montréal, Les Presses de l'Université de Montréal, p. 10-11.

Sasu, Voichita-Maria (2003). « Le "coffre à jouets" de Dyane Léger », *Dalhousie French Studies*, vol. 62 (printemps), p. 63-71.

Savoie, Paul (2006). « Dyane Léger », *Acte de création : entretiens*, Ottawa, Éditions L'Interligne, p. 93-102.

Schmidt, Arno ([1970] 2010). *Zettel's Traum*, Frankfurt, Suhrkamp Verlag.

Simon, Sherry (1994). *Le trafic des langues : traduction et culture dans la littérature québécoise*, Montréal, Éditions du Boréal.

Villard, Marc-André (2012). « Libre opinion : le chiac : tout mélanger », *Le Devoir*, 6 novembre, [En ligne], [http://www.ledevoir.com/societe/actualites-en-societe/363220/le-chiac-tout-melanger] (5 mars 2015).

Recensions

Lise Gauvin, *Aventuriers et sédentaires : parcours du roman québécois*, Paris, Honoré Champion Éditeur, coll. « Unichamp-Essentiel », 2012, 242 p.

Dans cet ouvrage, Lise Gauvin présente un panorama de la littérature québécoise des XXe et XXIe siècles. À l'intérieur de ces 242 pages, l'auteure commente ou mentionne 260 romans classés selon différents thèmes distribués dans sept chapitres. Chaque chapitre couvre une large période, allant du début du XXe siècle jusqu'au présent, période à l'intérieur de laquelle les noms de certains auteurs reviennent selon le thème traité.

Dans le premier chapitre « Questions de langue : variantes et variations », Lise Gauvin explore le rapport obsessionnel des Québécois et des Québécoises avec la langue, leur quête identitaire, leurs doutes, leurs insécurités et leurs complexes, leur relation problématique avec la France et avec le continent nord-américain anglophone. L'auteure commence par faire référence à la fameuse lettre d'Octave Crémazie à l'abbé Henri-Raymond Casgrain en 1867 (et non pas 1967 comme elle le signale) et traverse le siècle en faisant mention de personnalités et de moments marquants qui ont ponctué le chemin de l'affirmation et de la valorisation du français au Québec, comme Gaston Miron, Michèle Lalonde, *Parti pris*, Gabrielle Roy (sans clarifier son origine manitobaine), Jacques Renaud, André Major, Yves Beauchemin, Michel Tremblay, Yolande Villemaire, Francine Noël, Réjean Ducharme, Jacques Ferron, Pierre L'Hérault, Jacques Poulin et bien d'autres.

Le deuxième chapitre, « Le romancier et ses doubles : écrire, disent-ils », explore la mise en scène du processus d'écriture. Tout comme pour la réflexion sur la langue, il s'agit, selon les mots de l'auteure, d'« une autre forme d'autoréflexivité [qui] traverse également l'ensemble de la production romanesque ». Plusieurs romanciers y sont mentionnés selon le type de personnage-écrivain qu'ils représentent : celui qui cherche à se faire une place dans la société, celui qui est en quête d'une forme pour sa création, celui qui remet tout en question, le collectionneur de mots, le révolutionnaire, le mémoriel, l'autodidacte, le liseur... Autant de personnages qui montrent la nécessité de la littérature, aussi bien pour l'individu et sa société que pour l'humanité.

L'ouvrage prend son nom du troisième chapitre, « Aventuriers et sédentaires : l'héritage du conte », dans lequel Lise Gauvin soutient que la littérature québécoise se tisse autour de deux grandes traditions : celle des nomades, composée des explorateurs, des coureurs des bois, des aventuriers, et celle des gens de la terre, qui comprend les laboureurs, les paysans, les fermiers. L'auteure retrace cette typologie à partir de certains personnages du grand classique de Louis Hémon, *Maria Chapdelaine* : François Paradis, un coureur des bois, Eutrope Gagnon, un cultivateur, et Lorenzo Surprenant, un émigré, tous les trois amoureux de Maria. C'est dans les contes populaires que Gauvin explore les origines de ces types de personnages et d'autres éléments qui reviennent obstinément dans la littérature québécoise. Elle approfondit notamment le thème de la transgression et le stéréotype de l'étranger, qui apparaît très tôt dans la littérature orale dans le personnage du diable. Ainsi, elle parcourt les sujets liés à ces éléments, comme le roman de la terre, l'enracinement, la séduction de ou par l'étranger et les modèles de Don Quichotte et de Robinson Crusoé.

Dans le quatrième chapitre, « Comment peut-on être montréalais : une ville et ses fictions », l'auteure se penche sur la ville comme sujet et comme personnage du roman urbain, depuis *Bonheur d'occasion* de Gabrielle Roy (1945) jusqu'à *Hadassa* de Myriam Beaudoin (2006), en passant par Michel Tremblay, Naïm Kattan, Francine Noël, Ying Chen, Émile Ollivier, Yves Beauchemin et tant d'autres, sans oublier un passage de la plume de l'auteure même (*Lettres d'une autre*, 2007). L'auteure invite le lecteur à « arpenter », selon sa propre expression, les rues de Montréal, ville qui surgit des pages des romans tour à tour comme une ville-chaos, fragmentée, éclatée, ville-rhizome, ville inhumaine, ville du presque, ville de migration et de courants souterrains.

Le cinquième chapitre, « Il était une fois dans l'Ouest : les *road novels* québécois », est consacré aux romans de voyage publiés à partir des années 1980 et dont le récit se centre sur l'exploration et la traversée du continent nord-américain. L'auteure présente des romans mettant en scène des personnages en mouvement intérieur et extérieur qui, tout en se déplaçant sur les routes nord-américaines, s'engagent dans une découverte de soi qui les conduit à l'écriture. Elle s'attarde surtout au roman de Jacques Poulin, *Volkswagen blues*, mais elle se penche aussi sur *Une histoire américaine* de Jacques Godbout, *Copies conformes* de Monique LaRue, *Un train pour Vancouver* de Nicole Lavigne, *Le joueur de flûte* de Louis Hamelin, *Voyage en Irlande avec un parapluie* de Louis Gauthier et *Nikolski* de Nicolas Dickner.

Le sixième chapitre, « Théories-fictions, autofictions, romans-poèmes et territoires du féminin », propose un regroupement partiel des auteures québécoises ayant publié notamment à partir des années 1970, décennie marquée par les féministes et leur prise de parole. Les premiers textes des féministes, explique Gauvin, se caractérisent par une interrogation de la parole « comme lieu et enjeu de pouvoir ou de libération. Car les femmes ont voulu d'abord penser la langue, articulant leur théorie à des pratiques transgressives et provocatrices » (p. 159). C'est avec la parution de *La Barre du jour* que le féminin dans la langue voit le jour, précise l'auteure, qui signale cette publication périodique comme le point de rencontre des réflexions des féministes. Les années qui suivent seront riches en production d'une écriture qui échappe aux classements mais qui se veut mixte, riche, fuyante, originale, transgressive, corporelle, inventive, bigarrée. Gauvin organise le devenir de cette écriture selon certaines formes mixtes comme le « roman-manifeste et la théorie-fiction », l'« autofiction », les « récits poétiques et les inventions du quotidien », les « filiations ». Dans ce parcours, nombreuses sont les écrivaines mentionnées, allant de Nicole Brossard à Nelly Arcand, en passant par France Théoret, Madeleine Gagnon, Régine Robin, Marie-Célie Agnant et tant d'autres.

Dans le septième chapitre, « Ces étranges du dedans » (titre emprunté au livre homonyme de Clément Moisant et Renate Hildebrand), qui porte sur l'écriture migrante, Lise Gauvin décrit des personnages en situation d'écriture, de sorte que ce dernier chapitre constitue une continuation du deuxième chapitre ; seulement, cette fois, les écrivains sont identifiés comme des « migrants » qui racontent leurs expériences d'exil, de perte, de deuil, qui ont laissé ou perdu un pays qui constitue, comme l'avait énoncé Émile Ollivier en 1984, « la matière première de la fiction » (p. 182). Le roman migrant est donc un récit mémoriel qui, tout en s'appropriant de l'ici et du maintenant, les transforme. L'auteure organise l'écriture migrante québécoise dans des sous-genres pratiqués par certains écrivains, comme celui de « la mémoire divisée » de Régine Robin, celui du « schizophrène heureux » d'Émile Ollivier, celui de « l'écrivain nègre » de Dany Laferrière, celui de « l'écrivain traducteur » de Marco Micone, celui de « l'écrivain épistolier » de Ying Chen ou, encore, celui de « l'écrivain peintre » de Sergio Kokis. À la fin du chapitre, elle décrit rapidement d'autres écrivains de taille comme Antonio D'Alfonso, Abla Farhoud, Naïm Kattan, Monique Bosco, Kim Thúy et Anthony Phelps.

Aventuriers et sédentaires est un ouvrage d'initiation à la littérature québécoise destiné au grand public francophone. En effet, étant donné l'ampleur du corpus traité, l'auteure se limite à offrir des présentations générales des œuvres qui fournissent un exemple du thème examiné. Subséquemment, l'approche critique et analytique ainsi qu'une étude détaillée du rôle et de la place des romans dans leurs contextes sociohistoriques, sont presque absentes. Pour les lecteurs et les lectrices québécoises, ou du Canada d'expression française, la nouveauté de la présentation de ce vaste corpus de fictions réside dans son organisation thématique selon les chapitres, ce qui offre une vision particulière de l'histoire de la littérature québécoise.

Maria Fernanda Arentsen
Université de Saint-Boniface

Bernard Andrès, *Histoires littéraires des Canadiens au XVIIIe siècle*, Québec, Les Presses de l'Université Laval, coll. « L'archive littéraire du Québec », 2012, 324 p.

À l'instar d'autres disciplines apparentées, l'histoire littéraire ne saurait se limiter à l'énumération de dates et de faits. Ses praticiens recourent plutôt à des « mises en intrigue » (Cellard, 2011 : 15), subtil procédé qui permet non seulement de soutenir une thèse sous couvert d'intelligibilité, mais aussi de développer un objet d'étude. Bref, sans la conviction profonde qu'il existait bel et bien une littérature canadienne, Camille Roy ne lui aurait pas consacré sa carrière. Or, pour Roy et la majorité de ses successeurs, l'histoire littéraire des Canadiens commençait vers 1840. Une telle approche explique en partie le mystère dont le XVIIIe siècle canadien se trouve aujourd'hui nimbé. Pourtant, dès 1954, dans un livre à contre-courant, Auguste Viatte affirmait : « Les pionniers de la Nouvelle-France ne manquent donc ni de culture ni du goût d'écrire. Après eux se développera, au XVIIe et au XVIIIe siècle, toute une littérature à la fois distincte et parente de celles qui suivront » (Viatte, 1954 : 2). De même, en 1978, quoique dans une ambiance légèrement plus favorable, Léopold LeBlanc consacrait une belle anthologie à cette période méconnue, prononçant au passage un vœu digne de mention : « Il n'est pas utopique de croire que d'ici une décennie l'histoire littéraire accordera au XVIIIe siècle québécois l'intérêt qu'on porte maintenant au XIXe après l'avoir longtemps méconnu » (LeBlanc, 1978 : 4). Or les travaux menés depuis une vingtaine d'années par Bernard Andrès, dont le plus récent ouvrage constitue une synthèse fort solide, laissent entendre que le moment d'ouverture espéré par quelques visionnaires est enfin venu. Pour ce faire, l'auteur relève un défi considérable, puisqu'il s'agit tout de même, aux yeux de l'institution, d'inventer un XVIIIe siècle littéraire canadien.

Comme l'annonce le titre de son ouvrage, Andrès ne se propose pas d'écrire une nouvelle histoire littéraire du Canada français ou du Québec, mais plutôt de raconter une série de destins qui, dans la seconde moitié du XVIIIe siècle, se croisent, se répondent et se nouent. Ainsi se résument les grandes lignes de son projet : « C'est cette lente maturation que permettent de suivre les écrits de l'époque, mais aussi ceux des dernières décennies de la Nouvelle-France. Nous en ferons l'archéologie en étudiant le triple intérêt de ces productions : au plan littéraire, mais aussi sous l'angle des mentalités et du travail historiographique » (p. 9). Étant donné l'objet étudié, dont la reconnaissance institutionnelle ne va pas de soi, son approche nécessite une grille d'analyse claire et rigoureuse. Si l'introduction dresse un état des lieux fort stimulant, tantôt en soulignant les problèmes inhérents à l'histoire littéraire produite dans les Amériques, tantôt en offrant de nombreuses pistes de réflexion, c'est dans la première partie de l'essai (p. 27-57) que l'auteur pose ses bases théoriques. Pour sa rigueur et les questions soulevées, aussi essentielles que déstabilisantes, « Archéologie du littéraire » mérite de faire école. Loin des emplois grandiloquents (et bien souvent stratégiques) qu'on rencontre çà et là dans le discours savant, la méthode « archéologique » d'Andrès n'est pas qu'une simple réminiscence foucaldienne. Son objet exige une telle approche : « En ce qui concerne le XVIIIe siècle, nous avons affaire à un ensemble de *monuments* épars, d'objets discursifs auxquels l'institution n'a pas encore décerné le label littéraire » (p. 30). D'où le statut essentiellement *documentaire* de ce corpus. Or, selon Andrès,

> il convient de transformer ces *documents* en *monuments* : non pas au sens de les légitimer en leur octroyant une valeur exemplaire, un statut littéraire [...]. Non, les aborder comme *monuments*, au sens foucaldien du terme, c'est les appréhender en eux-mêmes, en tant que pratiques non encore légitimées, mais déjà « régulées » (p. 30; en italique dans le texte).

Sur cette base, il s'agira ensuite de penser la fondation (non pas les origines diffuses) des lettres canadiennes au XVIIIe siècle, tant sur le plan factuel (textes) que symbolique (imaginaire). « Ce qui importe, écrit-il, c'est moins le propos tenu que ses conditions d'énonciation ou de ré-énonciation » (p. 39). Et puisque ces discours fondateurs furent produits dans un contexte énonciatif inédit, où la France se trouve désormais exclue, Andrès préconise une approche comparatiste dont l'axe serait panaméricain plutôt que transatlantique, et ce, afin d'éviter les ornières dépréciatives habituelles. En effet, « [c]onsidérer le littéraire comme un phénomène dûment constitué, c'est s'interdire de penser la fondation » (p. 44). Or les Amériques ont traversé, du nord au sud et selon diverses modalités, une période d'autonomisation à laquelle le littéraire a invariablement contribué. Pour le Canada français, ce moment prend forme dans la seconde moitié du XVIIIe siècle, soit dès après 1760.

Comme le rappelle Andrès dans « Le Canadien inventé », deuxième partie de son ouvrage, avant même que les « protoscripteurs » (p. 52) ne posent les premiers jalons d'une institution littéraire propre, le Canadien occupait déjà une place dans l'imaginaire colonial de la mère patrie, ne fût-ce qu'en tant que personnage : « Qu'il épouse les traits de l'habitant, de l'illettré, du coureur des bois, du flibustier ou de l'explorateur, quel que soit son *emploi*, le Canadien inventé des premiers récits fluctue entre réel et imaginaire et nourrit encore aujourd'hui la connaissance que nous en avons » (p. 63; en italique dans le texte). Après quelques considérations historiques sur l'émergence de la figure du Canadien dans le corpus de la Nouvelle-France, Andrès esquisse quelques portraits ciblés en s'appuyant sur Lahontan, Mgr de Saint-Vallier, Lesage, Voltaire, Sagean, Élisabeth Bégon, St. John de Crèvecœur, Bougainville et Montcalm, en plus de citer plusieurs chansons. Malgré l'intérêt que présente cette partie pour le néophyte, elle ressort néanmoins comme la moins aboutie de l'ouvrage, en raison notamment de ses développements parfois imprévisibles et fuyants. Par exemple, dans « Beauchêne et Le Sage », Andrès ne dit finalement presque rien des *Avantures de Robert Chevalier* ni de son héros canadien (un paragraphe à peine), s'empressant plutôt de dévier sur *L'ingénu* de Voltaire. Bien que la Nouvelle-France ne soit pas au cœur des réflexions d'Andrès, nous aurions quand même aimé en apprendre davantage sur la canadianité de personnages tels que Robert Chevalier et, peut-être, lire quelques mots sur *Les mariages de Canada* du même Lesage ou, encore, sur *Arlequin sauvage* de Delisle de La Drevetière, deux comédies qui mettent en scène des Canadiens.

En revanche, la troisième et dernière partie, « D'une patrie perdue à la patrie littéraire », véritable objet de l'ouvrage, constitue d'emblée un apport essentiel à la compréhension du XVIIIe siècle canadien. Fort d'une érudition éprouvée, Andrès propose une série d'« histoires » des plus étonnantes, qui non seulement comblent de nombreuses lacunes institutionnelles, mais aussi piquent la curiosité par la manière dont elles prennent vie. Préconisant tantôt l'événement raconté à plusieurs mains (comme la Conquête ou la Révolution américaine), tantôt l'individu et son œuvre (Saint-Luc de La Corne, Laterrière, du Calvet, Quesnel, Mézière ou Plessis), voire l'angle institutionnel (*Gazette littéraire de Montréal*), l'auteur prouve que les jugements à l'emporte-pièce des premiers historiens de la littérature à l'égard du XVIIIe siècle canadien s'appuyaient sur des présupposés désormais surannés. Si l'état de la recherche et des fonds documentaires laissait à désirer lorsque Roy entreprit d'écrire une histoire littéraire des Canadiens français, Andrès montre qu'il n'est plus possible de s'asseoir confortablement sur les jugements du passé et d'affirmer, suivant Gérard Tougas, que « [l]a production littéraire qui s'étend de 1764 à 1830 [...] est fort curieuse et instructive pour l'historien de la littérature canadienne à ses débuts », mais qu'« [a]ucun [de ces écrits éphémères] ne mérite de survivre » (Tougas, 1967 : 3). En conséquence, il ne nous reste plus qu'à nous mettre au travail !

Bibliographie

CELLARD, Karine (2011). *Leçons de littérature : un siècle de manuels scolaires au Québec*, Montréal, Les Presses de l'Université de Montréal.

LEBLANC, Léopold (éd.) (1978). « Écrits de la Nouvelle-France », dans Gilles Marcotte (dir.), *Anthologie de la littérature québécoise*, vol. 1 : *Écrits de la Nouvelle-France : 1534-1760*, Montréal, Les Éditions La Presse.

TOUGAS, Gérard (1967). *Histoire de la littérature canadienne-française*, 4e éd., Paris, Presses universitaires de France.

VIATTE, Auguste (1954). *Histoire littéraire de l'Amérique française des origines à 1950*, Québec, Les Presses de l'Université Laval ; Paris, Presses universitaires de France.

Sébastien Côté
Université Carleton

Johanne Melançon (dir.), *Écrire au féminin au Canada français*, Sudbury, Éditions Prise de parole, coll. « Agora », 2013, 313 p.

Comment et sur quoi les femmes du Canada français écrivent-elles depuis le début des années 1970 ? Telle est la question pressante qui est posée dans ce volume collectif issu d'un colloque tenu à l'Université Laurentienne à Sudbury en 2008. Juxtaposée à la situation dynamique et formatrice au Québec, où le rôle et l'importance des écrits des femmes au sein des tendances formalistes et postmodernes sont depuis longtemps confirmés, en particulier leur rôle dans la réinvention des formes, des conventions et du langage (Dupré, Saint-Martin, Paterson), celle des milieux francophones minoritaires reste encore relativement inexplorée. La réflexion critique offerte par ce volume inaugure une ligne de pensée et de recherche qui mérite une exploration plus systématique d'œuvres littéraires au féminin produites hors du Québec.

Regroupant treize articles qui traitent de l'œuvre de neuf écrivaines, le volume ne cherche pas à faire le bilan complet de cette écriture au féminin, mais plutôt à cerner les thèmes, les styles et les genres ainsi que les voix d'auteures importantes de trois régions : l'Acadie, l'Ontario et l'Ouest canadien. Comme les analyses sont d'ordre textuel plutôt qu'historique, sociologique ou idéologique, elles sondent des textes ciblés pour en faire ressortir le parcours ou l'inventivité propre à chaque écrivaine. Dans un tel contexte, une vision d'ensemble de la production d'une région ou des auteures n'est pas encore possible.

C'est par le texte d'ouverture du colloque et du volume que Lise Gaboury-Diallo, poète, nouvelliste et professeure au Manitoba, interroge ce qui se passe « quand elle écrit » (p. 15). L'universel et le particulier se rencontrent dans cette belle réflexion lyrique sur la femme qui écrit en ce XXIe siècle ; femme toujours limitée par son sexe, mais aussi libérée par le verbe. Issu d'une pratique hautement personnelle, ce portrait de l'écrivaine souligne le rapport étroit entre la pratique d'écriture individuelle et la théorie postcoloniale. Pour Gaboury-Diallo, il se manifeste dans le champ de la quête autour duquel elle organise son essai : l'identité plurielle, l'impermanence des rôles, la relation aux marges sexuelles, sociopolitiques et linguistiques ; ces mêmes sujets figurent dans ses propres poèmes dont elle insère des fragments pour créer un rapport dialogique. Ainsi, elle donne forme dans le poème « écrire je », par lequel elle termine son essai (p. 41), à nombreux échos intertextuels.

Si le volume est organisé selon un parcours géographique, les textes recoupent des thèmes et des approches critiques qui nous permettent de mieux voir les préoccupations communes et partagées des auteures, tout comme des critiques. Les quatre thèmes qui structurent mon compte rendu sont : l'espace, l'autofiction, l'identité et le mythe; on aurait pu discuter de l'intime et du langage également.

L'espace social, l'espace urbain, l'espace intérieur : autant de façons de figurer les lieux de l'imaginaire en littérature. Dans son essai sur la représentation du monde urbain dans le roman d'Antonine Maillet *Confessions de Jeanne de Valois* (1993), Marie-Linda Lord montre la signification et l'importance de la ville moderne de Moncton pour l'imaginaire au féminin. Le roman de Maillet est, conclut Lord, une chronique d'un pays naissant dans lequel la différence ethnique est signifiante (p. 52). L'espace est également la clé de la lecture que Benoit Doyon-Gosselin fait des romans de transition de France Daigle, *La vraie vie* et *1953*, œuvres dans lesquelles les espaces référentiels explicites deviennent des ponts vers les personnages ainsi que vers le monde extérieur. Selon Beatriz Mangada, l'espace et l'identité sont intimement liés dans la trilogie d'Hélène Brodeur, *Chroniques du Nouvel-Ontario* (3 tomes), à laquelle elle attribue les caractéristiques du roman historique, du récit fictionnel et de la chronique. Afin de comprendre les représentations et les manières de structurer l'espace, elle fait appel à la sémantique interprétative pour étudier les mécanismes d'énonciation; la vision rétrospective révélée confirme le rapport indissoluble du temps et de l'espace dans l'œuvre de Brodeur pour conserver les souvenirs de l'Ontario-Nord, un passé indispensable à l'articulation d'une identité franco-ontarienne (p. 98).

Identité, altérité, autofiction – trois mots clés dans l'œuvre autofictionnel de Marguerite Andersen. Dans son article « Altérité et dialogisme chez Marguerite Andersen », Michel Lord sonde les isotopies obsessionnelles afin de comprendre le rapport entre le soi et l'autre dans l'œuvre. D'origine allemande, Andersen renvoie à un passé fictionnalisé pour rendre l'altérité signifiante en mettant en valeur les sujets de l'énonciation et en traduisant l'étrangeté des voix. Parmi les plus jeunes auteures étudiées, la poète franco-ontarienne Tina Charlebois effectue une subversion langagière par son choix de stratégies rhétoriques et linguistiques pour dire à la fois ses identités et appartenances et sa résistance aux modèles identitaires. Selon Nicoletta Dolce, dans son étude des recueils *Tatouages et testaments* (2002) et *Poils lisses* (2006), la marge est pour Charlebois un interstice créateur à partir duquel le *je* lyrique peut mieux résister aux contraintes des cultures et des discours et à tout ce qui menace ses désirs (p. 229). À l'aide de stratégies rhétoriques et textuelles, Charlebois vise à transformer la « minorisation en principe d'action sur la culture » (p. 229). Pour sa part, Christine Knapp examine l'usage original des embrayeurs pour rendre signifiant le complexe identitaire complémentaire *je-tu* dans ses écrits. Elle conclut : « La poésie de Tina Charlebois se situe au plan de l'individualisme collectif, qui permet d'insister sur la revendication de l'identité collective dans la définition de soi » (p. 258). Les conclusions que tirent ces deux critiques indiquent que certaines auteures travaillent à faire éclater les structures binaires de l'identité et de l'altérité, du centre et de la périphérie. Selon Jimmy Thibeault, le roman de la crise identitaire *Un piano dans le noir* (1991), de la Franco-Manitobaine Simone Chaput, engage des personnages féminins dans une lutte pour combattre l'isolement et reconstruire un espace social qui favorise l'individualité et les collectivités plurielles. Dans leur traitement des questions identitaires, ces trois auteurs font ressortir deux thèmes explorés dans le texte de Gaboury-Diallo : le décentrement du moi et l'indécidabilité identitaire.

L'affirmation d'un *je* féminin contemporain est constitutive des genres de l'autobiographie et de l'autofiction. Vincent L. Schonberger se penche sur l'oscillation de la voix narrative dans l'œuvre de Gabrielle Roy afin de montrer l'évolution vers une plus grande intériorisation et un intimisme discret, produits d'une identification entre le sujet de l'énonciation et l'objet de l'énoncé. Selon Johanne Melançon, Marguerite Andersen a choisi de « faire de sa vie un texte littéraire » (p. 141). Situant son analyse au-delà des techniques autofictionnelles, elle privilégie l'expérience même de l'écriture dans l'œuvre de prose poétique *Bleu sur blanc* (2000), qui traduit par l'imaginaire un voyage en Tunisie. Le pacte de sincérité par lequel est établi le rapport entre la vie et l'écriture donne à Andersen une « façon de dire l'expérience intérieure, de la renouveler et de la réactualiser » (p. 145), et de conserver les souvenirs modifiés par le temps (p. 156). L'article de Catherine Parayre sur le projet « autobiographique » *Les crus de l'Esplanade* (1998) révèle la force et la complexité de l'art d'Andersen. Se servant de théories sur les traumatismes et sur le non-dit et l'implicite, Parayre cherche à faire comprendre la souffrance émotionnelle des protagonistes en décodant la valeur diégétique des objets symboliques (p. 138).

La relecture sinon la réappropriation du mythe au féminin reste une stratégie fertile pour les écrivaines de l'Ontario. Élodie Daniélou analyse la capacité de l'œuvre d'Anne Claire (pseudonyme de l'Ontarienne Nancy Vickers) de transformer les mythèmes et de les mettre au service du conte. Les deux études suivantes sur l'œuvre d'Andrée Christensen – elles traitent surtout du roman *Depuis toujours, j'entendais la mer* (2007) – confirment l'importance des mythes danois, des récits scandinaves et du thème de la mort pour créer une poétique de transformation et de revalorisation du mythe. Kathleen Kellett-Betsos se sert du *leitmotiv* du double pour rendre compte de l'épanouissement personnel des personnages et de la réconciliation avec les forces de la vie et de la mort. Cette même vision syncrétique de la mort à l'œuvre dans les textes de Christensen incite Metka Zupancic à étudier « l'alchimie de la mort » dans le mythe d'Orphée évoqué dans *Le livre des sept voiles* (2001) et à s'inspirer de sa portée pour éclairer le roman *Depuis toujours*, plus complexe du point de vue narratologique et brouillant les limites de la réalité et de l'imaginaire.

Les essais rassemblés dans ce volume nous convainquent que les auteures de l'exiguïté ont laissé entendre des voix fortes, des visions personnelles et parfois féminisées de leur rapport au monde et à l'écriture. Les symboles, les mythes, les images, les voix, la langue deviennent des instruments de renouvellement et de distinction. Cependant, à en juger par les thèmes et les modes traités, il y a peu de place pour l'engagement et les revendications sociales, idéologiques et politiques. Avant de saisir l'envergure de l'écriture au féminin de la périphérie, on doit nécessairement avoir fait la découverte de sa variété et de sa richesse. Dans ce sens, ce collectif dirigé par Johanne Melançon constitue un important début vers cet objectif.

Estelle Dansereau
Université de Calgary

Serge Bouchard et Marie-Christine Lévesque, *De remarquables oubliés*, t. 2 : *Ils ont couru l'Amérique*, Montréal, Lux Éditeur, 2014, 420 p.

Ce recueil traite de personnages historiques et légendaires ayant sillonné l'Amérique du Nord aux XVIIe, XVIIIe et XIXe siècles. Les onze récits présentés découlent de recherches effectuées dans le cadre de la série *De remarquables oubliés* incluant une centaine d'émissions radiophoniques qui ont été diffusées sur les ondes de Radio-Canada entre 2005 et 2011.

Le premier tome des *Remarquables oubliés,* paru chez le même éditeur en 2011, regroupait les trajectoires singulières de quinze femmes qui ont façonné l'Amérique. L'aventure se poursuit dans ce second tome avec, cette fois, quatorze hommes dont les parcours ont été occultés ou insuffisamment soulignés dans nos manuels d'histoire. En effet, mis à part les Brûlé, Jolliet, D'Iberville et La Vérendrye, les personnages du présent recueil demeurent méconnus. Grâce aux recherches de toute une équipe de Radio-Canada, à la participation d'invités à l'émission animée par Serge Bouchard et à la recomposition « à quatre mains » des deux auteurs (Bouchard et Lévesque), ces personnages apparaissent sous un nouveau jour ou, encore, sont dévoilés pour la première fois et, quel que soit le bagage du lecteur en matière d'histoire, ils séduisent par leur étonnant parcours (*cf.* l'avant-propos, p. 11-13).

Plus vivants que jamais, ces personnages peuvent inspirer ou surprendre. Chaque trajectoire est illustrée d'une carte géographique très bien conçue (ce qui manque souvent aux livres d'histoire) et placée en début de chapitre. Les auteurs dépeignent ainsi trois siècles de présence française en Amérique en incluant toutes les grandes régions, du Labrador à l'embouchure du Mississippi et des Grands Lacs jusqu'au Pacifique en passant par les Prairies canadiennes et les montagnes Rocheuses. À une exception près (le cas de Jean-Baptiste Charbonneau), les récits sont présentés selon un ordre chronologique qui va de la toute fin du XVIe siècle (Étienne Brûlé, né vers 1592) jusqu'au début du XXe siècle (Jean L'Heureux, décédé en 1919).

Les auteurs se sont donné pour tâche de réhabiliter l'image de certains personnages renommés qui avaient été discrédités ou d'en écorcher d'autres, gentiment, en vue d'en rectifier l'image tout en frappant l'imagination des auditeurs et futurs lecteurs : Étienne Brûlé (« l'Ensauvagé », *ca.* 1592-1633), Louis Jolliet (« L'homme-fleuve », hydrographe, 1645-1700), D'Iberville (le « pirate », aventurier et mercenaire, 1661-1706) et La Vérendrye et ses fils (découvreurs de l'Ouest, 1685-1794).

Les auteurs présentent également les portraits de personnages moins connus du public, ces véritables oubliés de l'histoire : Guillaume Couture (le « bâtisseur », 1617-1701, qui vivra chez les Hurons), Jean Gabriel Franchère (le commerçant de fourrures, 1786-1863), John McLoughlin (lui aussi mêlé au commerce des fourrures, 1784-1857), Jean-Baptiste Charbonneau (« fils de l'Amérique », polyglotte, 1805-1866), Étienne

Provost (1785-1850), Jean-Baptiste Chalifoux (*ca.* 1791-1860) et Antoine Robidoux (1794-1860), dont les destins sont plus ou moins entrecroisés à partir de Saint-Louis dans l'État du Missouri, François-Xavier Aubry (cavalier réputé le plus rapide de l'Ouest, 1824-1854), Albert Lacombe (généreux missionnaire de l'Ouest canadien, 1827-1916) et Jean L'Heureux, qui vécut chez les Pieds-Noirs et sera mêlé aux négociations menant à la signature de certains traités avec les Amérindiens (*ca.* 1830-1919).

Étienne Brûlé entreprit des voyages chez les Amérindiens et vécut parmi eux entre 1608 et 1611. Comme d'autres personnages présentés dans ce recueil, il écrivit peu, et c'est surtout à partir des écrits de leurs contemporains que les historiens vont reconstituer leurs parcours respectifs. D'autres protagonistes laisseront des textes (lettres, récits, etc.). Ainsi, Franchère rédige un journal comprenant des passages d'intérêt ethnographique, (p. 255-256) et le père Lacombe publiera *Dictionnaire et grammaire de la langue crise* en 1871.

Impossible de résumer ici tous ces destins, mais soulignons l'excellent travail effectué par les auteurs, qui ne manquent pas de situer les trajectoires de chacun des protagonistes dans le contexte économique et sociopolitique de son époque, tout en prenant soin de le souligner par des renvois lorsque les destins s'entrecroisent d'un chapitre à l'autre. Ils font référence à des entreprises (par exemple, la Compagnie de la Baie d'Hudson et la Compagnie du Nord-Ouest) et à des toponymes comme Michillimakinac (p. 103 et 179) qui reviennent dans plus d'un chapitre étant donné leur fonction de plaque tournante ou de passage obligé vers l'Ouest à l'époque de la traite des fourrures. Ils évoquent les conflits entre l'Angleterre et la France ainsi que leurs répercussions sur les destinées nord-américaines, l'alternance des luttes et des trêves entre Européens et Autochtones ou des peuples autochtones entre eux (*cf.* la Grande Paix de Montréal, p. 90, et le massacre de Lachine en 1689, p. 139) ainsi que des interventions méconnues de « truchements » en milieu autochtone à des fins pacifiques (*cf.* Guillaume Couture chez les Iroquois, p. 78-79 ; Lacombe et L'Heureux chez les Cris, Assiniboines et Pieds-Noirs, p. 403). En plus des quatorze personnages principaux, les auteurs mettent en scène d'autres explorateurs (Lewis et Clark, p. 208) ou hommes politiques (de Jean Talon à Louis Riel) mieux connus ou que l'on découvre en même temps que les Charbonneau et Franchère.

À quelques reprises, les auteurs partagent leur perception critique du colonialisme et des aristocrates venus s'enrichir en Amérique (p. 84 et 163) ; ils soulignent également le peu de soutien que la France a offert à certains « fils d'Amérique », particulièrement s'ils ne faisaient pas partie d'une certaine élite. De plus, ils montrent combien certains des personnages présentés étaient proches des Amérindiens et des Métis. Par ailleurs, ils n'hésitent pas à critiquer les attitudes des gouvernements et du clergé à l'égard des Autochtones et des « ensauvagés » qui épousaient des Amérindiennes ou, tout simplement, leur mode de vie.

Les récits sont jalonnés de réalisations et d'exploits, mais également de noyades, de pertes matérielles et de bien d'autres difficultés. C'est ainsi qu'au chapitre sur Lacombe et L'Heureux (p. 394), les auteurs décrivent les plaines comme un pays où l'on va « à cheval ou en traîneau à chiens, combattant en été les maringouins, les feux de prairie et la chaleur accablante, résistant en hiver à la famine, aux froids intenses et aux vents cruels ». Enfin, la majorité des personnages sont dépeints comme des êtres dotés d'une grande détermination, certains étant motivés par des ambitions mercantiles, d'autres animés d'une foi profonde. Exceptionnellement, l'un d'entre eux avait un penchant pour la violence (D'Iberville) et un autre commit des excès qui lui valurent une mort prématurée (Aubry).

Enfin, les auteurs proposent de courts et heureux intermèdes au cours desquels ils présentent certains concepts : « truchement » (intermédiaires et interprètes, p. 35), pirate ou corsaire (p. 137). Ils font référence aux coutumes amérindiennes (la fête des Morts chez les Hurons, p. 54-56 ; le berdache, p. 108) et expliquent la signification et la transformation de certains toponymes amérindiens (Ministukwut, « le lac des îles » dans la langue crie, devenu le lac des Bois, p. 171) ou, encore, présentent l'ancienne et la nouvelle graphie (par exemple, *Mitchi Sipi* d'origine algonquienne ou Mississippi, p. 102).

En somme, dans cet ouvrage, les auteurs présentent des récits dont les racines sont soigneusement exposées, contribuant ainsi à valoriser l'identité culturelle des francophones nord-américains trop souvent définie à la lumière du modèle européen. La conception des « scénarios », la structure du recueil, la cartographie, tout laisse entrevoir la possibilité d'un ravissement assuré lors de la lecture de cet ouvrage.

Yves Labrèche
Université de Saint-Boniface

Jacqueline Blay, *L'histoire du Manitoba français*, t. 2 : *Le temps des outrages (1870-1916)*, Winnipeg, Éditions des Plaines, 2013, 409 p.

Dans le deuxième tome de *L'histoire du Manitoba français*, Jacqueline Blay nous offre une lecture historique enrichissante, cherchant à mettre en évidence les diverses tensions et difficultés que les ancêtres francophones et métis du Manitoba ont subies, grâce à des archives et à de riches témoignages. Ce deuxième ouvrage fait partie d'un ensemble de cinq tomes, dont trois autres à paraître, ayant pour objectif de combler une lacune historique ; il s'agit de la première collection qui raconte l'histoire du Manitoba français de manière si détaillée. Le premier ouvrage de Jacqueline Blay s'achève aux débuts des violences entre les Métis et le gouvernement canadien, lors de la création du Manitoba en 1870. Dans ce deuxième tome, sont dépeints les événements qui ont fait suite à la *Loi de 1870 sur le Manitoba* jusqu'à l'abolition du français dans les écoles en 1916. L'œuvre captive le lecteur en décrivant les luttes en plein cœur de la résistance de la colonie de la Rivière-Rouge.

Blay présente ses recherches en divisant l'œuvre en treize chapitres. Les enjeux qui la préoccupent le plus sont : la préservation des gains accordés par la *Loi de 1870 sur le Manitoba*, le bilinguisme institutionnel et législatif, le système scolaire confessionnel et la répartition des terres aux Métis. Les premiers chapitres retracent les tensions entre les Métis et le gouvernement fédéral ainsi que le début des nombreux outrages que subiront les Métis et les francophones. La première question abordée est l'étude et la mise en place d'une amnistie pour les participants aux terribles événements de 1869-1870. L'exécution de Thomas Scott contamine le débat public, portant préjudice aux Métis et à Louis Riel, qui préfère s'exiler plutôt que de comparaître devant le tribunal. Par ailleurs, le gouvernement canadien, qui a promis des terres aux Métis, pose plusieurs conditions à cet octroi et en change les règles sans les consulter. Cette promesse de terres ancestrales aux Métis a perduré et c'est seulement en 2013 que la Cour suprême du Canada reconnaîtra « que le gouvernement fédéral n'a pas agi de façon honorable » (note 270, p. 105), donnant « gain de cause aux Métis » (note 270, p. 105) et que celui-ci devra réparer cette injustice envers eux. Cette partie se clôt sur le procès et la mort du chef métis, fondateur de la province du Manitoba, Louis Riel.

Dans la deuxième partie, l'auteure analyse le système des écoles francophones mis en place au Manitoba ainsi que tous les changements qui lui ont été imposés. En premier lieu, elle décrit l'abolition de l'article 22 de la *Loi de 1870 sur le Manitoba*, qui concerne les droits des écoles et exige que la Législature du Manitoba ne puisse « porter atteinte aux droits et aux privilèges appartenant de droit ou selon la coutume dans la province [...] relativement aux écoles confessionnelles » (p. 192-193 et Annexe 2, *Loi de 1870 sur le Manitoba,* article 22). Cette loi est mise à l'épreuve par les nouveaux arrivants protestants de l'Ontario, qui favorisent l'enseignement par les laïcs, et les anglophones déjà établis, qui cherchent un « épanouissement individuel et indépendant de la religion » (p. 192). L'enseignement de la religion catholique dans les écoles devient alors restreint et doit avoir lieu après les classes. Avec l'adoption de l'article 23 de la même loi, l'emploi de l'anglais ou du français devient facultatif dans les débats législatifs et devant les tribunaux provinciaux. Il est écrit dans l'article 23 que « [c]hacun a le droit d'employer le français ou l'anglais dans les débats des chambres de la Législature du Manitoba et l'usage de ces deux langues est obligatoire pour les archives, comptes rendus et les procès-verbaux de ces chambres » (p. 209 et Annexe 2, *Loi de 1870 sur le Manitoba,* article 23). En 1890, sous le gouvernement de Wilfrid Laurier, l'anglais deviendra la seule langue officielle (*Loi sur la langue officielle*). Le dossier scolaire du Manitoba prend de l'importance, passant au-delà des frontières du Manitoba. En effet, il suscite un intérêt juridique et politique grandissant et devient un enjeu central dans le débat sur l'enseignement des langues officielles du Canada, remettant surtout en question la place accordée au français dans les écoles. En 1896, on présente l'accord Laurier-Greenway, un règlement reconnaissant le français au même niveau que les autres langues (l'allemand et le polonais), mais l'anglais demeure la langue d'enseignement. Bien que ce règlement ne satisfasse pas les francophones du Manitoba, Greenway le met en vigueur.

Le Manitoba devient une province plurilingue avec un taux élevé d'immigrants, nourrissant toujours la question des écoles, avec la diversité des langues en présence et la place qu'on leur accorde. Le Manitoba français, de son côté, devient une minorité. Les tensions religieuses et linguistiques se rejoignent avec le grand flot d'immigrants irlandais catholiques anglophones qui réclament leurs propres établissements ecclésiastiques et scolaires en anglais. Selon Blay, pour les Canadiens français, « la langue est directement liée à la foi ; ils perçoivent donc l'interdiction d'enseigner en français, comme une tentative de conversion à la religion protestante et à l'assimilation linguistique » (p. 308). En 1916, Tobias C. Norris ferme le dossier scolaire, prétendant que ce dossier est réglé, après avoir approuvé la loi exigeant la scolarité pour tous les enfants de sept à quatorze ans et un enseignement uniquement en anglais. Conséquemment, l'Association d'éducation des Canadiens français du Manitoba est créée dans le but d'assurer l'enseignement du français dans les écoles. Elle propose en outre de désobéir à la contrainte d'enseigner en anglais et de cacher les livres français aux inspecteurs qui visitent les écoles dans le but de s'assurer que les enfants des écoles publiques du Manitoba reçoivent leur enseignement en anglais.

Ensuite, Blay s'intéresse au cas Dumas-Baribault, qui remet en cause l'abolition de l'article 23. Dumas poursuit l'architecte Baribault parce qu'il lui doit de l'argent. Néanmoins, ce qui intéresse le plus Dumas est de s'assurer du respect de son droit au bilinguisme : de fait, on a refusé d'accepter les documents rédigés en français qu'il a présentés à la cour. Le juge Prud'homme déclare à deux reprises la loi de Greenway, qui établissait l'anglais comme seule langue officielle de la province, inconstitutionnelle. Mais le gouvernement canadien ne donne pas suite à ces jugements. Dumas cherche l'appui de l'Association d'éducation des Canadiens français du Manitoba, mais celle-ci refusera de le lui accorder. Ce cas juridique crée une rupture entre les Métis et les Canadiens francophones, car ils n'ont plus les mêmes priorités : les Métis cherchent à lutter pour le français, alors que l'Association préfère se concentrer sur le dossier scolaire. Le 20 juillet 1916, les Métis se dissocient de l'Association d'éducation des Canadiens français du Manitoba et ce n'est qu'en 1956 que les Métis reviendront siéger à l'Association.

Selon Blay, le dernier outrage a lieu en 1916, quand le Vatican décide de fragmenter le diocèse de Saint-Boniface, réduisant son territoire ecclésiastique et répondant aux vœux des Irlandais catholiques. Par conséquent, ce démembrement isole davantage la communauté francophone du Manitoba.

Il est évident que Jacqueline Blay a fait des recherches minutieuses pour rédiger cet ouvrage, en incluant des notes historiques intéressantes comme des passages tirés du « Document secret » de Monseigneur Langevin à l'abbé Henri Bernard, où il décrit sa solitude causée par les tensions religieuses internes (p. 301-307). Elle a bien équilibré les différentes parties de son œuvre. Blay décrit de manière adroite les tensions entre les Métis et le gouvernement ainsi que la crise scolaire, qui touche aux questions de la pratique des religions et de l'enseignement en français dans les écoles publiques de la province. *L'histoire du Manitoba français : le temps des outrages (1870-1916)* est un bel ouvrage décrivant la lutte des communautés francophone et métisse afin de préserver leur patrimoine.

Natalie LaFleur
Université de Montréal
et Université de Paris-Sorbonne

Ronald Rudin, *L'Acadie entre le souvenir et l'oubli : un historien sur les chemins de la mémoire collective,* Montréal, Éditions du Boréal, 2014, 448 p.

De l'historien anglophone Ronald Rudin, *L'Acadie entre le souvenir et l'oubli : un historien sur les chemins de la mémoire collective* (version originale anglaise publiée en 2009) est un livre volumineux qui retrace le parcours de l'auteur à travers la théâtralisation du passé en Acadie.

Le premier objectif de Rudin est de décrire l'utilisation du passé des Acadiens et de sa transmission au grand public. Pour ce faire, il a participé à de nombreuses commémorations et festivités, notamment celles de 2004, soulignant les 400 ans de la présence des Acadiens dans le Nouveau Monde, et celles de 2005, marquant le 250e anniversaire de la Déportation des Acadiens (p. 20).

Ronald Rudin ne se contente pas de décrire son expérience suite à sa longue étude de terrain entreprise dans les régions acadiennes depuis 2002. L'auteur retrace aussi l'historique de ces fêtes à l'aide de nombreux témoignages d'archives. Son périple dans le Canada atlantique et en France a été rendu possible grâce à une subvention du Conseil de recherches en sciences humaines (CRSH) (p. 10). Ces fonds ont contribué non seulement à la publication de ce livre, mais aussi à la collecte d'informations, de photos et de vidéos menant à la réalisation du documentaire *Life After Île Ste-Croix* (disponible sur DVD à l'ONF) et à la construction du site Web *Remembering Acadie* : http://rememberingacadie.concordia.ca (p. 13).

Afin de répondre à ses objectifs, l'auteur divise son livre en deux parties. La première, qui comprend quatre chapitres, fait la chronique de la participation des acteurs aux événements marquant le 400e anniversaire de l'établissement de colons à l'île Sainte-Croix et à Port-Royal. Elles représentent les premières tentatives d'implantation d'une présence française permanente en Amérique du Nord. L'auteur y ajoute une analyse historique afin de traiter de l'organisation de ces fêtes dans le passé. Au-delà des célébrations et commémorations, l'auteur s'interroge sur le sens politique et social de cette utilisation de l'histoire : d'une part, il met en évidence l'importance des gardiens des lieux de mémoire et de la volonté des élites de créer un nouveau mythe fondateur à travers la fondation de l'Acadie en 1604; il signale, d'autre part, la complexité d'une mémoire dont le sens est à partager avec diverses communautés (anglaises ou autochtones) ; enfin, il mentionne le rôle qu'ont joué les divers paliers de gouvernement au Canada comme aux États-Unis (p. 28).

La deuxième partie de ce livre est divisée en deux chapitres consacrés au souvenir collectif de la Déportation. L'auteur souhaite mettre en perspective les efforts déployés par le passé pour rappeler ces événements traumatisants et termine avec la commémoration du 250e anniversaire en 2005 (p. 29). Il retrace alors l'historique des commémorations de la Déportation et le sens qui leur est attribué par les élites. On comprend aisément, à travers son historique, l'aspect conflictuel de la commémoration qui se déroule constamment dans le désir de ne pas offusquer le voisin anglophone (p. 313). Le livre se clôt sur un épilogue qui explore les réflexions de l'auteur sur le legs de l'odyssée commémorative acadienne. Ces réflexions incluent les défis mémoriels, les réussites, les conflits d'interprétations et les tentatives de redéfinition (p. 30).

L'historien Ronald Rudin a écrit son livre comme un carnet de voyage, présentant les fêtes, ses péripéties et ses rencontres tout en y apportant un contexte historique suffisamment développé. Il a le mérite d'avoir essayé de rencontrer non seulement les organisateurs et les élites politiques et sociales (écrivains, paroliers, cinéastes et intellectuels), mais aussi les participants et les gens de passage (p. 22 et 24). Il assiste aussi à des événements qui ont un écho historique. Cette situation fait de Ronald Rudin un historien qui côtoie de près la sociologie. Il faut une certaine proximité pour comprendre la subtilité des enjeux. C'est une approche que l'auteur souhaitait pour sa recherche : « Je voulais surtout étudier les récits que l'on présentait », dira Rudin, « afin de comprendre pourquoi certains aspects du passé sont évoqués alors que d'autres sombrent dans l'oubli. Le souvenir n'est jamais tout à fait innocent » (p. 21).

Cette approche amène aussi certains désagréments. Les retours et détours entre son expérience et l'histoire rendent la lecture de l'ouvrage difficile, et son approche thématique entraîne plusieurs redondances. Il faut dire aussi que le livre déborde largement le sujet annoncé par son titre en incluant, avec raison, les peuples autochtones et anglophones du Canada dont les histoires font écho à celles des Acadiens. De plus, certaines de ses analyses, comme celle de la remise en question du mythe de la fondation en Acadie, manquent de profondeur. L'auteur n'explique pas suffisamment la nécessité pour les élites de s'affranchir de ce mythe. Néanmoins, ses qualités d'historien lui permettent de documenter abondamment tous les événements factuels et d'expliquer de façon pertinente les conséquences historiques (encore récentes) sur la politique acadienne. Ce livre est donc une œuvre de très bonne qualité, expliquant convenablement et de façon convaincante les enjeux mémoriels en Acadie.

En définitive, cet ouvrage est sans nul doute la source d'information la plus complète sur la théâtralisation des festivités de 2004 et de 2005 en Acadie. Il offre des données provenant de nombreuses archives illustrant ainsi le sérieux du travail de son auteur. De plus, la recherche de terrain à la base de cet ouvrage historique offre une profondeur peu commune dans les livres d'histoire. Il reste que la grande qualité de cet auteur réside dans son courage d'avoir publié un livre historique au moment où les acteurs de l'histoire sont encore présents. Ses critiques des élites, parfois acerbes, font preuve d'une certaine audace. Cet ouvrage permet de donner des outils de réflexion aux Acadiens en mettant en évidence des enjeux historiques souvent inconscients.

Gilbert McLaughlin
Université d'Ottawa

David Lonergan, *Acadie 72 : naissance de la modernité acadienne*, Sudbury, Éditions Prise de parole, coll. « Essai », 2013, 153 p.

David Lonergan est, pour le moins, un observateur attentif de la littérature acadienne, et ce livre, publié dans la collection « Essai » aux éditions Prise de parole, en est une nouvelle preuve. L'objectif avoué, dès le titre et la quatrième de couverture, est de s'arrêter à l'année 1972 et d'y associer une naissance (ou un basculement) de l'Acadie dans la modernité. Mais circonscrire son projet à cette année, marquante en ce qui concerne l'édition en Acadie, se révèle dès l'avant-propos, dans lequel l'auteur explique son parcours et sa démarche, un peu limité.

Si cette date est importante sur le plan symbolique – les Éditions d'Acadie vont, en effet, jouer par la suite un rôle de premier plan dans le milieu littéraire et culturel acadien, l'auteur s'intéresse, avant tout, aux éléments qui expliquent sa naissance et le contexte dans lequel s'inscrit la maison d'édition. Dans cette optique, il remonte à 1958 et note que « [l]es événements de l'année 1972 ont en fait pris racine avec le premier film de Léonard Forest en 1954 et les publications d'Antonine Maillet et de Ronald Després en 1958, et s'étireront jusqu'en 1974 » (p. 10). Il ouvre ainsi ses investigations aux « prémices », aux premiers mouvements de la littérature acadienne « moderne ». La difficulté de l'approche est toutefois de dépasser l'arbitraire d'une date, vers quoi mène l'ensemble du propos, et de rendre compte, dans un même temps, d'un processus qui est loin d'être linéaire. Les productions culturelles dites « modernistes » sont, en effet, toujours différenciées et, par définition, en lutte permanente entre elles. Elles le sont aussi avec les éléments dits plus « traditionnels » présents dans le domaine des arts et, plus largement, dans la sphère sociale. Le début du quatrième chapitre (intitulé « Un milieu artistique en effervescence ») l'illustre bien en commençant comme suit : « En ce début des années 1970, tous les arts connaissent une effervescence teintée par l'émergence de jeunes artistes animés du désir d'afficher une acadianité qu'ils définissent au fur et à mesure qu'il l'affirme [...] » (p. 75). Les liens entre productions artistiques et questionnements identitaires qui apparaissent dans l'ouvrage deviennent possibles grâce à une ouverture considérable sur les faits marquants dans le milieu socioculturel au sens large. La fondation des Éditions d'Acadie apparaît ainsi dans un contexte élargi où « [i]l y avait la chanson, la politique, l'éducation, la littérature, le cinéma, la société civile : tout bougeait ! » (p. 10). L'entreprise n'est donc pas, pour cette période de transformations profondes de l'Acadie (et pas seulement), de tendre vers une portée explicative englobant toutes ces pratiques, mais plutôt d'identifier et d'accumuler les éléments marquants qui, une fois assemblés par le lecteur, apportent une perspective sur ces moments de l'histoire acadienne.

Éclectique, davantage que ciblée, la démarche est convaincante et fait en sorte que ce texte – par le style clair et la facilité avec laquelle l'auteur donne la parole aux acteurs de cette modernité – s'adresse à un vaste lectorat (à un public d'étudiants, par exemple), intéressé à en apprendre davantage sur la culture et la littérature acadiennes. Fondé sur un travail de recherche indéniable, dont témoignent les notes en fin d'ouvrage, ce texte a toutefois ses limites en raison du fait qu'il ne se situe ni totalement sur le terrain universitaire ni vraiment dans le genre de l'essai. Ainsi, cette « modernité » dont il est question n'est pas l'objet d'un réel questionnement, elle apparaît plutôt comme un donné au fil de la présentation des acteurs qui, par conséquent, l'incarnent. Pour ne citer que les principaux et donner en même temps une esquisse du contenu du livre, voici les noms des artistes et écrivains mentionnés dans l'ouvrage : Claude Roussel, Roméo Savoie, Georges Goguen, Antonine Maillet, Jacques Savoie, Herménégilde Chiasson, Édith Butler, Angèle Arsenault, Donat Lacroix, Calixte Duguay, Raymond Breau, Ronald Després, Léonard Forest et Raymond LeBlanc. Si cette énumération présente des personnes associées à des pratiques artistiques très diversifiées et à des formes de modernité bien différentes, l'auteur pourtant ne s'y trompe pas : il a choisi de retenir les artistes importants, qui ont été reconnus comme tels par la critique universitaire. L'innovation tient ici surtout à l'effet de synthèse qui ressort du livre, mais on peut cependant s'interroger, en particulier, sur la place occupée par l'écrivaine Antonine Maillet (deux sections sur les cinq que compte l'ouvrage) par rapport à d'autres acteurs dont le regroupement au sein d'une même section aurait sans doute gagné à être davantage explicité.

Ces exemples montrent qu'une justification préalable plus cohérente de cette organisation aurait permis d'expliquer davantage les choix (peut-être plus personnels) de l'essayiste, mais aussi les contraintes institutionnelles propres au milieu. La voix de l'essayiste, comme nous l'indiquions, ne se dégage pas pleinement à la lecture. Pourtant, la citation tirée de l'essai inédit d'Herménégilde Chiasson, placée en exergue, montre qu'il est possible de mettre davantage en relief les dynamiques en cours durant cette période : « Je me souviens des discussions entre Claude Roussel et Antonine Maillet, entre la modernité naissante et le folklore omniprésent. Roussel voyait Jackson Pollock en peignant des pêcheurs acadiens et Maillet faisait remonter la langue acadienne à l'œuvre de Rabelais. Deux mouvements, deux écoles, deux continents » (p. 7). Ces deux mouvements sont peu présents dans l'ouvrage : ni structurants ni vraiment contestés. Le développement résulte davantage d'une progression articulée autour d'un(e) écrivain(e) ou d'un(e) artiste, par exemple, voire d'un film, d'un livre ou encore d'une pièce de théâtre. Le texte offre ainsi des éléments biographiques, de brefs résumés et analyses des publications importantes choisies ainsi qu'un aperçu de la réception. L'auteur s'arrête également à des problématiques un peu plus vastes, d'ordre sociopolitique, par exemple, dans les sections intitulées « La tentation québécoise », « L'élite » et le « Parti acadien » notamment. La prise en compte de la réception et la place laissée aux propos des acteurs eux-mêmes, tirés d'articles de journaux ou de revues, sont les grandes forces du livre. Associées à un style descriptif (permettant d'incorporer quantité de détails et d'informations factuelles) et parfois narratif, elles réussissent à amener le lecteur à se faire une idée de cette période, rejoignant en cela l'objectif premier du livre.

Nicolas Nicaise
Université de Moncton

Lise Gauvin, Cécile Van den Avenne, Véronique Corinus et Ching Selao (dir.), *Littératures francophones : parodies, pastiches, réécritures,* Lyon, ENS Éditions, 2013, 290 p.

Ouvrage collectif issu d'un colloque tenu à Lyon en 2009, *Littératures francophones : parodies, pastiches, réécritures* propose, sur ses quelque trois cents pages, d'explorer la question des modèles : celle de leur adoption, transposition, reconfiguration ou rejet par les écrivains francophones. Lise Gauvin situe l'importance de cette question en introduction, évoquant la nécessité d'examiner le rapport de ces écrivains à des modèles multiples au lendemain de la publication du manifeste « Pour une "littérature-monde" en français » (2007). Les contributeurs à *Littératures francophones : parodies, pastiches, réécritures* examinent ce rapport aux modèles sous l'angle de l'hypertextualité telle que développée par Gérard Genette, soit « toute relation unissant un texte B (que j'appellerai hypertexte) à un texte antérieur A (que j'appellerai, bien sûr, hypotexte) sur lequel il se greffe d'une manière qui n'est pas celle du commentaire » (Genette, cité dans Gauvin). Genette parle de deux modes que peuvent adopter les pratiques hypertextuelles : la transformation et l'imitation. L'ouvrage *Littératures francophones* traite de ces deux modes, suivant aussi Genette dans sa sous-division des transformations sous des régimes ludique (la parodie), satirique (le travestissement) et sérieux (la transposition).

Gauvin espère que les outils proposés par Genette permettront aux contributeurs de l'ouvrage d'atteindre trois objectifs : d'abord, un objectif théorique visant à répertorier les concepts opérants de la réécriture et à les repenser ; ensuite, un objectif comparatiste visant à déterminer, par des études de cas, les pratiques de réécriture des littératures francophones ; enfin, un objectif disciplinaire (ou métaréflexif) visant à actualiser la compréhension des littératures francophones et, par extension, de la littérature. C'est dire que l'ouvrage souhaite faire dialoguer la perspective littéraire formaliste et celle d'un postcolonialisme (et « transcolonialisme », terme de Françoise Lionnet) politique sur les pratiques de la réécriture, les élargissant en quelque sorte toutes les deux.

L'ouvrage regroupe les articles d'une vingtaine d'universitaires (associés surtout à des universités nord-américaines et européennes) selon les aires géographiques de leur objet d'étude : « Europe et Amériques [*sic*] du Nord », « Caraïbes et océan Indien, Afriques [*sic*] ». Les directrices de l'ouvrage font ce découpage pour « mettre en évidence les différences institutionnelles entre l'un ou l'autre de ces ensembles que l'on désigne sous le nom de littératures francophones » (p. 15-16). Cette organisation met certes en évidence la congruence entre la réécriture et certains concepts régionaux : l'américanité en Amérique du Nord (Lucie Hotte), la créolité dans les Antilles (Dominique Chancé ; Michel Benianimo), le griot (Auguste Léopold Mbondé Mouangué) ainsi que la tension entre la quête d'authenticité et le plagiat (Issac Bazié ; Daniel Delas) en Afrique. Il permet peu, cependant, d'atteindre le troisième objectif de l'ouvrage, c'est-à-dire d'assurer un dialogue réflexif entre les aires géographiques des littératures francophones et de dégager une vue d'ensemble sur les pratiques de réécriture qui, justement, traversent et mettent en doute les frontières de ces aires géographiques.

Les contributions de Paul Aron et de Yolaine Parisot répondent le mieux à ce besoin. Le premier, dont les travaux sur la parodie et sur le pastiche sont déjà connus, étudie des parodies et des pastiches de Maurice Maeterlinck par des auteurs du Canada français et du Québec, de la Suisse et de la Belgique, pour en conclure que ces pratiques, souvent perçues comme critiques ou satiriques, rendent *aussi* hommage à l'auteur et « confirment [s]a réception internationale » (p. 40). De plus, il n'y aurait pas de spécificité « nationale » aux pratiques de réécriture : « La logique des positions du champ littéraire l'emporte [...] sur les logiques d'appartenance nationale » (p. 41). De son côté, Yolaine Parisot rappelle que ce n'est pas sous l'angle de la géographie (nationale ou mondiale), mais plutôt sous celui de la chronologie que l'on envisage habituellement les pratiques de réécritures postcoloniales : d'abord, les littératures européennes servent de modèles ou de contre-modèles ; ensuite, on installe une « histoire littéraire endogène » (p. 203) ; enfin, on entre dans un régime littéraire mondial.

Appartiendraient au premier moment, du côté de l'hommage comme de la contestation des modèles européens, les contributions de Réjean Beaudoin sur le naturalisme chez Albert Laberge et Ringuet ainsi que celle de Gilles Dupuis sur les modèles bibliques et faulknériens d'Anne Hébert. Les contributions de Carla Fratta sur la parodie par Léon-Gontran Damas de Charles Perrault, celle de Véronique Corinus sur la nouvelle régionaliste créole, celle de Charles Bonn sur la réécriture du genre romanesque chez Kateb Yacine et celle de Ching Selao sur le « marronnage de l'imaginaire » (p. 196) anglais et américain par Maryse Condé mettent également en évidence des hypotextes européens réécrits, parodiés ou imités par des écrivains francophones.

Le deuxième moment, celui de la création d'une littérature endogène, apparaît dans la contribution de Mbondé Mouangué sur le « griot comme modèle énonciatif » (p. 255) chez Thierno Monénembo, dans celle de Chancé sur le « paradigme antillais » (p. 175) d'Édouard Glissant et de Patrick Chamoiseau, dans celle de Mélikah Abdelmoumen sur l'autofiction chez Catherine Mavrikakis et Nelly Arcan, et aussi dans celle de Lucie Hotte sur Jacques Poulin, Daniel Poliquin et leurs rapports aux littératures canadienne-anglaise, américaine et québécoise.

En troisième lieu, le moment « mondial » des littératures francophones est convoqué par Dominique D. Fisher sur la polyphonie des modèles que sont Robert Lepage, Antonin Artaud et « l'appartenance (trans)culturelle du sujet écrivant » (p. 79) pour Wajdi Mouawad ainsi que par Parisot sur la figure de l'écrivain dans l'autofiction haïtienne.

Or le recueil laisse aussi transparaître des parcours qui remettent en cause cette chronologie. Les modèles endogènes reviennent dans plusieurs contributions comme contrepartie aux modèles européens, dans une « oscillation des modèles » (p. 165) non linéaire. À l'inverse, Raoul Boudreau évoque le rapport conflictuel de France Daigle au modèle d'Antonine Maillet en littérature acadienne pour expliquer le recours à Marguerite Duras. Enfin, en étudiant l'histoire de l'usage du « petit nègre » en littérature, Cécile Van den Avenne montre bien comment les artistes africains peuvent reprendre le modèle qu'on a fait d'eux ailleurs pour mieux le détourner.

En somme, les contributions, celles de Françoise Lionnet et de Michel Benianimo en particulier, rappellent subtilement que, malgré la mondialisation affirmée des littératures francophones (la trame géographique annoncée par leur chronologie), il faut toujours « écouter *là où* [les littératures francophones] ont du sens » (Lionnet, p. 132). L'ouvrage éclaire ainsi le potentiel de ces littératures pour des lectures « glocales » (Benianimo, p. 150). On en prendra note pour se remettre à l'écoute des littératures francophones des Amériques, des hypotextes auxquels elles renvoient et du monde auquel, dans un geste transnational, elles clignent de l'œil.

Nicole Nolette
Université Harvard

Résumés / Abstracts

Rémi Léger

De la reconnaissance à l'habilitation de la francophonie canadienne

Cet article vise à susciter une réflexion sur la notion de reconnaissance et les réalités du terrain qu'elle se propose de traduire. La thèse avancée est que la reconnaissance déforme les luttes de plusieurs groupes en situation minoritaire en évacuant la question du pouvoir qui réside au cœur de leurs actions et de leurs revendications. La notion d'habilitation permet, en retour, de récupérer et de thématiser cette question du pouvoir. L'habilitation renvoie à l'exercice par les personnes et les collectivités d'un plus grand contrôle sur les dimensions de leur existence qu'elles considèrent comme névralgiques. La démonstration de la thèse s'appuie sur le cas de la francophonie canadienne en situation minoritaire.

This article aims to elicit a reflection on the concept of recognition and the realities that it proposes to translate. It is argued that recognition distorts many of the struggles of minority groups by removing the question of power that resides in the heart of their actions and claims. The notion of empowerment in turn allows for a new focus on the issue of power as it refers to the practice by individuals and communities of seeking greater control over the dimensions of their existence which they consider sensitive. The argument of this study is based on the specific case of the French Canadian minority.

Christophe Traisnel et Darius Bossé

La « communauté linguistique française » du Nouveau-Brunswick dans l'article 16.1 de la *Charte canadienne des droits et libertés* : entre politiques de reconnaissance et reconnaissance politique d'une communauté linguistique au Canada

En 45 ans, le Canada a défini une approche bien singulière de la protection et de la promotion de ses minorités linguistiques, une approche fondée non sur la reconnaissance politique de communautés désignées, mais sur des politiques de reconnaissance linguistique à travers l'adoption du bilinguisme officiel. Une exception apparaît cependant, celle du Nouveau-Brunswick et de ses « communauté française » et « communauté anglaise » nommément désignées dans l'article 16.1 de la *Charte canadienne des droits et libertés*. Il s'agira ici d'examiner l'exception néo-brunswickoise, qui semble transposer le modèle canadien plutôt que s'en dissocier.

In 45 years, Canada has defined a singular approach in terms of protection and promotion of its linguistic minorities; an approach founded on language recognition policies, by means of official bilingualism, rather than an approach founded on the political recognition of designated communities. However, there seems to be an exception in New Brunswick, which formally recognizes the "English linguistic community" and the "French linguistic community" in section 16.1 of the Canadian Charter of Rights and Freedoms. *The article questions this New Brunswick exception which instead seems to transpose the Canadian model on that province more than it dissociates itself from it.*

Stéphanie Chouinard

L'élite en francophonie canadienne comme catégorie sociale persistante : la gouvernance communautaire en perspective

Cet article cherche à faire l'examen de la pertinence de la notion d'élite dans les recherches contemporaines sur la francophonie canadienne. L'auteure effectuera d'abord un bref retour sur ce concept tel qu'il était entendu à la fois dans les travaux de théorie politique et dans ceux portant sur le Canada français. Elle fera ensuite un bref détour par ce que le sociologue Norbert Elias a appelé les « configurations » du pouvoir, afin de montrer que la notion d'élite est toujours présente, notamment dans les écrits portant sur la gouvernance communautaire, mais que celle-ci se dissimule aujourd'hui derrière le lexique de la nouvelle gestion publique.

This article seeks to review the relevance of the concept of elite in contemporary research on French Canada. Firstly, we briefly look back on this concept as it was understood both in political theory and in the literature on French Canada. We then make a brief deviation to what sociologist Norbert Elias called the "configuration" of power to demonstrate that the concept of elite is still present in contemporary research, particularly on community governance. However, today, the notion of governance is overshadowed by references to a new concept of public management.

Serge Dupuis

Pour une grille d'analyse appropriée à l'élite de la francophonie canadienne

Ce texte avance qu'on ne peut emprunter la grille d'analyse appliquée habituellement aux élites des grandes sociétés pour étudier le rôle que joue l'élite dans une collectivité minoritaire. L'auteur prend l'exemple historique des Canadiens français, après la Conquête anglaise et au XXIe siècle, pour illustrer la sous-représentation des francophones minoritaires dans certains secteurs clés de l'économie, comme la finance et les affaires.

This article argues that one cannot apply the analysis, usually applied to the elite of large societies, on the role which it plays in a minority collectivity. The author uses the historical example of French Canadians, after the English Conquest, but also in the 21th century, to demonstrate the under-representation of Francophones living in a minority context in certain key sectors of the economy such as finance and business.

Sophie-Hélène Legris-Dumontier

La francophonie dans la région de la capitale nationale : réflexion sur le pouvoir exercé par la Commission de la capitale nationale

La Commission de la capitale nationale (CCN) est un acteur important dans le développement urbain de la région de la capitale nationale. En 1969, sa juridiction s'étend à Hull. On lui confie la coordination des travaux de construction des édifices fédéraux sur l'île de Hull, puis elle se fait octroyer par le gouvernement Trudeau le mandat de promouvoir le bilinguisme à la suite de la commission Laurendeau-Dunton. La région de la capitale nationale doit refléter une image harmonieuse du Canada. En se penchant sur la mission de la CCN et sur ses interventions en matière de bilinguisme, on constate qu'elle a eu beaucoup de pouvoir afin de tenter de construire une capitale de renom.

The National Capital Commission (NCC) is an important actor in the urban development of the National Capital Region. In 1969, its power regarding Hull widens. It coordinates the construction of federal buildings on Hull Island, and then is granted by the Trudeau government a mandate to promote bilingualism in the aftermath of the Laurendeau-Dunton Commission. The National Capital Region must reflect a harmonious image of Canada. By focusing on the mission of the NCC and its bilingualism-related interventions, we realize that it had a lot of power in order to try to build a reputable capital.

Valérie Mandia

Le septième art hors des frontières nationales : le pouvoir de la langue et de l'imaginaire culturel dans les films du cinéaste québécois Xavier Dolan

Cet article convie à une réflexion critique sur la mise en forme et les usages du français dans les films du cinéaste québécois Xavier Dolan, en particulier dans *J'ai tué ma mère* (2009), *Les amours imaginaires* (2010) et *Laurence Anyways* (2012), qui se révèlent des points de repère incontournables dans l'éclosion du cinéma québécois à l'extérieur des frontières nationales. Dans une perspective sociolinguistique, l'auteure tente de préciser les liens entre la langue hybride et les images véhiculées par les films de Dolan, qui ont la particularité de rejoindre à la fois le public de la grande francophonie et le public anglophone de l'Amérique du Nord. En tant que société de plus en plus en communication avec les communautés extérieures, le Québec se transforme, si bien que ses frontières linguistiques et territoriales ne semblent plus constituer un obstacle pour le cinéaste émergent. Les films et le discours de ce dernier se construisent davantage sur la diversité et l'universel et paraissent ainsi en rupture avec le discours langue/nation/culture de plusieurs de ses prédécesseurs. À la lumière de la grille d'analyse proposée par Christian Poirier dans ses recherches sur le cinéma québécois, l'auteure s'interroge sur les limites et la portée de ses modalités discursives cinématographiques ouvrant des perspectives entre le *Même* et l'*Autre*. Cette analyse s'insère dans une recherche plus large sur la culture et les pratiques artistiques au Québec dans le but de trouver les références et les stratégies à partir desquelles elles se renouvellent.

This article invites a critical reflection on the forms and uses of French in the works of Québécois filmmaker Xavier Dolan, specifically in J'ai tué ma mère *(2009),* Les amours imaginaires *(2010), and* Laurence Anyways *(2012). These films are key points of reference in the emergence of a Québécois cinema beyond Québec's national borders. In a sociolinguistic perspective, we emphasize the role of the hybrid language and the images conveyed in Dolan's films in reaching out to both Francophone and Anglophone audiences in North America. As it is more and more open to the outside world,*

Québec is being transformed and its linguistic and territorial boundaries no longer seem to be a barrier to this emerging filmmaker. His films and public interventions are increasingly focused on diversity and universality and thus seem to be a departure from the language/nation/culture discourse of many of his predecessors. In light of the analysis proposed by Christian Poirier in his research on Québécois cinema, we question the limitations and the significance of the film's discursive modalities allowing for an interaction between the Same and the Other. This study is part of a broader research on culture and artistic practices in Québec in view of finding the references and the strategies which allow for renewal.

Joël Lagrandeur

Traduttore è traditore : aux sources de l'antagonisme Garneau-Bell : deux conceptions du pouvoir politique bas-canadien

En septembre 1859, alors que François-Xavier Garneau vient tout juste de publier la troisième édition de son *Histoire du Canada*, l'éditeur John Lovell annonce la traduction prochaine de l'œuvre par le rédacteur en chef du *Pilot* de Montréal, Andrew Bell. Or, alors que Garneau espérait une traduction fidèle de l'œuvre, c'est une adaptation plutôt libre qu'offre Bell en 1860. Dans le présent article, l'auteur intéresse, plus particulièrement, à l'écart existant entre la version originale et la traduction sur la question du lieu où repose la légitimité du pouvoir politique bas-canadien non seulement en observant les différences entre les deux versions de l'*Histoire du Canada*, mais également en tentant de les expliquer en fonction des expériences et de la pensée politique de Garneau et de Bell ainsi que des horizons d'attente auxquels ils faisaient face.

In September 1859, while François-Xavier Garneau has just published the third edition of his Histoire du Canada, *publisher John Lovell announces the forthcoming translation of the work, to be made by the editor of Montreal's* Pilot, *Andrew Bell. But while Garneau hoped for a faithful translation of its work, the translation published by Bell in 1860 looks more like a somewhat free adaptation. In this article, we look more closely at the gap existing between the original work and its translation on the question of where lies the legitimacy of the political power in Lower Canada, not only by observing the differences between the two versions of the* Histoire du Canada, *but also by trying to explain these differences under the light of Bell and Garneau's experiences and political thoughts as well as of the horizons of expectation they were facing.*

Amal Madibbo

L'état de la reconnaissance et de la non-reconnaissance des acquis des immigrants africains francophones en Alberta

De nombreuses études montrent qu'un nombre important d'immigrants n'arrive pas à obtenir un emploi dans leur domaine de spécialisation, et ce, malgré un niveau de scolarité beaucoup plus élevé que celui des personnes nées au Canada. Une grande partie de ces recherches mettent l'accent sur les provinces de l'Est canadien et les communautés immigrantes anglophones ou allophones. Cet article comble des lacunes importantes, car il explore l'expérience des immigrants francophones originaires de l'Afrique subsaharienne en ce qui a trait à la reconnaissance et la non-reconnaissance de leurs diplômes et expertise professionnelle en Alberta. En se basant sur des analyses documentaires et des entrevues semi-dirigées, l'auteure précise qu'à l'instar d'autres provinces canadiennes, les immigrants en Alberta souffrent de la non-reconnaissance de leurs acquis en raison de facteurs tels que l'âge, le manque de connaissance des systèmes académiques de certains pays en voie de développement et le racisme sur le marché du travail. La non-reconnaissance du français comme valeur ajoutée et la marginalisation sous forme de sous-emploi plutôt que de chômage contribuent au problème. En soulignant les succès et certaines lacunes dans les initiatives qu'a mises en œuvre le Gouvernement de l'Alberta dans ce domaine, l'auteure fait des suggestions susceptibles d'améliorer cette situation.

Studies have shown that a significant number of immigrants cannot find a job in their field despite having a much higher level of education than people born in Canada. Much of this research is focused on the eastern Canadian provinces and on English-speaking immigrant or allophone communities. This article fills important gaps as it explores the experience of francophone immigrants from sub-Saharan Africa regarding the recognition and non-recognition of their diplomas and professional expertise in Alberta. Based on literature reviews and semi-structured interviews, we specify that, like in other Canadian provinces, immigrants in Alberta are affected by the non-recognition of their strengths because of factors such as age, lack of knowledge of academic programs in developing countries, and racism in the workplace. The lack of recognition of French as an added value and marginalization in the form of underemployment rather than unemployment contribute to the problem. By highlighting the successes and certain gaps regarding initiatives implemented by the Government of Alberta in this area, recommendations will be made in view of improving the situation.

Monika BOEHRINGER

Les mots pour se / le dire : trois temps forts dans l'Acadie au féminin : Antonine Maillet, Dyane Léger, France Daigle

Trois moments forts de la littérature acadienne au féminin sont à l'étude dans cet article : *Évangéline Deusse* (1975) d'Antonine Maillet, écrit contre le mythe d'*Évangéline* de Longfellow, exhibe toute la verve pour laquelle son auteure est connue. *Graines de fées* (1980), premier recueil poétique de Dyane Léger, signale que la modernité de l'écriture des femmes est arrivée en Acadie : ses jeux de mots jusqu'alors inouïs sont sous-tendus par un vaste réseau intertextuel. Et le roman postmoderne *Pour sûr* (2011), de France Daigle, excelle dans sa réflexion soutenue sur les langues. Non seulement l'auteure continue-t-elle sa méditation sur la place du chiac au Nouveau-Brunswick, mais elle fait coexister le vernaculaire avec d'autres variantes du français et d'autres langues minoritaires, si bien que les préoccupations langagières de ses personnages prennent une ampleur qui risque même d'ébranler le statut de l'anglais : la défamiliarisation de cette langue quasi omnipotente est seulement un des effets de la virtuosité ludique du dernier roman de Daigle.

Three important moments of Acadian literature written by women are considered in this article: Évangéline Deusse *(1975) by Antonine Maillet, written against Longfellow's myth of* Évangéline, *exhibits all the flair for which its author is known.* Graines de fées *(1980), Dyane Léger's first collection of poems, highlights that the modernity of women's writing has arrived in Acadia: her innovative play on words are underpinned by a large intertextual network. And France Daigle's postmodern novel* Pour sûr *(2011) excels in its extensive reflection about languages. Not only does the author continue her meditations on the significance of chiac in New Brunswick, but contrasts the vernacular with different variations of French and other minority languages; the linguistic concerns of her characters may go as far as weakening the status of the English language: the defamiliarization of this all-important language is only one of the effects of the playful virtuosity in this last novel by Daigle.*

Notices biobibliographiques

Maria Fernanda Arentsen est professeure agrégée au Département d'études françaises, des langues et de littératures à l'Université de Saint-Boniface (Winnipeg, Manitoba). Ses recherches concernent les frontières, l'altérité, les exclusions et, plus récemment, la représentation des personnes en situation de handicap dans la littérature canadienne d'expression française. Elle a publié de nombreux articles et chapitres de livres sur ces problématiques et les ouvrages *Discours autour des frontières, histoires des cicatrices : une lecture des discours des frontières au Québec et en Amérique latine* (Saarbrücken, Allemagne, VDM Verlag Dr. Müller, 2009) et, en codirection avec Kenneth Meadwell, *Les voix de la mémoire et de l'altérité* (Winnipeg, Presses universitaires de Saint-Boniface, 2013).

Monika Boehringer a été professeure titulaire à l'Université Mount Allison jusqu'en 2015. Ses recherches portent sur l'Acadie et l'écriture au féminin, domaines dans lesquels elle a publié de nombreux articles. Créatrice du site Web *Auteures acadiennes/Acadian Women's (Life) Writing* (www.mta.ca/awlw/), elle a récemment publié *Anthologie de la poésie des femmes en Acadie* (Perce-Neige, 2014). Elle a aussi préparé l'édition critique du premier roman de France Daigle, *Sans jamais parler du vent* (Institut d'études acadiennes, Université de Moncton, 2012) et codirigé *Entre textes et images : constructions identitaires en Acadie et au Québec* (Institut d'études acadiennes, Université de Moncton, 2010).

Darius Bossé, originaire d'Edmundston, au Nouveau-Brunswick, est étudiant à la maîtrise en droit à l'Université McGill. Diplômé de la Section de common law en français de la Faculté de droit de l'Université d'Ottawa, il a également obtenu un baccalauréat en sciences sociales, spécialisation en science politique, de l'Université de Moncton. Il est l'auteur de nombreuses publications sur les droits des minorités et sur le concept juridique de liberté dans le contexte canadien.

Stéphanie Chouinard est candidate au doctorat à l'École d'études politiques de l'Université d'Ottawa. Ses recherches portent sur la francophonie canadienne et sur l'évolution des droits des minorités linguistiques au Canada et en Europe. Elle est récipiendaire de la bourse Vanier du Conseil de recherches en sciences humaines du Canada (CRSH) ainsi que d'une bourse de la Fondation Baxter et Alma Ricard.

Sébastien Côté est professeur agrégé au Département de français de l'Université Carleton (Ottawa). Après plusieurs années consacrées à la littérature française de l'entre-deux-guerres, notamment aux rapports entre l'avant-garde et l'ethnologie dans la revue *Documents*, il concentre désormais ses recherches sur les écrits de la Nouvelle-France et leur réception. Cofondateur des *Cahiers Leiris*, il a également édité une version courante de la *Brève relation du voyage de la Nouvelle-France* (1632) du jésuite Paul Lejeune, et dirigé, avec Charles Doutrelepont, *Relire le patrimoine lettré de l'Amérique française* (Les Presses de l'Université Laval, 2013). Actuellement, il édite *Les lettres canadiennes* (1700-1725), manuscrit anonyme.

Estelle Dansereau a été professeure de littérature et de langue françaises au Département de français, italien et espagnol de l'Université de Calgary, où elle a également enseigné au Programme de littérature comparée. Elle a dirigé le septième numéro de *Francophonies d'Amérique* (1997) sur « Le(s) discours féminin(s) de la francophonie nord-américaine ». Ses publications principales portent sur l'écriture au féminin, l'écriture en milieu minoritaire et les représentations de la vieillesse. Parmi les auteures étudiées au fil des ans, on trouve : Gabrielle Roy, Gabrielle Poulin, Marguerite Primeau, Madeleine Ferron, Claire Martin, Simone Chaput et Lise Gaboury-Diallo. Elle se consacre actuellement à plusieurs projets de recherche qui portent sur les représentations de l'extrême vieillesse et sur la mémoire et l'abjection.

François-Olivier Dorais est doctorant en histoire à l'Université de Montréal, où il se spécialise en histoire intellectuelle et en historiographie du Canada français et du Québec contemporain. Ses intérêts de recherche s'étendent aussi aux francophonies minoritaires du Canada. Il achève actuellement une biographie intellectuelle de l'historien Gaétan Gervais.

Serge Dupuis est chercheur postdoctoral au Département des sciences historiques de l'Université Laval. Il a été directeur associé aux colloques et aux finances de l'Institut franco-ontarien à l'Université Laurentienne. Titulaire d'un doctorat en histoire de l'Université de Waterloo, il est l'auteur de nombreuses publications et conférences sur le Règlement XVII, l'histoire du mouvement Richelieu et, plus récemment, sur les universités bilingues en Ontario.

Yves Labrèche enseigne à l'Université de Saint-Boniface depuis 2005. Il y coordonne également des programmes de recherche, comme celui de la *Chaire de recherche du Canada de niveau 1 sur les migrations, les transferts et les communautés francophones* depuis octobre 2013, et le programme de maîtrise ès arts en études canadiennes depuis 2012. Entre 2009 et 2013, il a publié des textes sur l'histoire et le quotidien des minorités francophones, notamment sur les Métis, dans le cadre de l'Alliance de recherche universités-communautés sur les identités francophones de l'Ouest canadien. Auparavant, il a effectué des recherches en milieu nordique dont les résultats, publiés entre 1986 et 2012, mettent en valeur le patrimoine culturel des Autochtones de l'Arctique et du Labrador.

Natalie LaFleur est étudiante au doctorat, en cotutelle de thèse, au Département des littératures de langue française de l'Université de Montréal et à l'Université Paris-Sorbonne, depuis septembre 2011. Elle prépare une thèse intitulée *Les tableaux dans les romans du tournant des Lumières,* examinant les tableaux dramatiques dans divers genres de romans de la fin du XVIIIe siècle et du début du XIXe siècle. Elle a obtenu son baccalauréat en arts, avec une majeure en français, et sa maîtrise en français à l'Université du Manitoba. Elle s'intéresse aussi à son héritage métis et manitobain.

Joël Lagrandeur est doctorant et chargé de cours au Département de lettres et communication de l'Université de Sherbrooke. Ses recherches portent actuellement sur les représentations du patriotisme dans l'œuvre de Marie-Claire Daveluy. Il s'intéresse également à l'étude de la traduction d'écrits littéraires et historiographiques du XIXe siècle au Québec. Il est membre du Centre de recherche interuniversitaire en littérature et culture québécoises (CRILCQ).

Rémi Léger est professeur de sciences politiques à l'Université Simon Fraser en Colombie-Britannique. Il est titulaire d'une maîtrise de l'Université de l'Alberta (2007) et d'un doctorat de l'Université Queen's (2012). Ses recherches portent sur les rapports entre langue et politique, le développement des communautés et l'histoire des idées au Canada.

Sophie-Hélène Legris-Dumontier est inscrite à la maîtrise en histoire à l'Université d'Ottawa. Sa thèse porte sur la problématique nationale dans la transformation de l'île de Hull menée par la Commission de la capitale nationale (CCN) de 1959 à 1979. Elle a réalisé différents contrats de dépouillement dans les archives de la CCN.

Amal Madibbo est professeure agrégée au Département de sociologie de l'Université de Calgary. Ses recherches traitent de l'immigration francophone en milieu minoritaire, de la race et de l'antiracisme ainsi que des relations ethniques en Afrique subsaharienne.

Valérie Mandia a pour champs d'intérêt les limites et les passerelles entre deux paroles artistiques, à la croisée de la littérature et des arts visuels, ainsi que la figure de l'auteure-artiste. Après un baccalauréat en arts visuels, elle est aujourd'hui doctorante au Département de français de l'Université d'Ottawa. L'essentiel de son propos porte sur l'intermédialité, notamment chez l'écrivaine-peintre Leonor Fini. On peut lire ses articles dans *La Chaire de recherche de l'Université d'Ottawa : Canada : enjeux sociaux et culturels dans une société des savoirs*, *an@lyses* et *Liaison*, et voir ses créations picturales sur le site www.valeriemandia.com.

Gilbert McLaughlin est doctorant au Département de sociologie et d'anthropologie de l'Université d'Ottawa. Ses recherches portent sur les théories de l'imaginaire et sur les mythes politiques et rituels en Acadie.

Serge Miville est doctorant en histoire à l'Université York. Il s'intéresse au discours des historiens dans l'espace public canadien après la Seconde Guerre mondiale et aux francophonies canadiennes, dont l'Ontario français, et termine un manuscrit sur le nationalisme de la presse franco-ontarienne.

Nicolas Nicaise est chargé de cours et étudiant au doctorat en études littéraires à l'Université de Moncton, dans le cadre d'une entente de cotutelle avec l'Université de Liège (Belgique). Sous la direction de Raoul Boudreau et de Jean-Pierre Bertrand, il s'intéresse à la sociologie des littératures marginalisées et à l'analyse des discours littéraires et métalittéraires associés, en particulier, à la littérature acadienne. Les liens problématiques qui existent entre texte et contexte dans ce type d'espace sont au cœur de ses recherches doctorales portant sur l'émergence et l'institutionnalisation de la littérature en milieu minoritaire.

Nicole **Nolette** est chercheuse postdoctorale (CRSH 2014-2016) associée au Department of Romance Languages and Literatures de l'Université Harvard et professeure à temps partiel au Département de théâtre de l'Université d'Ottawa. Sa thèse de doctorat, soutenue au Département de langue et littérature françaises de l'Université McGill en 2014, portait sur la traduction de spectacles hétérolingues au Canada francophone. Nicole Nolette s'intéresse aux littératures franco-canadiennes, à la traductologie, aux théories du jeu et au spectacle vivant. Elle a publié de nombreux articles et chapitres de livres dans ces domaines.

Christophe **Traisnel** est professeur de science politique à l'Université de Moncton et chercheur associé à l'Institut canadien de recherche sur les minorités linguistiques. Il est titulaire d'un doctorat en cotutelle de l'Université de Montréal et de l'Université de Paris II Panthéon-Assas. Ses recherches portent sur les francophonies minoritaires dans une perspective comparative. Il travaille, en particulier, sur la vitalité des communautés francophones au Yukon, au Nunavut et dans les Territoires du Nord-Ouest ainsi que sur l'agencement du thème du particularisme linguistique avec celui de diversité culturelle dans le discours des mouvements linguistiques et identitaires au Canada et en Belgique.

Politique éditoriale

Francophonies d'Amérique est une revue pluridisplinaire dans le domaine des sciences humaines et des sciences sociales. Elle paraît deux fois l'an. La direction de la revue favorise non seulement la représentation équitable des diverses disciplines, mais elle encourage également les croisements disciplinaires. L'Ontario, l'Acadie, l'Ouest canadien, les États-Unis et les Antilles (Haïti, Martinique, Guadeloupe) y sont représentés. Le Québec peut aussi y être conçu comme un objet d'étude dans son histoire et sa présence continentales. Les diverses facettes de la vie française dans ces régions font l'objet d'analyses et d'études à la fois savantes et accessibles à un public qui s'intéresse aux « parlants français » en Amérique du Nord. On y retrouve aussi des comptes rendus et une bibliographie des publications récentes en langue française issues de ces collectivités. La direction de la revue privilégie la représentation des régions tant par les textes que par les auteurs et encourage les études comparatives et les perspectives d'ensemble. *Francophonies d'Amérique* vise à refléter un secteur de recherche en pleine croissance et constitue ainsi une source de renseignements des plus utiles pour quiconque s'intéresse à la francophonie nord-américaine dans toute sa vitalité.

Procédure d'évaluation des articles

Tous les articles soumis à la revue, y compris les textes sollicités par la direction, les membres du conseil d'administration ou du comité de rédaction, doivent faire l'objet d'une évaluation par au moins deux personnes compétentes. La revue fera appel le plus souvent possible aux membres du comité de rédaction pour assurer l'évaluation des textes. La sollicitation d'un article ou d'un compte rendu n'en signifie donc pas l'acceptation automatique.

Francophonies d'Amérique ne publie que des articles inédits, c'est-à-dire qui n'ont fait l'objet d'aucune publication antérieure, sous quelque forme que ce soit, incluant le site Web de l'auteur, celui du centre de recherche ou celui de l'institution à laquelle il est rattaché.

Numéros thématiques – textes choisis de colloques

Francophonies d'Amérique accueille volontiers des articles provenant de colloques portant sur des sujets pertinents. Un seul numéro par année est normalement consacré à ce type de publication.

La préparation des textes est confiée au responsable du numéro thématique. Tous les articles doivent être remis en un seul dossier, en format Word. La présentation du numéro par le responsable scientifique et les notices biobibliographiques (100 mots) des collaborateurs et des collaboratrices ainsi que les résumés (en français et en anglais) des articles (100 mots) doivent être compris dans le dossier remis à la direction de la revue. Les textes doivent être conformes aux normes et au protocole de rédaction de la revue.

Les manuscrits doivent faire l'objet d'une évaluation normale par les pairs.

En consultation avec les coordonnateurs des différents dossiers, la direction de *Francophonies d'Amérique* est responsable du choix final des articles, et elle avisera les auteurs de sa décision.

Nombre de pages

Les numéros de *Francophonies d'Amérique* comptent au maximum 200 pages, incluant la table des matières, l'introduction, les articles, les comptes rendus, les notices biobibliographiques et les pages se rapportant à la revue.

Longueur des articles

Les textes soumis pour publication comptent entre 15 et 20 pages, à interligne double. Les tableaux, les graphiques et les illustrations doivent être limités à l'essentiel ; chaque numéro comprend au maximum 26 tableaux et illustrations.

Présentation des articles

La revue utilise le système de renvoi à l'intérieur du texte, suivi d'une bibliographie des ouvrages cités. Les notes doivent être réduites au minimum, et seules celles qui sont essentielles à la cohésion et à la compréhension de l'article seront publiées. De même, la revue ne publiera que la bibliographie des ouvrages cités.

Présentation des comptes rendus

Les comptes rendus comprennent la référence complète de l'ouvrage recensé en guise de titre, suivie du nom de l'auteur du compte rendu ainsi que ses coordonnées complètes. Nombre de mots : entre 1 000 et 1 200.

Protocole de rédaction

Le protocole de rédaction est disponible dans le site Web de la revue, à l'adresse suivante : [http://francophoniesdamerique.uottawa.ca/protocole-redaction.html.

Accès libre aux articles

Deux ans après la parution de son article en format imprimé et électronique dans le portail Érudit, l'auteur qui le désire pourra diffuser librement son article après en avoir obtenu l'autorisation de *Francophonies d'Amérique* et en s'assurant que la source de l'article est clairement indiquée.

Bureau des abonnements
CRCCF

Université d'Ottawa
65, rue Université, pièce 040
Ottawa (Ontario) K1N 6N5
CANADA

Att. : Martin Roy
Roy.Martin@uottawa.ca

ABONNEMENT À LA VERSION IMPRIMÉE | NUMÉROS 37 ET 38

Canada (TPS comprise)			**À l'étranger** (frais d'envoi compris)		
Étudiant/ retraité	☐	**30 $**	Étudiant/ retraité	☐	**40 $ CAN**
Individu	☐	**40 $**	Individu	☐	**55 $ CAN**
Institution	☐	**110 $**	Institution	☐	**140 $ CAN**

TARIFS À L'UNITÉ | Numéro désiré _____

Canada (TPS comprise)			**À l'étranger** (frais d'envoi compris)		
Étudiant/ retraité	☐	**20 $**	Étudiant/ retraité	☐	**28 $ CAN**
Individu	☐	**25 $**	Individu	☐	**33 $ CAN**
Institution	☐	**60 $**	Institution	☐	**70 $ CAN**

Nom :	Prénom :
Organisme :	
Adresse :	Ville :
Province :	Code postal :
Téléphone :	Courriel :

Veuillez retourner une copie de ce formulaire d'abonnement et votre chèque libellé au nom de l'Université d'Ottawa à l'adresse suivante :

Martin Roy
Centre de recherche en civilisation canadienne-française
Université d'Ottawa
65, rue Université, pièce 040
Ottawa (Ontario) K1N 6N5
CANADA

ABONNEMENT À LA VERSION NUMÉRIQUE

Pour les abonnements à la version numérique, les institutions, les consortiums et les agences d'abonnements doivent communiquer avec Érudit :
Tél. : 514 343-6111, poste 5500 | erudit-abonnements@umontreal.ca

Achevé d'imprimer
en novembre deux mille quinze, sur les presses
de l'imprimerie Gauvin, Gatineau, Québec